行不由徑

ゆくにこみちによらず

諸橋轍次記念館 編

本書は２０１９年４月１日から２０２３年３月31日まで新潟日報朝刊に連載された「行不由径」をまとめたものです。出版にあたり、一部加筆修正を行いました。

はじめに—連載開始に寄せて

情報化社会と漢和辞典　「ど忘れ」起こらぬ時代に

パソコンやスマホで文章を書けば、どんな難しい漢字でも、コンピュータで使える限り、いとも簡単に表記できる。「憂鬱《ゆううつ》」だって「顰蹙《ひんしゅく》」だって「矍鑠《かくしゃく》」だって、いくつかキーをうつだけで即座に画面に表示できるし、簡単に印刷までできてしまう。

このように機械で日本語を書く習慣が定着するとともに、世間にはひとつの「信念」ができあがった。それは、「パソコンで文章を書いていると、やがて手書きでは漢字が書けなくなる」というものだ。

機械なら、どんな難しい漢字でも気軽に使える。だがコンピュータが普及する前に、私たちはそんな難しい漢字を手書きで書いていただろうか。たとえばパソコンなら「咄嗟《とっさ》の事態に愕然《がくぜん》とした」と簡単に書けるが、「咄嗟」とか「愕然」ということばを、手書きの時代にも気軽に使っただろうか。

パソコンなど見たこともなかったわが父は、「最近は漢字をよく忘れるようになったなぁ」とぼやきながら、老眼鏡をかけて漢字の辞典を引いていた。だが現代人は漢字を調べるために辞典を引くことなどめったにない。

それまで苦労もせずに書けていた漢字が突然書けなくなるという現象は、誰にだって起こる。しかし漢字を「ど忘れ」するのは、パソコンで文章を書くようになったからではない。

機械を使えば、漢字を手で書く必要がない。だからそこでは漢字のど忘れが起こらないし、「辞書」が機械に内蔵されているから、漢字を書きまちがうこともない。しかし目の前に機械がなく、手で文章を書く時には、使いたい漢字が目の前に表示されない。

その時に人は漢字を「ど忘れ」したと思う。しかしそれは文字記録環境が機械普及の前にもどっただけの話で、漢字が書けるか書けないかは、もとをただせば漢字に関する個人それぞれの知識量と習得達成度によるのである。

漢字は幼少時から長い時間をかけて習得するもので、そのことはいまも変わらない。その習得へ長い道を正しく導いてくれるのが辞書であり、その頂点には、明治16（1883）年に下田村（現在の三条市）に生まれた碩学《せきがく》諸橋轍次博士の編になる『大漢和辞典』が燦然《さんぜん》と輝いている。

手軽に操作できる情報機器全盛の時代であるからこそ、いま先人が築きあげた偉業を顕彰する必要があるだろう。

（新潟日報2019年3月28日掲載）

―書籍化に寄せて

毎朝の第1面、それも題字のすぐ近くに文章を書かせていただけるのはまことに光栄であり、同時に重圧に立ち向かう仕事でもありました。4年にわたってご愛読とご支援を頂戴しましたこと、ここに執筆者を代表して厚くお礼を申し上げます。

2023年12月

阿辻哲次

1章

2019年4月〜
2020年3月

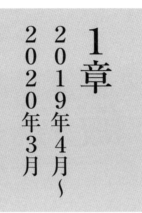

雪

セツ
ゆき

春がやってきた。「雪国を捨てず雪解けある限り」（饒村楓石《におむらふうせき》）は、雪国の人に共通の思いだろう。「雪」の下部は「彗《ほうき》（帚）」の省略形。冬の間、白く掃き清められていた大地が、黒い色を見せる。（つ）

2019年4月1日

令

レイ
リョウ

新しい元号が「令和」に決まった。「令」はひざまずいた人に向かって、上から口で命令や指示を与えている形。「命令」のほか、「令嬢」や「令息」のように、「よい」という意味にも使われる。（祇）

2019年4月2日

和

ワ
やわ（らぐ）
やわ（らげる）
なご（む）
なご（やか）

部首は〈口・くち〉。人の声に呼応する意から、心を合わせてやわらぐ、なごむ、仲よくする意を表す。同じ「和」でも、「付和雷同」は定見を持たず、安易に他人の説に賛同すること。こんな「和」は困る。（つ）

2019年4月3日

飯

ハン
めし

「食べる」の「反対」でどうして「めし」になるのか？と聞かれたら、返答に詰まりそう。実は、この「反」は、音読み「ハン」を表すだけで、深い意味はない。いわゆる形声文字。こういう成り立ちの漢字は多い。（卍）

2019月4月4日

人

ジン
ニン
ひと

「二人の人が支え合う形」という俗説の起源は新渡戸稲造《にとべいなぞう》と聞く。「人」は、立った人を側面から見た形の象形文字。漢字の成り立ちを考える時は、推測に頼らず、必ず漢和辞典の解字（成り立ち）欄で確認したい。（つ）

2019年4月5日

相

ソウ
ショウ
あい
み（る）
たす（ける）

「互いに」と解されることが多いが、一子相伝の「相」もそうだろうか。この「相」は動作に方向や相手があることを示す。一子相伝とは、父が一人の子だけに秘法を伝える意。親子で伝え合うでは意味をなさない。（つ）

2019年4月6日

正

セイ
ショウ
ただ（しい）
ただ（す）
まさ

「正」は選挙結果の集計などによく使われる。直線だけで書け、ちょうど5画なのでこんな時には便利だが、5画の漢字は他にもあるから、やはり「ただしい」という意味がそこに作用しているのだろう。（祇）

2019年4月7日

野

ヤ
の

人間社会の中心部に対して、その周縁部を指す。そう考えると「野党」「在野」「野に下る」などの言葉には、周縁部のわびしさが漂う。「諸橋大漢和」では、「まちはずれ」という印象的な字訓が付されている。（卍）

2019年4月8日

瀉

シャ
そそ（ぐ）
は（く）
くだ（る）

「一瀉千里《いっしゃせんり》」では水が流れ出る意、「止瀉薬《ししゃやく》」では腹を下す意。新潟の「潟」は別字だが、中国では「潟」が使われなくなったために、「潟」も「瀉」と発音されることが多い。「瀉」の略字の「泻」のせいではない。（之）

2019年4月9日

度

ド
ト
タク

「忖度《そんたく》」で有名になった音読み「タク」は、「測る」という意味の場合に使われる。「諸橋大漢和」によれば、「支度」も本来「計算する」という意味。前もって計算するところから「準備する」ことを表すようになった。（卍）

2019年4月10日

細

サイ
ほそ（い）
こま（か）
くわ（しい）
ささ（やか）

「細君」の「細」は「小」（つまらない）の意で、山妻《さんさい》・愚妻と同じく自分の妻を謙遜していう語。各種の辞典には「転じて他人の妻をいう」とあるが、「君の細君は」と言うと感情を害する人がいるかもしれない。（つ）

2019年4月11日

愛

アイ
め（でる）
お（しむ）
いと（しい）
かな（しい）

古くは〈旡・すでのつくり〉と〈夊・すい〉と〈心〉の組みあわせで書かれた。〈旡〉は後ろを振り返ること、〈夊〉はゆっくり歩くこと。過ぎ去ったことを振り返り、大切に育む心情が、「愛」本来の意味である。（祇）

2019年4月12日

糎

センチメートル

センチメートルと書けば7文字。スペースが惜しいと明治時代に気象台がこの字を作り上げた。ミリメートルは「粍」、キロメートルは「粁」。今はローマ字の記号で「cm」など、より楽に書けるようになった。（之）

2019年4月13日

郷

キョウ
ゴウ
さき（に）
さと
ふるさと

中央におかれた食物を二人が両側からはさむ形で、「向かい合う」ことを表した。人が心の中で絶えず「向かう」場所ということから、やがてこの字が「ふるさと」という意味に使われるようになった。（祇）

2019年4月14日

顔

ガン
かお

人間らしい感情を持たない人は気持ちが顔色に出ないが、それはその人の顔の皮が厚いからだと考えられた。それで恥知らずの人物のことを「厚顔」とか「顔の皮が厚い」と表現するようになった。（祇）

2019年4月16日

肺

ハイ

人体の「肺」は〈月・にくづき〉に「市《し》」と書いて、なぜ「ハイ」と読むのか。本来の旁《つくり》は縦棒が突き通った「巿《はい》」（4画）で、「市」（5画）より1画少ない。杮落《こけら》としの「こけら」も同じで「柿《かき》」とは別の字だ。（つ）

2019年4月17日

⿰齒幾

ゲキ

「歯がぐらつく」ことを表す。昔の中国の人も歯には悩まされたようで、「諸橋大漢和」の部首〈齒（歯）・は〉には、「歯がいたむ」「歯をぬく」といった漢字もある。興味のある方は、ぜひ図書館でご覧あれ。（卍）

2019年4月18日

業

ギョウ
ゴウ
わざ
すで（に）

材木に鑿《のみ》をうちこんで大きな板を作ることを表す字で、土木工事に使う板から「事業」という意味を表すようになった。工事に使う板のみならず、学業でも業務でも、しっかりした基礎が必要ということだ。（祇）

2019年4月19日

汁

ジュウ
しる
つゆ

2019年4月20日

「肉汁」の読み方は「にくじゅう」か「にくじる」か。テレビのグルメ番組では「ステーキの肉汁《にくじゅう》」「肉汁《にくじる》でうどんを食べる」と読み分けているようだ。確かに「にくじゅううどん」では、あまり食指が動かない。（つ）

頸

ケイ
くび

2019年4月21日

頸椎《けいつい》を医師はカルテによく「頚椎」と略して書く。県内の地名の頸城《くびき》も地元では「頚城」が健在。よく使う字は略して書くのが人の常だ。電子カルテやパソコン文書では、どちらが使われるだろう。（之）

敗

ハイ
やぶ（れる）

2019年4月22日

「諸橋大漢和」をはじめ、伝統的な漢字の辞書では部首を〈攵・のぶん〉とするので、注意が必要。「攵」は「打つ、強制する」という意味。「貝《ばい》」は、音読み「ハイ（バイが変化した）」を表すと考えられている。（卍）

私

シ
わたくし
わたし
ひそ（か）

2019年4月23日

「私淑」とは私《ひそ》かに淑《よ》くするの意で、直接教えを受けないが、心の中でその人を師と仰ぐことをいう。中国・戦国時代の孟子《もうし》が孔子《こうし》の教えを、直接ではなく、それを伝え聞いている人に学んだことに由来する。（つ）

典

テン

2019年4月24日

書物を表す「冊」を、台の上に載せた形が、変形した。大切に保管しておくべき貴重な書物を指す漢字で、「経典」「古典」などに、そのニュアンスがよく現れている。皆さん、「辞典」を大切にしましょう。（卍）

椀

ワン
まり

2019年4月25日

お吸い物は「椀《わん》もの」、〈木・きへん〉が多い。茶碗蒸しは〈石・いしへん〉がほとんどだ。同じワンだが、材質を書き分けるのが繊細なところ。昔は「埦」「鋺」まであった。さてプラスチック製はどれがいいか。（之）

家

カ
ケ
いえ
や
うち

2019年4月26日

屋根の象形である〈宀・うかんむり〉と、〈豕・ぶた〉からできているが、そのブタは神さまへのお供えである。つまり「家」とは動物の肉を供えて先祖の位牌《いはい》をまつる、最も神聖な部屋のことである。（祇）

休

キュウ
やす(む)
いこ(う)
や(める)

2019年4月27日

人が木にもたれている形から「休」という字ができた。木がたくさんある場所が「林」で、木の上に鳥がいっぱいいることから「集」という字ができた。昔の人は身近なものを利用してうまく文字を作っている。（祇）

馬

ケン、カン

2019年4月28日

「諸橋大漢和」では、「一歳の馬」と説明されている。「馬」に横線を一本加えた、分かりやすい成り立ち。大漢和には2歳、3歳、4歳の馬を表す漢字も載っているが、横線の数が増えていくわけではない。（卍）

生

セイ、ショウ
い(きる)
う(まれる)
お(う)、なま
は(える)、き

2019年4月29日

「先生」の対義語は「後生《こうせい》」。先に生まれた先生に対して、後生は後から生まれてきた人の意味。若い人には無限の可能性があり、畏敬に値すると考えた孔子は、「後生畏《おそ》るべし」（『論語』）と評している。（つ）

王

オウ
きみ

2019年4月30日

大きなマサカリを柱に立て掛けた形をかたどった文字、と考えられる。原生林を切り開いて国を造るのに使われ、また戦いでは武器としても使われたマサカリが、王者を表すシンボルとなった。（祇）

寿

ジュ
ことぶき
ひさ(しい)
ことほ(ぐ)

2019年5月1日

漢字の旧字体は書けなくてもほとんど困らないが、「寿」は例外だ。怒濤《どとう》の「濤」や黙禱《もくとう》の「禱」は、表外字なので旁《つくり》が「寿」の旧字体だからだ。「壽」を「士《さむらい》フエ（吹く）一吋《インチ》」と覚えた古人の知恵は侮りがたい。（つ）

祭

サイ
まつ（る）
まつ（り）

2019年5月2日

「冠婚葬祭」の祭とは何だろう。冠は弱冠で成人の儀式、婚は婚礼、葬は父母の弔い、祭は先祖をまつること。人が一生で経験する四つの儀礼をいう。祭をフェスティバルと考えてしまうと他と釣り合いがとれない。（つ）

絆

バン
きずな
ほだし
つな（ぐ）

2019年5月3日

牛馬をつなぎ留めるひもを指す。訓読みの「きずな」もクビ・ツナが変化した語ともいわれる。絆創膏《ばんそうこう》のバンで、「糸」に「半」と手書きするのが自然。人と人との絆のように、温かい関係を意味するようになってきた。（之）

緑

リョク
みどり

2019年5月4日

「みどり」と訓読みする漢字は多く、よく使われるものとしては、他に「碧」「翠」がある。「碧」は、〈石・いし〉を含むように、元々は宝石の色。「翠」は、〈羽・はね〉を含むように、カワセミの羽の色。（卍）

午

ゴ
うま

2019年5月5日

夜中の12時を子《ねずみ》とし、2時間ずつ干支《えと》を配すると、昼の12時が午《うま》になる。この干支を時計の形に書くと一番上に「子」、下に「午」がくるので、北と南を結ぶ線を「子午線」と呼ぶ。（祇）

苗

ビョウ
ミョウ
なえ
なわ

2019年5月6日

「田」の上に〈艹・くさかんむり〉をかぶせた、いかにも「なえ」らしい漢字。ただ、「子孫」や「一族」を表す場合もあり、「苗裔《びょうえい》」「苗字《みょうじ》」などが、その例。田んぼから人間が生えてくると想像すると、面白い。（卍）

椡

くぬぎ

2019年5月8日

県内の地名「新発田市三ツ椡」に使われている国字。江戸時代から見られるが、木が到《いた》ったのか、木が倒れたのか、由来ははっきりしない。他の地では、クヌギには「櫟」「橡」「櫪」や国字の「椚」がよく当てられた。（之）

龘龘（龍龍／龍龍）

テツ

「諸橋大漢和」の見出し漢字の中で、最も画数が多いことで有名。意味は「言葉が多い。多言」。大漢和には、同じ64画の漢字として、「興」を四つ並べたものも掲載されているが、意味は「未詳」となっている。（卍）

2019年5月9日

蕾

ライ
つぼみ
つぼ(む)

手紙入りの封筒を綴《と》じる時、よく「〆《しめ》」と書く。「占」の〈ト・ぼく〉が崩れたものともいう。かつて女学生には「蕾」と書く風習があった。固く閉じたことを意味するが、今は封じ目に何も書かない学生が多い。（之）

2019年5月10日

甘

カン
あま(い)
うま(い)

字の中にある〈一・いち〉は、何かの食品が口に入っていることを表す記号であり、古代の人々は口に物が入っているだけで、「おいしい」と感じた。飽食の時代ではなかなか理解できない作り方の漢字である。（祇）

2019年5月11日

自

ジ
シ
みずか(ら)
おのずか(ら)
よ(り)

人の鼻を描いた象形文字。「私は、私が」という時には誰でも自分の鼻を指すことから、みずからの意で用いる。「鼻」や「息」、休憩の「憩」の字は、鼻の形の自を含むと覚えると、自か白かと迷わなくなる。（つ）

2019年5月12日

蛯

えび

中華料理で「蝦」と書くエビは、和食だと「海老」と書かれがちだ。北海道では、その両方を交ぜた「蛯」という国字が「蛯天」などと使われ、青森県でも地名や名字に多用される。本県では見つかるだろうか。（之）

2019年5月13日

蟹

カイ
かに

字の形がいかにもカニっぽいという人がいるが、「解」は音読みを表す。「蠏」とも書けるがバランスが取りにくい。映画「聲《こえ》の形」が公開された時、「カニの形」とよく読み間違えられた。分解して覚えるのがコツ。（之）

2019年5月14日

春

シュン
はる

2019年5月15日

「春秋」は一年の春と秋で、年月のこと、転じて年齢を表す。「春秋高し」は高齢であること、「春秋に富む」は若者は長く生きるので、可能性に富むことをいう。同じ「春秋」を使いながら、意味は正反対だ。（つ）

花

カ
はな

2019年5月16日

季節の推移を私たちは植物の開花で実感する。花は戸外でも室内でも生活に安らぎを与えてくれるし、季節に応じて心にたっぷりと潤いをもたらしてくれる。花が嫌いだという人はめったにいない。（祇）

笹

ささ

2019年5月17日

日本製の漢字。古くは「小竹」「篠」などと書いた。「葉」の中の「世」と「竹」を組み合わせた成り立ちのようで、江戸時代の初めに全国に広まった。常用漢字にないが、新潟では特に「笹団子」としてよく見掛ける。（之）

逢

ホウ
あう

2019年5月18日

「あう」は「会う」「遭う」と書くと国語で習う。小説や漫画などで「逢う」を見つけ、ロマンチックさを覚える。テストで書き間違えたとき直して10回書け、と命じられたらどうだろう。常用漢字に入らない方がよさそうだ。（之）

苦

ク
くる（しい）
にが（い）

2019年5月19日

〈艹・くさかんむり〉がついており、もともとキク科の多年草「ニガナ」という植物のこと。その茎や葉から出る白い液に苦みがあることから、やがて「くるしい」という意味に使われるようになった。（祇）

砉

ケキ
カク

2019年5月20日

「諸橋大漢和」では、「ほねとかわとがはなれるおと」という字訓が付けられている。長い訓読みを持つ例として紹介されることがあるが、大漢和の「字訓」とは、意味を日本語で説明したもので、「訓読み」とは異なる。（卍）

属

ゾク
つづ(く)
つづ(る)
つ(く)
つ(ける)

「属」1字で「さっか」と読む名字がある。律令制で佐官《さかん》を役所によって「史・典・属・目」などと書き分けたことに由来するという。「さっか」は「さかん」の訛《なま》り。「目」1字の名字も、同じく「さっか」と読む。（つ）

2019年5月21日

与

ヨ
あた(える)

旧字体では「與」。その上部の真ん中部分を取り出し、変形させた。いわゆる「新字体」ではあるが、この部分を略字として使う例は古くからあり、ひらがなの「よ」も、その崩した形から生まれている。（卍）

2019年5月22日

漢

カン

「項羽《こうう》と劉邦《りゅうほう》」で知られる劉邦が王朝を建てたとき、最初の領地に漢水という川が流れていたので、その名前を国名とした。「漢」はもともと川の名前を表す文字で、だから〈氵・さんずい〉がついている。（祇）

2019年5月23日

僕

ボク

一人称として使うのは、「私」に比べて軽く見られがち。しかし、「諸橋大漢和」にも「自己の卑称」としての用法が載っており、紀元前の偉大な歴史家、司馬遷《しばせん》の使用例が引かれている。由緒正しい用法なのである。（卍）

2019年5月24日

柏

ハク
かしわ
かや

「柏《はく》」はヒノキやコノテガシワなどの常緑樹の総称で、樹齢が長いのが特徴。同じ常緑樹の松を添えた「松柏《しょうはく》」は、人の節操が堅いことや長寿の例え。落葉する日本のカシワでは、この例えは説明できない。（つ）

2019年5月25日

薔

ショウ

バラの花のような形だが、〈艹・くさかんむり〉に音読みを表す「嗇《しょく》」が組み合わさったもの。「薔薇」と書いてショウビは、元はとげのあるイバラの類いを指す。西洋のローズが入ってきてからイメージが一変した。（之）

2019年5月26日

燃

ネン
も（える）
も（やす）

2019年5月27日

「然」の〈灬・れっか〉は、「火」の変形で、「然」は「もえる」という意味を持っていた。後に、「偶然」のようにも使われるようになったので、改めて作られたのが「燃」。「火」を二つ含むご丁寧な漢字である。（卍）

個

コ

2019年5月28日

「箇」とも書かれ、略して〈竹・たけかんむり〉の半分だけを書くこともあった。それを一筆書きで続けて書くと「ケ」によく似た形となる。「三ケ百円」などと「ケ」を「個数」の意味に使う由来である。（祇）

古

コ
ふる（い）
ふる（す）
いにしえ

2019年5月29日

「ふるい」ことをいう形容詞には2種類あって、長い時間がたつことで価値が上がるのを「古」、価値が下がるのを「旧」で表した。書物や酒についていう「古典」や「古酒」がその使い方である。（祇）

枡

ます

2019年5月30日

日本酒を注ぐマスも、四角いマンホールのようなマスも「升」と書く。木製だったので日本で〈木・きへん〉を付けた。「升」の草書と似た別の字「舛《せん》」と混同して「桝」と書くこともあるが、何だかもっともらしく見える。（之）

医

イ
いや（す）
くすし

2019年5月31日

旧字体「醫」の上にある部分は、「病人が苦しがる声」という意味を表し、下は「酒」の省略形である。病気で苦しそうな声を出している人にお酒を与えるのが、意外にも古代の医者の仕事だった。（祇）

数

スウ、ス
かず
かぞ（える）
せ（める）
しばしば

2019年6月1日

数子さん、一子さん、和子さんがそろって「かずこ」と読まれるのはなぜだろう。「一」は数の始まり、「和」は数の和《わ》と考えると疑問が解ける。名付けに用いる訓読みの謎解きは、頭の体操にうってつけだ。（つ）

耗

モウ
コウ

2019年6月2日

「消耗」を「ショウモウ」と読むのは慣用読みで、「ショウコウ」が本来の読み方。ただ、「諸橋大漢和」には「モウ」という音読みもある。ただし、それは「暗い」「ない」などの意味の場合にしか使わない、とある。（卍）

場

ジョウ
ば

2019年6月3日

「工場」の読みは「こうじょう」と「こうば」の二つある。明確な読み分けの基準はないが、私たちは無意識にそれを行っている。日本語を母語としない学習者にこの読み分けを教えるのは、相当難しそうだ。（つ）

黒

コク
くろ
くろ（い）

2019年6月4日

火が燃えてできる煤《すす》を、袋に集めようとしている形を表している（本来の字形は「黑」）。こうして集めた煤を練り固めたのが墨で、古代中国では筆とともに使われる、最も基本的な勉強道具だった。（祇）

蛋

タン

2019年6月5日

中華にピータンという卵料理がある。漢字で皮蛋。蛋は卵の意味で、蛋白《たんぱく》は卵の白身、蛋白質はそういう成分をもつ栄養素の意。この虫という字が気になる人は結構いて、「風」の中を「百」に替えた字を好む人もいる。（之）

婚

コン

2019年6月6日

古代の結婚式は夕暮れに始まった。右にある「昏《こん》」は、古く「人」と「日」を組み合わせた形に書かれ、太陽が人間の高さまで下りてくる夕暮れを表した。それに「女」を組み合わせて「婚」が作られた。（祇）

負

フ
ま（ける）
ま（かす）
お（う）

2019年6月7日

新潟日報朝刊で紹介された坂口安吾の直筆手紙では、「貝」の上の部分が「刀」となっている。これは、安吾だけの書きぐせではない。いわゆる旧字体とは異なるが、昔は、こういう書き方もよく見られた。（卍）

梅

バイ
うめ

2019年6月8日

「梅雨」は梅が熟す時期に降るからというのは、「歳華紀麗」という本の注に出てくる説。黴《かび》を生やす雨をいう「黴雨《ばいう》」が転じたとするのは、「五雑組」という本。「諸橋大漢和」はそんなことも教えてくれる。（卍）

凧

たこ

2019年6月9日

「鳳巾《ほうきん》」という2字が略されて合わさり「凧」ができた。バランスをとる凧の足から、京阪では「いか」と呼び、江戸では対抗して「たこ」と呼んだ。三条で「いか」と呼ばれるのはその名残。（之）

雨

ウ
あめ
あま

2019年6月11日

空から降る「あめ」を表す文字を作れといわれたら、だれでも空から落ちてくる水滴を描くだろう。「雨」はこうして作られた。文字の起源は絵画であり、山とか魚などはどこの国の人が描いてもほぼ同じ形になった。（祇）

師

シ
いくさ
おさ
みやこ

2019年6月12日

学校の教師と軍隊の師団に「師」が共通しているのはなぜだろう。師には人が集まるという意味があり、学校にも軍隊にも人が多くいると考えると納得がいく。都を京師《けいし》というのも、この意味からである。（つ）

レン

2019年6月13日

「諸橋大漢和」の索引巻の「補遺」に収められている漢字。11世紀に中国で作られた「集韻《しゅういん》」という辞書に、「恋」の古い字として載っている、と説明がある。「〇」を構成要素として持つ漢字はとても珍しく、ユニーク。（卍）

地

チ
ジ
つち

2019年6月14日

「地産地消」とは、地元の産品をその土地で消費すること。「地《じ》のもの」と対になっているのが「旅《たび》のもの（よその土地でとれた品物）」だ。少し前まではこのような呼び分けがあったが、もう死語だろうか。（つ）

虹

コウ
にじ

古代の中国の人々は、「にじ」は竜の一種だと考えた。「虹」の〈虫・むしへん〉は、ここでは竜を表す。「諸橋大漢和」には、さらに「雄を虹、雌を蜺という」とある。「蜺」は、「ゲイ」と音読みする漢字である。（卍）

2019年6月15日

大

ダイ
タイ
おお
おお（きい）
おお（いに）

大相撲の「大」は誰もが「おお」と読むが、大地震は「おお」「だい」に分かれる。一般には漢語の上では「だい」、和語の上では「おお」と読む。しかし「大《おお》人数」の例もあり、基準は必ずしも定かではない。（つ）

2019年6月16日

翡

ヒ

「翡翠《ひすい》」は、羽が鮮やかなカワセミの類の水鳥を指す。「翡」の下は「羽」ではなく「羽」と書いて構わない。その鮮やかさから、青緑色の宝石の名にもなった。そのイメージから「翠」は、あお、みどりとも読まれる。（之）

2019年6月17日

資

シ
もと
たす（ける）
と（る）
たち

「資質の向上を図る」というが、資質は向上するのだろうか。「資」も「質」も、もともと持っているという意味。生まれつきの性質や才能は向上させるのではなく、開発したり探り当てたりするものだろう。（つ）

2019年6月18日

貝

バイ
かい

「財」や「貴」など、〈貝・かいへん〉がつく漢字は財産に関する意味を表すが、どんな貝でも宝物になったわけではない。古代において財産とされた貝は、はるか遠くの海にいる「子安貝」という貝だった。（祇）

2019年6月19日

水

スイ
みず

水無月《みなづき》は陰暦6月の異称。「無」は「な（の）」に漢字を当てたもので、田に水を注ぐ必要のある月だから「水の月」といった。陰暦10月の「神無月《かんなづき》」も「神の月」で、「出雲では神有月《かみありづき》と呼ぶ」というのは俗説。（つ）

2019年6月20日

券
ケン

2019年6月21日

古代の葬礼では死者を埋葬する時に、神様からその土地を買ったことを記す「買地券《ばいちけん》」という証明書を墓に入れた。「券」とは文字を書いた札を二つに切り、それぞれが持つ「割り符」のことだった。（祇）

夏
カ
ゲ
なつ

2019年6月22日

頭に大きな冠をつけ、美しい衣装をまとって舞う姿をかたどった漢字。夏の祭りで舞われたことから季節の「なつ」を表し、また優雅な舞だったことから「優れた文化」を意味し、王朝の名前としても使われた。（祇）

蛍
ケイ
ほたる

2019年6月23日

晋《しん》の車胤《しゃいん》は貧しくて油を買えなかったので、蛍を捕まえて袋に入れ、その明かりで勉強したという。有名な「蛍の光」の話だが、そんなにたくさん蛍を捕まえる暇があったら、なぜその間に勉強しなかったのだろう。（祇）

膚
フ

2019年6月24日

常用漢字にも、その前身の当用漢字にも入っているが、なぜか皮膚科の医院の看板では、「皮フ科」と掲げているのが目立つ。画数が多く、字画がつぶれやすいからだろうか。「ヒフ科」の例もよく見掛ける。（卍）

仕
シ
ジ
つか（える）
つかまつ（る）

2019年6月25日

仕事・仕方・仕業《しわざ》に共通する「仕」には、つかえるという意味はない。「仕」は、動詞「す」の連用形「し」に、同音の漢字を当てたもの、つまり当て字だ。仕度《したく》も同様だが、新聞用語では支度に統一されている。（つ）

楼
ロウ

2019年6月26日

「諸橋大漢和」では、最初に「たかどの。二階家」という説明がある。昔は、2階建ての建物でも十分に高かった。そう考えると、現在の「摩天楼」が時に１００階以上もあるのは、なにやら空恐ろしい。（卍）

心

シン
こころ
むね
うら

2019年6月27日

性・恋・愛・恭に共通する部首は〈心・こころ〉。位置や形によって〈忄・りっしんべん〉〈㣺・したごころ〉と名称が異なるが、「こころ」という意味は同じ。「愛は中心にあり、恋には下心がある」は俗説に過ぎない。（つ）

林

リン
はやし

2019年6月28日

「木」が二つで「はやし」という、分かりやすい成り立ち。「諸橋大漢和」には、「林」を三つ、さらに四つも並べた漢字も収録されている。とはいえ、どちらも中国の古い書物に載っているだけで、意味は不明である。（卍）

肉

ニク

2019年6月29日

「焼き肉」「干し肉」などと使うので、なんとなく訓読みのような気がするが、「ニク」はれっきとした音読み。昔の中国語の発音に由来する。辞典などでは訓読みを「しし」とするが、現在ではあまり用いられない。（卍）

幾

キ
いく
きざ（し）
ちか（い）
ほとん（ど）

2019年6月30日

「幾何」は漢文で「いくばく」と訓読し、「いくつ」という、数を尋ねる疑問詞に使うが、キリスト教の宣教師が西洋数学を中国に伝えてから、「幾何《きか》」という数学の一領域をも表すようにもなった。（祇）

鮎

デン
なまず
あゆ

2019年7月1日

「鮎」は中国ではナマズを表す。「占」は粘液の「粘」の省略形で、ねばねばした魚の意味。ナマズとアユとでは、かなり趣が異なる。魚野《うおの》川の簗《やな》にかかるのは、ナマズではなく、アユが似つかわしい。（つ）

箋

セン

2019年7月2日

「戔《せん》」は薄く平たい意を表す。これに〈竹・たけかんむり〉を添えた「箋」は、竹の薄い札のこと。転じて、「付箋・便箋」のように、紙の札をいう。「付箋」を「付箋紙」と呼ぶと、意味重なりになる。（つ）

香

コウ
キョウ
か、かお(り)
かお(る)
こうば(しい)

2019年7月3日

もとは「キビで造った酒が発するいい匂い」という意味を表し、のちに酒だけでなく、さまざまなものから生じる匂いを意味するようになった。人生を楽しくする香りは、実は酒から発するものなのだった。（祇）

鉄

テツ

2019年7月4日

「鐵」の新字体だが、古くから使われていて、「諸橋大漢和」にも「鐵の俗字」として載る。「金を失う」と読めるので企業名などでは嫌われ、「金の王なる哉《かな》」と読める旧字体を好んで使っているところもある。（卍）

噓

キョ
うそ
ふ(く)
うそぶ(く)

2019年7月5日

ウソと読むのは日本の国訓で、中国ではゆっくりと息を吐くことや溜《た》め息をつくという意味だった。虚言ということから、江戸時代にウソと読ませるようになった。字体を若干変えて「嘘」と書いてもウソ字ではない。（之）

材

ザイ

2009年7月6日

「人材」の材と「材木・材料」の材とでは、意味が異なる。「人材」の材は、「才」の意。「適材適所」は、才能ある人をふさわしい地位に置くことだが、昨今の政界では「不適材不適所」が目につく。（つ）

莫

ボ
バク
く(れ)
な(い)

2019年7月7日

日が草むらに隠れる様子を表す。転じて、ない、かくすの意味。水がないと沙漠《さばく》の漠、日が沈むと暮、布で隠すと幕、亡くなった人に土をかけて見えなくすると墓のように、「莫」から多くの漢字ができた。（つ）

募

ボ
つの(る)

2019年7月8日

部首〈力・ちから〉に「莫《ばく》」を組み合わせた漢字。「莫」は、音読みを示す記号のようなもの。「莫」を含む漢字には、「ボ」「バク」「マク」と音読みするものが多い。ほかにどんな字があるか、辞書を開いて探してみよう。（卍）

辻

つじ

2019年7月9日

十字路を表すために日本で作り出された。頭髪の「つむじ」と語源が同じとされる「つじ」を普通名詞として使うことは減ったが、名字や地名に残り続ける。〈辶、⻌・しんにょう〉の点は一つでも二つでも意味は同じ。（之）

図

ズ
ト
はか（る）

2019年7月10日

旧字体は「圖」。日本では「図」と省略するが、中国の簡体字は「图」。「團」は日本では「団」と省略し、中国の簡体字は「团」。「傳」は日本では「伝」、中国では「传」。漢字の省略の仕方にお国柄が表れる。（つ）

活

カツ
よみがえ（る）
い（かす）
い（ける）

2019年7月11日

〈氵・さんずい〉のつく漢字は水に関する意味を表すが、「活」にさんずいがあるのはなぜか？　「活」は「川が速く流れる時の音」という意味で、そこから「勢いがよい」ことを表すようになった。（祇）

脹

チョウ
ふく（れる）
は（れる）

2019年7月12日

戦後、物理学会の要望によって、「膨脹」という熟語を書くために当用漢字に入れられたこの字は、二〇一〇年の常用漢字の改定で削除された。物理学会もいつの間にか「膨張」と書くことに決め、はしごを外されていた。（之）

必

ヒツ
かなら（ず）

2019年7月13日

よく書き順が問題にされることで有名。しかし、一番上の点から書き始めるのは絶対的ではなく、昔の名筆などを見ると、「心」を書いてからたすきを掛けるなど、さまざまな書き順がされていることが分かる。（卍）

歳

サイ
とし
よわい

2019年7月14日

年齢の表記に「才」を使う人も少なくないが、「才」には年の意味はない。混乱の発端は、「歳」を「才」で代用する小学校の漢字学習だ。個人のメモなら「〇才」でもよいが、公用文や印刷物では「〇歳」としたい。（つ）

海

カイ
うみ

今から二千年ほど前の中国の書物には、海は魔物が住み、妖怪が飛び交うところと書かれている。だが、日本人にとっての海は、恵みを与えてくれる無尽蔵の宝庫であり、未知の新しい世界に向かう通路でもあった。（祇）

2019年7月15日

ドウ

「諸橋大漢和」によれば、「物が低く垂れる」という意味。なるほど、見た目そのままに、両側が垂れ下がっているというのだろう。ちなみに、「凸」を上下逆さまにした漢字は、少なくとも大漢和には収録されていない。（卍）

2019年7月17日

世

セイ
セ
よ

最近「この小説の世界観は」という言い方を耳にする。世界観とは世界の意義や価値に対する考え方。作者が持つものであって、作品にはない。「観」を省いて、「この小説の世界は」と言うべきだろう。（つ）

2019年7月18日

兎

ト
うさぎ

ウサギは象形文字で「兔」と書く。耳が目立つせいか、「兎」もよく使われる。兎は足が速くサッと逃げてしまうので「逸《いつ》」ができたが、「逸」と点が取れた。悪くもないのに蓋《ふた》をして閉じ込めると「冤《えん》」となる。（之）

2019年7月19日

離

リ
はな(れる)
はな(す)

画数は19画。普通の感覚だと18画になりがちだが、左下の「冂」の中に見える「ム」の形を、3画に区切って数えるのが習慣となっている。漢和辞典には、このような画数のトラップが時々あるので、注意が必要だ。（卍）

2019年7月20日

印

イン
しるし

いま見ることができる最古の紙はだいたい紀元前１００年くらいのものだが、印鑑はそれよりもはるか前の時代から使われていた。印鑑は紙ではなく、封印として使われた粘土に押すための道具だった。（祇）

2019年7月21日

咲

ショウ
さ（く）
わら（う）
え（む）

2019年7月22日

大相撲力士・阿武咲《おうのしょう》の「咲」を「ショウ」と読むのは難しい。咲は笑の古字で、わらうの意。「さく」は日本での読み方。美咲という名前には、いつも美しくほほ笑んでいてほしいという、名付け親の思いがこもる。（つ）

可

カ
よ（い）
べ（し）

2019年7月23日

底に小さな穴が開いているので、お酒を入れたままでは卓上に置けない杯《さかずき》があって、「べくはい」という。漢文では「可《べし》」という漢字が文末に使えず、「下に置けない」ことからそう名づけられた。（祇）

鮨

すし

2019年7月24日

奈良時代からナレズシが好まれ、「鮓」や塩辛の意の「鮨」が当てられた。江戸時代に酢飯に刺し身を乗せたスシが流行して、縁起よく「寿し」「寿司」と書かれ始めた。関西で今も押しずしによく「鮓」が見られる。（之）

英

エイ
はなぶさ
はな
ひい（でる）

2019年7月25日

もともと「花びら」という意味を表したので、〈艹・くさかんむり〉がついている。この字を「イギリス」という意味で使うのは、江戸時代にイギリスを漢字で「英吉利」と書いたことに由来する。（祇）

翔

ショウ
か（ける）
と（ぶ）

2019年7月26日

テレビのテロップで、「飛しょう体」という表記を見掛ける。「翔」は人名漢字で、この字を使った名前も少なくないが、表外字だから仮名で書くのだろうか。「拉致」も以前は「ら致」と交ぜ書きされていた。（つ）

缶

カン

2019年7月27日

戦前は「罐《かん》」と書かれたカンヅメが、戦後に「缶」と略体化された。だが「缶」はもともとカンではなく、酒などを入れる壺《つぼ》のことだった。「宝」の旧字体「寶」に含まれている「缶」はその酒壺のことである。（祇）

忑

トク
トウ

2019年7月28日

「諸橋大漢和」によれば「心がむなしい」「恐れる」の意味。直前には「忐《たん》」も収録され、「忐忑」は「タントク」と読み、同様の意味を表す。ちなみに「忐忐忑忑」だと、びくびくする、おどおどする形容だという。（卍）

魚

ギョ
ウオ
さかな

2019年7月29日

文字は絵画から始まり、サカナを表す文字には、世界中どこでもアジのような流線型の魚が描かれた。もし中国でチョウチンアンコウが描かれていたら、「魚」という漢字は字形がかなり変わっていただろう。（祇）

雫

ダ
しずく

2019年7月30日

中国の字書に現れた字だが、ダという音読みしか伝わらず意味は不明。日本では中世にこの字面から「しずく」として使用され、二〇〇四年に赤ちゃんの名前に使える字と認められた。学校の国語で習うしずくは「滴」。（之）

落

ラク
お（ちる）
お（とす）

2019年7月31日

小学生のころ、「氵」の右に「艹」と「各」を書いて、テストでバツをもらったものだ。元々は「葉が落ちる」ことだから〈艹・くさかんむり〉の方が大きいのだ、と納得したのは、約20年経《た》ってからのことだった。（卍）

逓

テイ

2019年8月1日

今となっては、なぜ常用漢字に入っているのか不思議な漢字の一つ。かつては郵便や電信を所管する「逓信省」という役所が存在していた。ちなみに「〒」というマークは、「テイシン」の「テ」に由来するともいう。（卍）

蚊

か
ブン

2019年8月2日

昆虫を表す〈虫・むしへん〉と、発音を表す「文」を組み合わせた漢字。音読みの「ブン」は蚊が飛ぶ時の「ブーン」という羽根の音を模した擬音語だが、今では蚊の羽根音を耳にするのもずいぶん少なくなった。（祇）

須

ス
シュ
すべか（らく）〜べ（し）
ひげ

2019年8月3日

「須《すべか》らく」を「すべて」の意味で使うのは誤用。「須」は漢文の訓読では「すべからく〜べし」と再読し、「ぜひ〜する必要がある」の意。「すべからく地球環境の保護に努めるべきだ」のように使いたい。（つ）

蛸

ショウ
たこ

2019年8月4日

中国では、蜘蛛《くも》の一種であるアシナガグモを表した。これに似た脚を持ち、海にすむタコを「海蛸《かいしょう》」と呼び、それが省略されて「蛸」の一字だけで表すようになった。〈魚・うおへん〉に替えて「鮹」と書いても同じ。（之）

湖

コ
みずうみ

2019年8月5日

陸地にある水を研究する「陸水学」によれば、ダムや貯水池など人間が造った水たまりを「池」といい、天然の水たまりで、水草が生えない深い所があるものを「湖」、水草が全面に生えているものを「沼」という。（祇）

氵

2019年8月6日

いわゆる「さんずい」で、「水」が漢字の左側、「へん」の位置に置かれる時の形。単独の漢字として使われることはないが、知識としては極めて重要。「諸橋大漢和」は、こういうものも見出し文字として収録している。（卍）

偽

ギ
いつわ（る）
にせ

2019年8月7日

「人の性は善」と考える立場から、「人」の「言うこと」で「信（まこと）」という漢字を作ったのに対して、「人の性は悪」と考える立場から、「人」の「為《な》すこと」を「偽（いつわり）」という漢字で表した。（祇）

秋

シュウ
あき

2019年8月8日

穀物は秋に収穫するが、麦だけは例外なので、麦の熟する陰暦4月を「麦秋」という。「秋」は大事な時という意味に転じて、「危急存亡の秋」（諸葛亮《しょかつりょう》「前出師《ぜんすいし》の表《ひょう》」）の語では、「秋」を「とき」と読む。（つ）

白

ハク
しろ
しろ（い）

「諸橋大漢和」の刊行を終え、編集室を整理した諸橋博士は、「虚室《きょしつ》、白を生ず」と感慨を述べたという。何もない部屋に白い光が差すように、心を空にすると物事の本質が見えて来る、という「荘子」の一節である。（卍）

2019年8月9日

桃

トウ
もも

「兆」は、占いで使われた亀の甲羅にできた割れ目の絵から生まれた。そこで、この形を含む漢字には、二つに割れるという意味合いがあるという説がある。なるほど、桃の実は、きれいに二つに割れる形をしている。（卍）

2019年8月10日

山

サン
セン
やま

「山」に「サン、セン」の二つの音があるのは、呉音（セン）と漢音（サン）の違い。呉音は日本に最も古く伝わった漢字音。後に漢音が伝わると、漢音で読むことが一般的になったが、呉音は今も残る。（つ）

2019年8月11日

忍

ニン
しの（ぶ）
しの（ばせる）

「亡き人をしのぶ」の「しのぶ」は、「なつかしく思い出す」の意味を表す。「忍」には、その意味はないので、このような場合に用いるのは望ましくない。かな書きにするか、「偲《しのぶ》」を用いるのがよい。（卍）

2019年8月12日

諡

シ
おくりな

中国で、死者に対して生前の徳や行いによって贈る名。死後は「諡《おくりな》」で呼び、実名では呼ばなかった。生前の実名は、呼ぶのを忌むことから「諱《いみな》」という。日本では諡と諱を混同して用いることもあった。（つ）

2019年8月14日

盆

ボン

本来は、洗面器のような深みのある器。平たい「お盆」を指すのは、日本語独自の用法。「諸橋大漢和」では、間違えないように図を載せてくれている。イラストを見るのも、大漢和を読む楽しみの一つだ。（卍）

2019年8月15日

仏

ブツ
フツ
ほとけ

2019年8月16日

フランスを指す時には、「フツ」と音読みする。「ブツ」だと、ほとけ様になってしまう。ところが、常用漢字表には、「フツ」という音読みは載せていない。厳密に言えば、「日仏関係」も読めないことになる。

（卍）

酷

コク
ひど（い）
きび（しい）
むご（い）
はなは（だ）

2019年8月17日

英語では若者たちを中心に「かっこいい」ことをクール（ｃｏｏｌ）というようになり、それがいまの中国では「酷」（クーと読む）という漢字で訳される。「超酷」で「とてもかっこいい」ということらしい。

（祇）

爨

サン
かし（ぐ）
かまど

2019年8月18日

キャンプには付きものの飯盒炊爨《はんごうすいさん》。字が難しく、「炊さん」と交ぜ書きされる。「爨」は飯を炊く意。木を両手で持ち、かまどに入れて燃やす様子を表す。いっそ「飯盒炊飯」と言い換えたらどうだろうか。

（つ）

冶

ヤ

2019年8月19日

本来は、氷が溶けること。「冶金《やきん》」とは、金属を溶かすこと。部首〈冫・にすい〉は氷を表すことを知っておけば、〈氵・さんずい〉の「治」と間違えることもなくなる。「冷」「凍」も、〈冫〉の漢字である。

（卍）

治

ジ、チ
おさ（める）
おさ（まる）
なお（る）
なお（す）

2019年8月20日

「ジ」は呉音、「チ」は漢音。「治安」「自治」など、多くの熟語では漢音で読み、呉音の「ジ」は「明治」「政治」「退治」など少数。呉音が健在なのは「兄弟」の読みで、「きょうだい」は呉音、「けいてい」は漢音。

（つ）

行

コウ、ギョウ
アン
い（く）
ゆ（く）
おこな（う）

2019年8月21日

伝統的な漢和辞典では、「行」は〈彳・ぎょうにんべん〉で引いても出てこない。「行」は６画〈行・ぎょうがまえ〉の部首字で、小学校で学習する漢字では、「術」「街」「衛」がこの「行」部に属している。

（祇）

徐

ジョ
おもむ（ろ）
ゆるやか

「徐行」を「除行」と書いた掲示物を見掛ける。「徐」は部首が〈彳・ぎょうにんべん〉で、ゆるゆると行く意。「除行」は「行を除く」と読め、意地悪に解釈すると「通行を排除する」という意味になってしまう。（つ）

2019年8月22日

握

アク
にぎ（る）

英語の「シェークハンド」は握り合った手を上下に振る動作だが、東洋の握手は手を握り合うだけで上下には振らない。東洋では互いの手を握り合うことに意義があり、それで「握手」というのだろう。（祇）

2019年8月23日

辞

ジ
や（める）

「辞典」と「事典、字典」は同音語。そのため「ことば典、こと典、もじ典」と読み替えて区別することがある。同じ内容を扱いながら、「解釈辞典」と「解釈事典」のように、二つの表記が混在することもある。（つ）

2019年8月24日

強

キョウ
ゴウ
つよ（い）
し（いる）
こわ（い）

「つよい」のほかに、「強制する」という意味もある。他人になにかをさせることを、かつては「勉め強いる」ということから、「勉強」と書いた。「勉強」とは、自発的にするものではなかったのだろう。（祇）

2019年8月25日

都

ト
ツ
みやこ

「都市」「都会」のような「人がたくさん集まる場所」という意味から転じて、「たくさんのものが集まる」ことも表す。「出席者の数は都合25名です」のように使う「都合」には、そのニュアンスが現れている。（辻）

2019年8月26日

京

キョウ
ケイ

門の上に建てられた望楼（ものみやぐら）の形から「大きな街」を表し、それで「みやこ」という意味を表した。古代での漢字の使い方から考えれば、東京スカイツリーが東京の中心であることになる。（祇）

2019年8月27日

男

ダン
ナン
おとこ

老若男女《ろうにゃくなんにょ》を「ろうじゃくだんじょ」と読むと、乱暴に聞こえる。「ニャク・ナン・ニョ」は「若・男・女」の呉音。「ジャク・ダン・ジョ」は漢音。呉音は仏教語に残り、漢音に比べて柔らかい響きがある。（つ）

2019年8月28日

毖

ヒツ

「諸橋大漢和」では、「酒を飲みつくす」と説明されている。「必」の部分に強い意志が感じられて、お酒どころ、県民の皆さんの絶大なる支持を得そう。とはいえ、時には飲み残すことも、健康の上では大切である。（卍）

2019年8月29日

企

キ
くわだ（てる）

かかとを上げて立つ人の形から、「つまだつ」とも訓読みされる。かかとを上げて遠くを見るように、先の計画を立てることが「企画」で、つま先で立っているように見えるペンギンを漢字では「企鵝」と書く。（祇）

2019年8月30日

太

タイ
タ
ふと（い）
ふと（る）

太公望《たいこうぼう》といえば釣り人のことだが、そのいわれは古代中国にさかのぼる。周の文王が魚釣りをしていた呂尚《りょしょう》を、「わが太公（祖父）はあなたを長く待ち望んでいた」と言って迎え、師としたことに由来する。（つ）

2019年8月31日

好

コウ
この（む）
す（く）
よ（い）

「女」と「子」という要素からできていて、女性が自分の子どもをかわいがることから、広く一般的に「すきこのむ」ことを表し、またそれから転じて、「このましい、よい」ということを意味する漢字となる。（祇）

2019年9月1日

豆

トウ
ズ
まめ

我々にとっては「まめ」以外の何物でもないが、元々は、ワイングラスのような形をした「たかつき」という容器の絵から生まれた。「まめ」を指すようになったのは、後から生まれた当て字的な用法である。（卍）

2019年9月2日

琴

キン
こと

2019年9月3日

今「琴」と呼ばれる楽器はもともと「箏《そう》」という名前で、それとは別に「琴」という楽器もあったが、やがて使われなくなった。戦後の「当用漢字」に「箏」が入らなかったので、「箏」の代わりに「琴」が使われた。（祇）

思

シ
おも(う)

2019年9月4日

「田」と「心」を合わせた字。「田」は泉門《せんもん》(新生児の頭骨の未縫合の部分)の象形で、頭脳を表した。これに「心」を添えて「おもう」という意味を示している。よく使う漢字だが、成り立ちは意外だ。（つ）

万

マン
バン
よろず

2019年9月5日

旧字体では「萬」だが、字の由来は別。「諸橋大漢和」には、「西域では萬の数を表はすに卍を用ひる。万の字は其《そ》の卍の変形である」とある。一方、「萬」はサソリの絵から生まれた漢字で、数に用いるのは当て字である。（卍）

玄

ゲン
くろ

2019年9月6日

糸を束にしてねじった形をかたどり、糸を黒く染めたことから「くろ」という意味を表す。黒が奥深い色であることから「幽玄」という意味も表すが、「玄人《くろうと》」は日本語だけの用法で、中国人には通じない。（祇）

士

シ
さむらい
おとこ

2019年9月7日

「士業」という言葉がある。弁護士・税理士・管理栄養士など、主に国家資格の必要な職業をいう。医師・薬剤師・看護師などの「師」も、資格と技能を持つ人の意だが、「士」との違いは明瞭ではない。（つ）

年

ネン
とし
みの(る)
よわい

2019年9月8日

実った穀物を人が背負っている形を表しており、もともとは「農作物の豊かな収穫」という意味だった。収穫は1年に1度だから、そこから「年」が「一年」という時間の単位を表すようになった。（祇）

籾

もみ

籾米を脱穀すると籾殻《がら》が取れる。刃(刄)のようにとがった米ということで「籾」と書いたといわれる。韓国では古くにこれを単に「丑」と書き、日本でも「粈」のように書いた。「刄」は「丑」のようにも書かれていた。
（之）

2019年9月10日

子

コ ス シ

椅子・様子の「子」を「ス」と読むのは、呉音・漢音ではなく唐宋《とうそう》音。唐宋音は最も新しく日本に伝わった漢字音で、日常使われるものは多くない。行灯《あんどん》の「アン」や明朝《みんちょう》体の「ミン」は、代表的な唐宋音。
（つ）

2019年9月11日

字

ジ あざ あざな

「字《あざな》」とは、中国で実名以外に付けた別名。目上の人が目下の人を呼ぶ時以外は、字を用いるのが礼儀だった。「三国志」の劉備《りゅうび》は、備が名、字は玄徳《げんとく》。名と字を重ねて「劉備玄徳」とは言わない。
（つ）

2019年9月12日

夜

ヤ よ よる

「諸橋大漢和」をはじめ、一般的な辞書での部首は〈夕・ゆうべ〉。確かに「夕」の字が隠れているし、意味の上でも「夜」と「夕」は関係が深い。とはいえ、この種の分かりにくい部首には、批判的な意見もある。
（卍）

2019年9月13日

麿

まろ

かつては男性の名前によく「まろ」と付けられた。万葉仮名で「麻呂」と当てるようになり、次第にくっつき「麿」となった。平安時代は「丸」と書いて「まる」が流行したが、江戸時代ころから「麿」がまた増えた。
（之）

2019年9月14日

華

カ ケ はな

還暦を「華甲《かこう》」と呼ぶのは、「華」の中に6個の「十」と1個の「一」があり、「甲」が「甲午《きのえうま》」のように暦に使う「十干《じっかん》」の最初にあることによる。「華」は「十」が六つ含まれるように書かねばならない。
（祇）

2019年9月15日

希

キ
まれ

70歳を「古稀《こき》」というのは、杜甫《とほ》の詩「人生まれて七十なるは古来稀《ま》れなり」に基づくが、「稀」は常用漢字ではないので「古希」と書かれる。もちろん、七十まで生きるのが希望だ、という意味ではない。（祇）

2019年9月16日

箸

チョ
はし

漢字文化圏では食事で箸を使う。〈竹・たけかんむり〉は竹で作った習慣を表すが、日本では木、韓国では金属が多い。北京などではもう箸と書かず「筷」を用いる。韓国では「チョッカラ」と呼ぶ。このチョは箸の音読み。（之）

2019年9月17日

秘

ヒ
ひ(める)
かく(す)
ひそ(か)

旧字体は、神を表す「示」と、閉じる意の「必」を合わせた形。「閉じられた神の世界」から「秘め隠す」意味を表す。現在の字体は〈禾・のぎへん〉（穀物）に変わり、本来の意味を説明できなくなった。（つ）

2019年9月18日

門

モン
かど

成り立ちの上では、「戸」を二つ、対称形になるように組み合わせたもの。2枚の「戸」で作られた、両開きの出入り口を指す。お屋敷の「門」は、両開きなのが普通。片開きの出入り口は、漢字的には「門」ではない。（卍）

2019年9月19日

閂

サン
かんぬき

「門」は扉の象形文字「戸」を二つ、左右対称になるように並べてできた。そこに、かんぬきとなる横木をかたどった「一」を加えて「閂」。中国では縦のかんぬきを表そうと〈門・もんがまえ〉に「丨」と書く人も現れた。（之）

2019年9月20日

闘

トウ
たたか(う)

「乱闘」と「乱戦」、「決闘」と「決戦」を比較するとよく分かるように、「たたかい」をより生々しく表すのが特徴。肉体がぶつかり合うイメージがある。ラグビーを「闘球」と呼ぶことがあるのも、納得である。（卍）

2019年9月21日

歌

カ
うた
うた（う）

2019年9月22日

「欠」を「かける、たりない」と読むのは「缼」（ケツ）という漢字を省略した形で、「欠」（ケン）はもともと人が口を大きく開けるさまを表す文字だった。だから「歌」の右側に「欠」がついている。（祇）

唄

うた

2019年9月23日

古くは、「歌」と「唄」とでは意味が違い、「唄」は仏教専用の漢字で、仏様の徳をたたえるお経を僧侶が朗唱する声楽「梵唄《ぼんばい》」などに使われた。日本には平安時代に伝わり、今もお寺で伝承されている。（祇）

茸

ジョウ
きのこ
たけ

2019年9月24日

キノコは木の子という意味。「茸」は漢方薬や鹿の角の意。日本で「椎茸《しいたけ》」「松茸《まつたけ》」などキノコの意で用いる。韓国でもそう。中国でキクラゲを「木耳」と例えたことを応用し、〈艹・くさかんむり〉を付けたのだろう。（之）

稲

トウ
いね
いな

2019年9月25日

「諸橋大漢和」には、古くは粘るものを「稲」といい、粘らないものを「秔《こう》」と呼んだ、とある。「秔」は「粳《こう》」と同じで、うるち米のことをいう。つまり、元々の「稲」は、餅米を指す漢字だったのである。（卍）

悉

シツ
ことごと（く）
つ（くす）

2019年9月26日

「悉皆《しっかい》」は「すべて」の意。悉皆屋は染色の仲介業者のことで、後には染め物や呉服の洗い張りをする店もこう呼んだ。東京の神田川流域には、今も悉皆屋が何軒か残る。小説『悉皆屋康吉《こうきち》』は舟橋聖一の名作。（つ）

栗

リツ
くり

2019年9月27日

焼き栗、栗ご飯、モンブランなど、おいしいイメージばかりだが、「震え上がらせる」という意味も持つ。「戦慄《せんりつ》」の「慄」は、その名残。鋭い「いが」に包まれていることを思えば、さもありなん、である。（卍）

俣

また

2019年9月28日

名字に見られるこの字は、日本で「また」を表す。奈良時代から「やまたのおろち」などの「また」に当てられてきたが、どうしてそう読むのかは分かっていない。「まつ」と読む漢字の「俟」を変化させたともいう。（之）

又

ユウ
また

2019年9月29日

右手の絵から生まれた漢字。右下への払いが手首の部分。「諸橋大漢和」でも、1番目の意味として「て。めて。みぎ」を載せる。「右」の「ナ」の部分は、実は「又」の変形。「また」の意味は後から生じたものである。（卍）

蠱

コ
まじこ（る）

2019年9月30日

女性雑誌の広告にある「蠱惑《こわく》的」には、「魅惑」より一層深みが感じられる。「蠱毒《こどく》」は虫の類いを集めて作った毒による呪い。「蠱る」と書く「まじこる」は、邪悪な力に引き込まれること。蠱惑にも用心が必要か。（之）

税

ゼイ
みつぎ

2019年10月1日

〈禾・のぎへん〉があるのは、かつて穀物で納税したからだが、今はカネで納めるからと〈禾〉を〈金・かねへん〉に換えれば「鋭」になる。「税」の使途は、やはり「鋭」く監視しなければならないということか。（祇）

超

チョウ
こ（える）
こ（す）

2019年10月2日

「跳びこえる」意から、「限界をこえる」ことを表す。「超満員・超多忙」のように使ったが、近年は「超受ける・超ダサイ」のような使い方も多くなった。中国語の「超市」は、スーパーマーケットの直訳。（つ）

娘

むすめ

2019年10月3日

「諸橋大漢和」では、日本語独自の用法として、「俗に土蔵の異称」と記す。「盗人の隠語」で、「白く塗るから」だという。お堅い漢文の世界に似合わぬこんな記述を見つけ出すのも、「諸橋大漢和」を読む楽しみの一つである。（卍）

荒

コウ
あら（い）
あ（れる）
すさ（む）

2019年10月4日

優れた人材が出ないことから「天荒」と呼ばれていた地域から、ある時、高級官僚採用のための難関試験に優秀な成績で合格した男が現れた。それで人々は彼の快挙を「破天荒」という言葉で呼んだ。（祇）

癪

シャク

2019年10月5日

音読みしか使わないが、日本でできた国字。古く「積」と書いたが、やがて〈疒・やまいだれ〉に「責」や「積」と書くようになった。癪に障る、癇癪を起こすと使うが、「シャク」「かんしゃく」と仮名書きが増えた。（之）

雑

ザツ
ゾウ
ま（じる）
まじ（わる）
まじ（える）

2019年10月6日

呉音が「ゾウ」、漢音が「ザツ」（またはその逆）と考えがちだが、「ザツ」は実は慣用音。慣用音とは呉音、漢音、唐宋《とうそう》音のいずれでもなく、一般に通用している漢字音のこと。雑誌は、やはり「ざっし」と読みたい。（つ）

龠

ヤク

2019年10月7日

最も画数が多い部首〈やくのふえ〉。17画もある。漢字としては「ふえ」を表し、「諸橋大漢和」には「たくさんの楽器を一時に奏する時、諸声を和諧《わかい》するに用いる」とある。現在でいうチューニングに使う笛のようである。（卍）

果

カ
は（たす）
は（てる）
は（て）
くだもの

2019年10月8日

木の上に果実が実っている形から、「木の実・くだもの」を表す。花が咲いたらやがて実がなるから「結果」という意味になるが、結果はスタート段階での良しあしに左右され、それを仏教では「因果応報」という。（祇）

清

セイ
ショウ
きよ（い）
きよ（まる）
きよ（める）

2019年10月9日

プレゼンテーションの画面で「静聴」という語を見掛けるが、正しくは「清聴」。「清」は「高い、尊い」意の接頭語で、相手の繁栄を祝う「清栄」と同じ用法。大人相手に「静聴」を用いるのは避けたい。（つ）

廉

レン

「清廉」「廉潔」のように使うと、欲がないこと。一方、「廉価」「低廉」のように用いた場合には、値段が安いこと。売り手に欲がなければ値段は安くなるわけだが、欲があるから値段を安くすることもあるのが現実だ。（卍）

2019年10月10日

淋

リン
さび（しい）

「寂しい」と書くと国語で習うが、小説や歌詞などで「淋しい」も見掛ける。「氵《さんずい》」から涙を連想したり風景を思い浮かべたりする。中国では「淋」は雨がしたたる意味。その風景がさびしげだったのでこの国訓となった。（之）

2019年10月11日

嵐

ラン
あらし

元は「山中に立ち込めるもや」のこと。緑あふれる山の中の爽やかな空気を「翠嵐《すいらん》」、もやが湖に映える景色を「嵐影湖光《らんえいここう》」という。後に「大風」とか「あらし」の意味で使われるようになった。（祇）

2019年10月12日

璧

ヘキ

社会人になりたてのころ、仕事のリポートで「完璧」を「完壁」と書いてしまったことがある。「完璧」とは、本来、傷一つない宝石。「璧」はある種の宝石を表す漢字だから、宝石を表す部首〈玉・たま〉が付く。（卍）

2019年10月13日

貼

チョウ
は（る）

「貼付」は、「添付」の連想から「てんぷ」と読みがちだが、正しくは「ちょうふ」。「消耗」が「しょうこう」から「しょうもう」に変わったように、「てんぷ」もいずれ慣用読みとして定着するかもしれない。（つ）

2019年10月14日

呂

ロ
リョ

「風呂」の「呂」だが、漢文の世界では「リョ」と読むのが一般的。昔、プロ野球の巨人で台湾出身の「呂《ろ》」選手が活躍した時も、「りょ」と読むべきだ、と毒舌で有名なある中国学者が批判していたことがあった。（卍）

2019年10月16日

斜

シャ
なな(め)
はす

2019年10月17日

「斜《しゃ》に構える」を「ななめに構える」と読んでは、様にならない。これと同様に一字の語を音読みするものに、「陰《いん》にこもる」「我《が》を張る」「群《ぐん》を抜く」「真《しん》に迫る」「頭《ず》が高い」「図《ず》に乗る」「野《や》に下る」などがある。（つ）

串

くし

2019年10月18日

シルクロード地域には豚肉を食べない民族が多く暮らしていて、バザールでは小さく切ったマトンを串に刺して焼いた「羊肉串」が人気を集めている。この地域には竹が生えないので、鉄串が使われている。（祇）

遅

チ
おく(れる)
おく(らす)
おそ(い)

2019年10月19日

元の字は「遲」。〈辶・しんにょう〉と動物の「犀《さい》」を合わせて、歩行がゆっくりな犀のように、足が前に進まない様子を表す。新字体では「犀」の下部が「羊」に変わったが、羊の不満げな顔が目に浮かぶ。（つ）

義

ギ

2019年10月20日

「羊」と「我」の組み合わせで、「我」はノコギリの形をかたどった文字。ヒツジをノコギリのような刃物で解体して、神に供える肉を用意する時の、敬虔《けいけん》でうやうやしい心情が、「義」の本来の意味だった。（祇）

弟

タイ
ダイ
デ
おとうと

2019年10月21日

音読み「デ」は、現在では「弟子」くらいでしか使われない。「弟子」も、伝統的な漢学では「テイシ」と読む。「諸橋大漢和」でも、見出しの読みは「テイシ」で、「デシ」は説明文の最後に添えてあるだけである。（卍）

饂

ウン
ウ

2019年10月22日

うどんは「饂飩」と書く。ともに部首は〈食・しょく〉で「飢」のへんと同じように書いてもよい。語源は「混沌《こんとん》」に遡《さかのぼ》るともいうが、はっきりしない。ほうとうは「餺飥」と書いて「はくたく」と読む食品に遡る。（之）

朕

チン

2019年10月23日

常用漢字だが、普通はほとんど書くことがない漢字の一つ。「われ」の意味で、もともとは誰でも使える語だった。しかし、秦《しん》の始皇帝《しこうてい》が天子専用と定めてからは、一般人は自称として使えなくなった。（つ）

雅

ガ
みやび（やか）

2019年10月24日

〈隹・ふるとり〉と、発音を表す「牙《が》」からなる。元々はカラスを表したが、この漢字が夏に舞われる雅楽「夏」と同じ発音だったので、そこからこの字が「みやび」「上品」という意味で使われるようになった。（祇）

珈

カ

2019年10月25日

コーヒーはオランダ語起源。江戸時代に蘭《らん》学者が「珈琲」を用いた。中国で今は〈口・くちへん〉で書くが、コーヒー豆を表そうとしたのか〈玉・たまへん〉に変えたようだ。喫茶店では高級感を演出する。（之）

釁

キン
ちぬ（る）

2019年10月26日

昔の中国では、神を祭る時に、動物の血を器に塗ってささげる習慣があった。そのことを表す漢字。「諸橋大漢和」の字訓索引には、「ちぬる」と訓読みする漢字が8個も並んでいる。興味のある方は、図書館で確認を。（卍）

為

イ
ため
つく（る）
おさ（める）
な（す）

2019年10月27日

古代中国は今よりずっと温暖で、黄河の流域には野生の象がいた。象は家畜としても飼われ、象の鼻先を手でつかんでいる形から「為」という漢字が作られ、それで「仕事をする」という意味を表した。（祇）

杤

とち

2019年10月28日

トチの木には平安時代から「杤」という国字が当てられた。トチは「十千」とも書け、「十掛ける千は万」で「木」に「万」。中国の「櫔《れい》」という木はトチに似るとも。これらが江戸時代までに合わさり「杤」となった。（之）

麻

マ
あさ

2019年10月29日

部首は〈广・まだれ〉のように思われるが、実は〈麻・あさ〉が独立した部首。「諸橋大漢和」の〈麻〉の部首には、40字もの漢字が載っている。ただし、「磨」の部首は〈石・いし〉だし、「摩」の部首も〈手・て〉である。（卍）

丁

チョウ
テイ

2019年10月30日

「丁字路《ていじろ》」と言ったり書いたりすると、老人語と笑われそうだが、「丁《てい》」の字の形をした道路を表す由緒正しい言葉。「丁」はローマ字の「T」と似ているため、昨今では「T字路《ティーじろ》」と呼ぶ人も多い。（つ）

瓶

ビン

2019年10月31日

元々は、水や酒を蓄えておくための陶器を指す。ガラス製のものをいうのは、日本語独自の用法。「諸橋大漢和」では、「土瓶」のように湯を沸かしたり食材を煮たりする器も、日本語独自の用法とし、区別している。（卍）

菊

キク

2019年11月1日

キクの花は漢方薬として使われ、また、乾燥させた花びらを詰めた枕は頭痛に効き、そのお茶は視神経の疲れを癒やすという。食べると仙人になれるとも信じられた。隠者が菊を摘むのは食用だったのである。（祇）

茶

チャ
サ

2019年11月2日

茶色は、黒みを帯びた赤黄色のこと。その名は茶の煮汁で布を染めたことに由来するという。薄茶、焦げ茶、葡萄《えび》茶などさまざまな茶色があり、江戸時代には歌舞伎役者の名を冠した芝翫《しかん》茶や璃寛《りかん》茶が大流行した。（つ）

鮭

さけ

2019年11月3日

中国ではフグを指したが、日本では奈良時代ころからサケと読んできた。「鮏《さけ》」の方が古いともいう。日本独自の意味だが、希少な未成熟のサケ「鮭児」はケイジと音読みする。東京ではシャケと読む人も少なくない。（之）

矗

チク

長くて真っすぐな様子を表す。「矗然《ちくぜん》」とか「矗出《ちくしゅつ》」といった熟語があるが、現在ではまず使われない。とはいえ、日本人初の南極探検をした「白瀬矗《のぶ》」は有名。「諸橋大漢和」でも「名《な》乗《のり》」の欄に「ノブ」を載せている。（卍）

2019年11月4日

宰

サイ
つかさ
つかさど（る）

主宰の「宰」は「物事をつかさどる」の意。同音の主催の「催」は「会などをもよおす」の意。主催は日常よく使うが、主宰はあまり使わないために、うっかり「研究団体を主催する」のように誤記しがちだ。（つ）

2019年11月5日

阪

ハン
さか

現在では、「大阪」「阪本」「阪口」などの固有名詞以外には、まず用いられない。ただし、以前は「坂」と同様に使われた。例えば、芥川龍之介の名作『地獄変』にも、「五十の阪」に手が届くという一節がある。（卍）

2019年11月6日

旧

キュウ
ふる（い）

「舊」という漢字は18画もあって、書くのが面倒なので、早くから「舊」の一部に含まれている「臼」を書いて「舊」の略字とした。この「臼」の形が少し変わったのが、いま使われている「旧」という形である。（祇）

2019年11月7日

叔

シュク
おじ

「おじ・おば」の書き分けに悩んだら、兄弟の順を表す「伯仲叔季《はくちゅうしゅくき》」の語を思い出したい。自分の父母を「仲」の位置に置き、それより年上なら「伯父・伯母」、年下なら「叔父・叔母」と書き分ければよい。（つ）

2019年11月8日

粧

ショウ
よそお（う）

「山粧う」は、俳句で秋の季語。紅葉で彩られた秋の山の風情を表す。春には「山笑う」、夏には「山滴る」、冬には「山眠る」の季語があるが、4つの季語がいずれも中国・北宋の画論から出ているのは意外だ。（つ）

2019年11月9日

楓

フウ
かえで

2019年11月10日

カエデを指すのは日本語独自の用法で、中国語では、フウという別種の樹木を指す。とはいえ、人間の手に似た形の葉が美しく紅葉する点では、フウもカエデも同じ。違いにこだわりすぎる必要はないかもしれない。（卍）

凩

こがらし

2019年11月12日

秋を告げる木枯らしは、文字通り、木を枯らすように冷たい風だ。室町時代の人は「木」を「風」で包んで「凩」という国字を作った。一つにまとまった単語は一つの字で書きたいという気持ちがその頃は強かった。（之）

俵

ヒョウ
たわら

2019年11月13日

日本人にとっては「米俵」以外の何物でもないが、これは、日本語独自の用法。「諸橋大漢和」によれば、「散る」「分け与える」といった意味がある。「たわら」を指すのは、お米を分け与える際に使うからかと思われる。（卍）

璽

ジ

2019年11月14日

古くは諸侯らの印章を指したが、秦の始皇帝《しこうてい》以後は天子の印章の呼称となった。日本でも天皇の印章を「璽」という。詔書を官報などに掲載する時は、天皇の名前と印影を「御名御璽《ぎょめいぎょじ》」と言い換える。（つ）

時

ジ
とき

2019年11月15日

時雨は「じう」と読むと、作物の成長に都合のよい時に降る恵みの雨。「しぐれ」と読むと、初冬の冷たい雨のことで、雪国では雷が鳴り、霙《みぞれ》になることも。表記は同じでも、読み方で印象がまるで異なる。（つ）

膳

ゼン

2019年11月16日

お膳立ての「膳」は食器を載せる台、食膳のことだが、部首が〈月・にくづき〉なのはなぜだろう。膳は饍とも書き、よく料理された食物の意。茶わんに盛った飯や箸一対を数える語として使うのは、日本独自の用法だ。（つ）

安

アン
やす(い)
いず(くんぞ)

屋根の象形である〈宀・うかんむり〉の下に「女」がいることで、「やすらか・平穏である」ことを表す。女性が外で働かなかった古代の発想による漢字で、現代人ならきっとそんな作り方はしないだろう。（祇）

2019年11月17日

噌

ソ
ソウ

普段は「味噌《みそ》」でしか使わない守備範囲が狭い字。しかも、ミソの語源は「末醤」とも言われ、味噌は当て字である。旁《つくり》の「曾《そう》」はよく「會津《あいづ》」の「會」と書き間違われる。書く時に迷うなら「口」に「曽」と書こう。（之）

2019年11月18日

牛

ギュウ
うし

「馬」や「象」は動物全体の形を描いた象形文字だが、ウシの絵を描いても、もしかしたらサイに見えるかもしれない。それでウシの特徴を端的に表すツノの形を描いて、「牛」という漢字が作られた。（祇）

2019年11月19日

寒

カン
さむ(い)

「寒」の古代文字は、氷が張っている室内に枯れ草やわらを積み上げ、そこに人が寝ている形を示している。古代人は枯れ草などを上手に利用していた。現代風にいえば「地球に優しい防寒方法」である。（祇）

2019年11月20日

妖

ヨウ
あや(しい)

「妖艶」でセクシュアルなイメージと、「妖精」のようにピュアなイメージの両方を備えている。「諸橋大漢和」には、「女子の笑ふさま」という意味を掲げる。言われてみれば、「笑」にも「夭《よう》」が含まれている。（卍）

2019年11月21日

奈

ナ

誰でも読み書きできるが、意味を聞かれると困ってしまう。「諸橋大漢和」によれば、上が「大」ではなく「木」の「奈」が元の形で、「からなし」とか「べにりんご」とかという、木の名前を表す漢字だった。（卍）

2019年11月22日

刊

カン

2019年11月23日

本来は「木を削る」こと。昔の木版印刷では、長方形の板の表面に文字を彫り込んだことから、「出版」とか「印刷」の意味で使われる。どこにも修正すべき点がない、完璧な書物を「不《ふ》刊《かん》之《の》典《てん》」という。（祇）

納

ノウ、ナッ、ナ
ナン、トウ
おさ（める）
おさ（まる）

2019年11月24日

常用漢字表で最多、五つもの音読みが認められている漢字。「ノウ」は「収納」、「ナッ」は「納得」、「トウ」は「出納」で用いられる。では、「ナ」と「ナン」はどんな言葉で使われるだろうか？辞書で探してみよう。（卍）

犬

ケン
いぬ

2019年11月25日

イヌをかたどった象形文字だが、今の中国ではイヌを「狗《こう》」で表し、「犬」という文字をほとんど使わない。中国の繁華街にあるファストフード店やコンビニでは、「熱狗」という名前でホットドッグが販売されている。（祇）

昭

ショウ
あき（らか）

2019年11月26日

昭和の「昭」を、大正以前から知っていた日本人は多くなかった。「昭」は、「あきらか、あきらかにする」の意。日本では元号によって広く認知された。昭《あきら》さんや昭《あき》子《こ》さんは、ほぼ全員が昭和以降の生まれのはずだ。（つ）

葡

ホ
ブ

2019年11月27日

ブドウは中国の西域から伝わった果物。ペルシャ辺りの言葉でブーダウと発音した。それに「蒲陶」や「葡萄」と字が当てられ、また作られた。漢字でギリシャ語のボトルスにまでつながる、はるかな道のりを示唆する。（之）

⿰安百

ヘクタール

2019年11月28日

「糎（センチメートル）」や「瓩（キログラム）」など、「諸橋大漢和」には、西洋由来の単位を表す漢字がいろいろ載っているが、これもその一つ。「安」はアールを表し、「百」はその１００倍であることを示す。（卍）

鱈

たら

2019年11月29日

魚のタラは冬に脂が乗っておいしく、身の白さから「雪《ゆき》」と呼ばれたため、「鱈」という字が日本で作られた。中国にこの字が輸出され、日本製漢字ということなど忘れられ、メニューにすっかり溶け込んでいる。（之）

川

セン
かわ

2019年11月30日

戦国時代、上杉謙信と武田信玄は信濃の川中島で5度交戦した。謙信が開戦前に士卒に餅を振る舞ったという伝承から、上越の高田では11月30日から12月1日にかけて、「川渡餅《かわたりもち》」を食べる風習がある。（つ）

郵

ユウ

2019年12月1日

本来の意味は、街道筋にある宿場。そこでリレーして急ぎの知らせを運んだところから、「郵便」という言葉が生まれた。ちょっと大げさに言えば、「郵便局」を「郵」一文字で表すこともできるのである。（卍）

郊

コウ

2019年12月2日

古代中国では、人が暮らす集落は壁で囲まれていて、約20キロ離れたところを「近郊」、約40キロ離れたところを「遠郊」と呼んだ。「郊外」はさらにその外の地域だから、実はとんでもない無人の原野だった。（祇）

解

カイ、ゲ
と（く）
と（かす）
ほど（く）
ほぐ（す）

2019年12月3日

「牛」（うし）と「角」（つの）と「刀」（かたな）を組み合わせた形で、ナイフを牛の角に当てて、切り落とすこと。動物を刃物で分解して食肉を取ることから、筋道に沿ってものを切り分けることを表す。（祇）

曖

アイ
ほのか

2019年12月4日

赤ちゃんの名前に曖昧の「曖」という字を使うケースが増えてきた。アイやホノカと読める字を探して見つけ、「暖」と形が似ているし、「日と愛」だから優しい愛情を一身に受けるという意味が育ちつつある。（之）

読

ドク
トク
トウ
よ(む)

2019年12月5日

音読みの「ドク」と「トク」の間に、意味の違いはない。しかし、「トウ」は特別で、文を途中で区切る時に打つ点を指す場合に用いる。いわゆる「句読点」がその例。この音は他では使わないから、注意が必要だ。(卍)

事

ジ
ズ
こと
つか(える)

2019年12月6日

「事大《じだい》」は、力の強いものにこびて従うこと。「ドラえもん」のジャイアンとスネ夫の関係だ。「師事《しじ》」は、師として敬いつかえる意。「父事《ふじ》、兄事《けいじ》」の語はあっても「母事、姉事」がないのは、男女平等に反する。(つ)

絶

ゼツ
た(える)
た(やす)
た(つ)

2019年12月7日

常用訓のほかに、「すぐれる、まさる」の意味がある。絶景、絶勝、絶品はその例。絶唱はすぐれた詩歌や文章の意だったが、絶筆の連想からか、歌手の最後の歌唱の意味で使われるようになった。(つ)

氷

ヒョウ
こおり
ひ

2019年12月8日

「氷雨」の「氷」は「ひ」と読む。これは、音読み「ヒョウ」が短くなったものと勘違いしそうだが、れっきとした訓読み。「ひ」だけで「こおり」のことを指す。万葉集の時代から使われている日本語である。(卍)

協

キョウ

2019年12月10日

「十」は多いこと、「劦《きょう》」は「力」を三つ合わせた形から、たくさんの人が力を合わせることをいう。何かの仕事をする時に、多くの人が力を合わせると成功しやすいことから、「かなう」という意味にも使われる。(祇)

琵

ビ

2019年12月11日

この字は大抵「琶」を続けて使う。音読みはハだが、琵琶と連なってビワとなる。西域から伝来した楽器にバルバットがあった。弦があり「琴」に似るのでその字の上部を借り、下に発音をまねた「比巴」を配置した。(之)

冑

チュウ
かぶと

2019年12月12日

「甲冑《かっちゅう》」は、よろいとかぶと。ともに防具で、「甲（鎧《よろい》）」は身にまとい、「冑（兜《かぶと》）」は頭にかぶるもの。日本では誤って「甲」と「冑」を逆に用いることがある。甲虫《かぶとむし》や甲蟹《かぶとがに》、植物の鳥甲《とりかぶと》などはその例。（つ）

怪

カイ
あや（しい）
あや（しむ）

2019年12月13日

工場の壁に「油断一秒、怪我《けが》一生」と書かれているのを見た中国人があまりにも大げさに感心するので、理由を聞いてみると、「油が一秒途切れたら、私を一生とがめてください」という意味だと理解していた。（祇）

沈

チン
しず（む）
しず（める）

2019年12月14日

「沈魚落雁《ちんぎょらくがん》」は、美人の形容。『荘子《そうじ》』に「美人を見ると、魚は水底に隠れ、鳥は高く飛び去る」とあり、その後半部を「雁は地上に落下する」と言い換えたのがこの語。現代女性は褒め言葉と受け止めてくれるだろうか。（つ）

鰰

はたはた

2019年12月15日

日本海で雷が鳴ると取れ始めるハタハタ。雷は「神が鳴る」ということで、江戸時代に〈魚・うおへん〉に「神」と書くようになった。素直に「魚」に「雷」と書く人も現れ、これもまた辞書に載るようになった。（之）

湯

トウ
ゆ

2019年12月16日

温かい水を表すが、一文字で「スープ」をも表せる。「諸橋大漢和」にはその意味はないが、「せんじぐすり」という意味なら載っている。中華料理のスープはすべて、元をたどれば漢方薬に行き着くのかもしれない。（卍）

青

セイ
ショウ
あお
あお（い）

2019年12月17日

「青天の霹靂《へきれき》」は、青く晴れた空に、にわかに起こる雷の意から、突然の変事や大事件をいう。本来は「青天」だが、パソコンやスマホでは「晴天の霹靂」と変換されることもあり、注意が必要だ。（つ）

巻

カン
ま（く）
まき

2019年12月18日

20世紀の初めまで、中国で行われた「科挙」（官吏採用試験）で、最も優れた答案を一番上に置いて、他の「巻」（答案）を「圧」したことから、「最も優秀なもの」を「圧巻」というようになった。（祇）

睛

セイ
ひとみ

2019年12月19日

目と青（青）で、澄んだひとみの意。「画竜点睛《がりょうてんせい》」は、壁に描いた竜にひとみを点じたところ、竜に命が宿って空に躍り上がったという故事。物事の仕上げが不完全な場合に、「画竜点睛を欠く」と用いる。（つ）

炒

チャー
い（る）
いた（める）

2019年12月20日

チャーハンは「炒飯」。炒め飯とも呼ぶ。野菜炒めでも「いため」と読むが、もとは油で「痛める」という意味だった。「炒」は「炒り豆」というように「いる」が普通だったもので、中華料理の影響で読み方が増えた。（之）

濾

ロ
こ（す）

2019年12月21日

濾過《ろか》、濾紙《ろし》として使う「濾」は、画数が多いため「沪」と略される。戦前から特に理系の世界でよくこう書かれ、今でも検定を通った教科書にまで見られる。どの分野でもよく使う字は、便利に使えるように略されたものだ。（之）

冬

トウ
ふゆ

2019年12月22日

伝統的な漢和辞典では、部首を〈冫・にすい〉とする。「冷」「凍」など、この部首は「温度が低い」ことを表す。ただし、現在の字形では「冫」の形は含まれないので、〈夂・ふゆがしら〉を部首とする辞書もある。（卍）

結

ケツ
むす（ぶ）
ゆ（う）
ゆ（わえる）

2019年12月23日

右側の「吉」は、「大吉」の意味と「キチッ」という音を表すから、「結婚」とは二人をつなぐ糸をキチッとめでたく結ぶことである……披露宴で聞いたこのスピーチ、学問的には正しくないが、いい話である。（祇）

躾

しつけ
しつ(ける)

2019年12月24日

「しつけ」は漢字で「仕付」と書けるが、一字で書きたい重要な語だったようで、「躾」が室町時代に作られた。身を美しくする、よくできた国字だが、学校で教えなくなったせいか、エステと読む若者まで現れた。(之)

閑

カン

2019年12月25日

日本語では「ひま、余暇」の意味に使われるが、中国語ではその他に「重要ではない」という意味にも使われる。「閑話」は「おしゃべり、雑談」のこと、「閑人」は「部外者、他人」という意味である。(祇)

鍋

カ
なべ

2019年12月26日

「寄せ鍋」「もつ鍋」「石狩鍋」などいろいろに使われるが、音読み「カ」で読まれることはほとんどない。中華料理の「回鍋肉《ホイコーロー》」があるから、現代中国語の発音に由来する「コー」の方がなじみがあるくらいだ。(卍)

緯

イ

2019年12月27日

機織りで、縦糸(経)に対して直角方向に通す横糸のこと。そこから北極と南極を結ぶ「経線」と、赤道と平行に走る「緯線」という言葉ができた。さまざまな事情が縦横に絡まったものを「経緯」という。(祇)

省

セイ
ショウ
かえり(みる)
はぶ(く)

2019年12月28日

帰省の「省」は、親の安否をうかがうこと。中国古代の『礼記《らいき》』では、夕方親の寝具を整えるのを「定《てい》」、早朝安否をうかがうのを「省」としている。親が亡い人が故郷に帰るのは帰郷。お盆や年末年始に帰省できるのは幸せだ。(つ)

餅

ヘイ
もち

2019年12月29日

いわゆる「お餅」は、米を蒸してつくる。しかし、「塩煎餅《せんべい》」はこねた米粉を焼くし、「瓦煎餅」は水で溶いた小麦粉を焼く。中国の「月餅《げっぺい》」や「焼餅《シャーピン》」もある。要は、穀物を蒸したり焼いたりすればよいようだ。(卍)

叩

コウ
たた(く)

かつて中国の皇帝に拝謁《はいえつ》する際に、臣下や各国の使者らは3度ひざまずいて、9回も頭で地面を叩《たた》き、敬意を表した。「たたく」と訓読みするが、戦前の作家たちは「叩つくする」と書いて「ノックする」と読ませた。（之）

2019年12月30日

暦

レキ
こよみ

普通の漢和辞典では、「こよみ」のほか、「運命」という意味が載っているくらいだが、「諸橋大漢和」には10ほどの意味を載せる。その8番目は「日記」。諸橋博士は、「止軒日暦」と題した日記を遺《のこ》している。（卍）

2019年12月31日

元

ゲン
ガン
もと

人が立っている姿を横向きに描き、その頭の部分を大きく強調した字形。そこから「かしら・トップ」（元首）とか、「最初・はじめ」（元祖）という意味を表し、だから一年で最初の日を元旦あるいは元日という。（祇）

2020年1月1日

初

ショ
はじ(め)
はじ(めて)
はつ、うい
そ(める)

初夢は、元日の夜（一説には正月二日の夜）に見る夢のこと。初詣、初売り、初鏡、初髪、初釜、書き初め、出初め式のように、日本人は一年で初めてのことに特別な呼び名を付けて、大切にしている。（つ）

2020年1月3日

滑

カツ
コツ
すべ(る)
なめ(らか)

「滑」と「波」には〈氵・さんずい〉の右側にそれぞれ「骨」と「皮」があるが、どちらもカツ（クワツ）とかハという発音を表す要素であり、「ほね」や「かわ」という意味を表しているわけではない。（祇）

2020年1月4日

碁

ゴ

昔の知識人が必ず身につけておくべき技芸を「琴棋書画《きんきしょが》」と呼んだ。「棋」は囲碁のことで、囲碁で使う道具を石で作ったことから、「棋」の〈木・きへん〉を〈石・いし〉に変えて下に置いた「碁」が作られた。（祇）

2020年1月5日

他

タ
ほか

2020年1月6日

「他人事《ひとごと》」を「たにんごと」と読む人が多くなった。他人事は人事を「じんじ」と読まれることを嫌った表記で、読みはあくまでも「ひとごと」。平仮名を混ぜて「人ごと」と書けば、誤読は避けられる。（つ）

歪

ワイ
ゆが（む）
ひず（む）

2020年1月7日

事物は元の正しい形でなくなるとゆがむ。「正しくない」つまり「不正」ということで、「歪」の字が生み出された。音読みで「歪曲《わいきょく》」のように使う。理系の人やギターが得意な人は、初見で「ひずみ」と読む傾向がある。（之）

炉

ロ

2020年1月8日

エアコンの普及で、「囲炉裏」や「暖炉」は縁遠くなった。「懐炉」や「焜炉《こんろ》」も、現在では片仮名書きが一般的。日常生活で健在なのは、「炉端焼き」くらいか。季節感が失われつつあるのは、ちょっと悲しい。（卍）

斎

サイ

2020年1月9日

斎戒沐浴《さいかいもくよく》や斎宮《さいぐう》の斎は、「ものいみ」の意。書斎の斎は、「へや」の意。斎（齋）と斉（齊）は別の字だが、斎を斉と省略した結果、名字で斎藤（齋藤）さんと斉藤（齊藤）さんが並立することになった。（つ）

命

メイ
ミョウ
いのち

2020年1月10日

「いのち」のイメージが強いが、実は多彩な意味を持つ。「命令」では「言いつける」、「命名」では「名づける」、「運命」では「めぐり合わせ」など。「諸橋大漢和」の意味の説明は、1番からなんと26番まである。（卍）

燵

タツ

2020年1月11日

コタツは火燵、炬燵と書く。「火榻」の唐音がコタツだといい、中国の寧波の人はこの3字を見たら今でもコタツと発音する。「榻《とう》」は腰掛けや台といった意味で、「燵」はこの暖房器具のために日本人が作った国字。（之）

台

ダイ
タイ

2020年1月12日

台湾では画数の多い繁体字が標準。「台湾」と書くと合計17画だが、繁体字で「臺灣」と書くと合計39画。筆記の便利さには勝てないようで、台湾の町中でも略字の「台湾・台灣」を見掛けるようになった。（つ）

弱

ジャク
よわ（い）
よわ（る）
よわ（まる）
よわ（める）

2020年1月13日

「弱冠」の弱は二十歳の意味。男性が二十歳で元服し冠をかぶることから、男性の二十歳をいう。「壮年」（三十歳ごろ）や「強仕」（四十歳ごろ）の語もあり、男性の心身が弱から壮、強と変化することがわかる。（つ）

劣

レツ
おと（る）

2020年1月14日

「力」が「少ない」から「おとる」という、分かりやすい成り立ち。「諸橋大漢和」には、残念ながら「力」と「多」を組み合わせた漢字はないが、「力」の上に「大」を書く漢字はある。「かつぐ」という意味だという。（卍）

諦

テイ
あきら（める）

2020年1月15日

本来は、「はっきりと知る」こと。「あきらめる」という意味で使うのは、日本語独自の用法。自分の将来をはっきりと知ると、おのずと「あきらめ」の気持ちも湧いてくる。そう考えると、残酷な漢字でもある。（卍）

挨

アイ

2020年1月16日

日本語の「挨拶《あいさつ》」には、朝のあいさつとか、式典でのあいさつとか、関係方面にあいさつするとか、先方からは何のあいさつもないとか、実にいろいろな意味があって、通訳泣かせの言葉である。（祇）

房

ボウ
ふさ

2020年1月17日

「ふさ」と訓読みしてしまうと、藤の花のような「ふさ」のイメージ。しかし、「諸橋大漢和」ではこれは11番目の意味。1番目の意味は、部屋。「暖房」「独房」「大臣官房」など、言われてみればこの意味の熟語は多い。（卍）

腔

コウ

多くの漢和辞典にコウと読むとあるこの字を、医師はクウと読む。腹腔鏡《ふくくうきょう》、口腔外科《こうくうげか》など。コウと読む字は他に「口」「孔」などがあり、体内の空洞を指す際に混同を避けるため戦前に医学会で決めたことだった。（之）

2020年1月18日

意

イ

「心」（こころ）と「音」（おと）から成る。口から出る音声を聞いて、心で察する気持ちのこと。「謝意」とか「熱意」「賛意」「善意」などの「意」は気持ちのことで、そこから「意識」という意味に用いる。（祇）

2020年1月19日

卵

ラン
たまご

大昔の辞書には、〈卵・たまご〉という部首があった。しかし、この部首に分類される漢字は、ほかに「かえる」と訓読みする「孵」くらい。そこで、現在では、「卵」の部首は〈卩・ふしづくり〉とするのが普通である。（卍）

2020年1月20日

斉

セイ

穀物の穂が伸びて生えそろっている形から、「そろう、ひとしい」などの意が生じた。斉唱、一斉、均斉などの語は、その意味をよく表す。斉家《せいか》は中国の古典『大学』にある語で、家を整え治めること。（つ）

2020年1月21日

鑓

やり

武器のやりは、中国では「槍」と書かれた。槍術のソウ。金属の部分に着目し「鎗」とも書かれた。日本では、戦乱の世に、ソウでなく「やり」と言うため、金にやりと読む「遣」を合わせて字を作った。武器専用の国字だった。（之）

2020年1月22日

炎

エン
ほのお

「火」を二つ並べた形から「ほのお」という意味を表す。近頃はこの字を醜名《しこな》に使う関取が人気を集めていて、小兵の炎鵬《えんほう》関は「エン」という音読みを使うが、阿炎《あび》関は訓読み「ひ」の連濁音を使っている。（祇）

2020年1月23日

綺

キ

常用漢字に「綺」がないため新聞は「奇麗」を用いる。古代中国ではよくこう書いたが、「奇麗」は「綺麗」と違ってエキセントリックなキレイさを表すと感じる人が増えている。ニュアンスがねじれて伝わりそうだ。（之）

2020年1月24日

豊

ホウ
ゆた（か）

本来は、「レイ」と音読みして、「たかつき」という脚の長いワイングラスのような食器を指していた。音読み「ホウ」、訓読み「ゆたか」の漢字は「豐」だったが、後に混用されるようになり、現在に至っている。（卍）

2020年1月25日

摯

シ

部首〈手・て〉と「執（つかむ）」を合わせて「ゆきとどく、まじめ」の意。真摯《しんし》は真面目でひたむきなこと。政治家や官僚の「真摯に対応する」という言葉が空《むな》しく響くのは、彼らが真摯の意味を知らないからだろう。（つ）

2020年1月26日

靴

カ
くつ

鹿などの動物の皮から作った「くつ」（足を包む履物）を、古くは「鞾」と書いたが、あまりにも画数が多い漢字なので、右側の旁《つくり》にある「華」を、同じ発音でもっと簡単に書ける「化」に変えたのが「靴」。（祇）

2020年1月27日

釦

ボタン
コウ

洋服のボタンをこう書く起源は中国にある。ボタンはポルトガル語から入った外来語だが、明治の頃、スイッチの「ボタン」も英語から入ってきた。日本人は、それも「釦」と書いたため、今でも両方の意味をもつ。（之）

2020年1月28日

監

カン
み（る）

水の入った容器を人が上からのぞき込んでいる形をかたどり、何かを水に映し、それを上からしっかりと見ることを表した。また〈金・かねへん〉をつけた「鑑」という漢字で「かがみ」を表した。（祇）

2020年1月29日

殿

デン
テン
との
どの
しんがり

2020年1月30日

「宮殿」や「殿様」などでは、紛れもなく上流階級。しかし、「諸橋大漢和」には「うしろ。しり」という意味も載せる。トップとボトムの両方を表すのが、面白い。訓読み「しんがり」は、隊列の末尾をいう。　（卍）

蛇

ジャ
ダ
へび

2020年1月31日

蛇行、蛇足、蛇蝎《だかつ》、長蛇などの「蛇」は「ダ」と読む。一方、大蛇、毒蛇、蛇腹、蛇口、蛇目《じゃのめ》、蛇崩《じゃくずれ》などの語では「ジャ」と読む。蛇腹、蛇口などの重箱読みの語が共通して「ジャ」と読んでいるのは面白い現象だ。　（つ）

凍

トウ
こお（る）
こご（える）

2020年2月1日

現在では「こおる」という動詞でのみ使い、名詞の「氷《こおり》」とは区別される。しかし、古くは名詞としても使われた。「諸橋大漢和」には「あつごほり」ともあるから、分厚い氷を指していたようだ。　（卍）

轌

そり

2020年2月2日

雪上のソリは漢字では「橇」と書く。「毳《セイ》」は音読みを示すが、日本人から見るとどこかソリらしくない。そこで江戸時代に「雪」を進む「車」だとして「轌」を作った。田上町では「中轌」のように「スリ（ズリ）」と読ませる。　（之）

陰

イン
かげ
かげ（る）

2020年2月3日

東洋の考え方では、季節の変化は陽と陰の「気」の循環で説明される。陽が最大となった夏が過ぎると、やがて陰が増えて秋になり、冬に陰が最大になると、また陽が増えてきて春になる、というわけだ。　（祇）

宵

ショウ
よい

2020年2月4日

「春宵一刻直千金《しゅんしょういっこくあたいせんきん》」は、中国・宋《そう》代の詩人、蘇軾《そしょく》の詩「春夜」の一節。花が清らかに香り、月がおぼろにかすむ春の夜のいっときには、確かに千金の値打ちがある。春の遅い新潟では「春夜」の到来が待ち遠しい。　（つ）

月

ゲツ
ガツ
つき

2020年2月5日

夜空に浮かぶ「つき」を表すが、満月を円形で描けば太陽と区別できないから、半月の形を描いている。日本では天体と暦を同じく「月」で表すが、中国では天体を「月亮《ユエリャン》」と書き、暦の「月」と区別する。（祇）

央

オウ

2020年2月6日

立っている人の首に枷《かせ》をはめた形で、人の正面真ん中にある首に刑具を着けることから「中央」の意味を表す。また首かせを着ける刑罰に処せられることから、「殃」（わざわい）という漢字が作られた。（祇）

蕎

キョウ

2020年2月7日

「蕎麦」はキョウバクと読むが、普段は2字をまとめて「そば」としか読まない。若い人はこの2字を読めなくなってきた。変体仮名で「楚者」の崩しであれば、一層読めない。でも老舗の雰囲気は感じとるに違いない。（之）

紐

チュウ
ひも

2020年2月8日

紐育はニューヨークの音訳で、紐約・紐約克なども書いた。「ニュウ」は紐の呉音。外国の地名の音訳には桑港《サンフランシスコ》、布哇《ハワイ》、倫敦《ロンドン》、巴里《パリ》（巴黎）、羅馬《ローマ》などがあるが、どれも漢字の意味とは無関係だ。（つ）

着

チャク
ジャク
き（る）
き（せる）
つ（く）

2020年2月9日

「きもの」は「着物」とも「著物」とも書く。「着」は「著」の草書体からできた字で、本来意味は同じだが、「あらわす、あらわれる」の意では「著」、「きる」の意では「着」と使い分けるようになった。（つ）

腕

ワン
うで

2020年2月11日

日本語では肩から手首までをいうが、中国語では手首を指して用いる。手首に巻き付ける時計を日本語では「腕時計」と呼ぶのは不思議だが、中国語ではそれを「手表」と書き表すのも、また不思議である。（卍）

永

エイ
なが(い)

2020年2月12日

大きな川が流れてゆく形から長い川を表し、ひいて時間や距離が「長い」意に使われる。「永」という文字を書くのに「はね」や「はらい」など書道の8種の技法がすべて含まれていることを「永字八法《えいじはっぽう》」という。（祇）

腥

セイ
なまぐさ(い)

2020年2月13日

月と星とが組み合わさってロマンチックな字、と感じる人がかなり多い。子の名前に付けようとする人、ペンネームに使う人もいる。漢和辞典を見ると、部首は〈肉(月)・にくづき〉で、なまぐさい、豚の霜降り肉の意。（之）

美

ビ
ミ
うつく(しい)

2020年2月14日

「美事」と書いて「みごと」と読むが、この「美」は当て字。「ミ」はれっきとした音読みだが、「常用漢字表」には含まれず、一般にもまず使われない。男女を問わず名前ではよく使われるだけに、不思議である。（卍）

御

ギョ
ゴ
おん

2020年2月15日

「御世話《おせわ》」とか「御礼《おれい》」のように敬意や丁寧さを表すが、中国では皇帝に関するもの専用の敬語に使われる。来日した中国人観光客は、観光地の食堂に「なんとか御膳」がいっぱいあるのにびっくりする。（祇）

駟

シ

2020年2月16日

「馬」と「四」で、4頭立ての馬車の意。古代中国では最速の乗り物だったので、「駟も舌に及ばず」（失言は追い掛けても取り返しがつかない）という格言になった。現代なら「ロケットで追い掛けても」だろうか。（つ）

分

ブン、フン、ブ
わ(ける)
わ(かれる)
わ(かる)
わ(かつ)

2020年2月17日

「分」を含む漢字は多い。常用漢字だけでも五つある。そのうち、「粉」「紛」「雰」は、音読みがフン。では、あとの二つは何だろう？　ヒントは、一つは音読みがヒン、ビンで、もう一つの音読みはボン。（卍）

閒

カン
ケン
あいだ
ま

2020年2月18日

古くは「門」の中に「月」をいれた「閒」と書き、門のすきまから月が見えることから「あいだ」の意を表した。のち「月」を「日」に換えて「間」と書いたが、作家内田百閒はずっと「閒」を使い続けた。（祇）

噛

ゴウ
か（む）

2020年2月19日

印刷物では「嚙」が標準とされている。しかし、ガムの包装などで日常目にするのは「口」に「歯」という分かりやすい「噛」の方だろう。手で書くとなると「噛」が簡単だ。「歯」も「齒」が旧字体だが、書きにくかった。（之）

垂

スイ
た（れる）
た（らす）
なんな（んとす）

2020年2月20日

「なんなんとす」という訓がある。「なりなんとす」の転で、「もう少しで～になる」の意。「垂死《すいし》」（死にかけ）、「垂白《すいはく》」（白髪になりかかる）、「垂老《すいろう》」（70歳近い老人）など、なぜかシルバー世代対象の熟語が多い。（つ）

𨗉

はしだて

2020年2月21日

京都の天橋立《あまのはしだて》は、イザナギ・イザナミが天地を行き来した橋が倒れたものだという。室町時代に「天𨗉」が「あまのはしだて」と辞書に現れる。これは謎の字だが、呪符《じゅふ》で「𨗉」と書いた木簡が県内で見つかっている。（之）

巨

キョ

2020年2月22日

取っ手のある棒の中央部を手で握った形にかたどり、元は「さしがね」（曲尺《かねじゃく》）を表した。それが「大きい」という言葉と同音だったことから、後に「巨大」の意に使われ、さしがねは「矩《く》」と書かれた。（祇）

届

カイ
とど（ける）
とど（く）

2020年2月23日

れっきとした音読みを持ちながら、現在の日本語では訓読みだけでしか使われない漢字の一つ。中国語としては「ある時期に至る」という意味があり、「諸橋大漢和」では「届期《かいき》」という熟語を載せている。（卍）

庁
チョウ

2020年2月24日

旧字体は「廳」。部首〈广・まだれ（建物）〉と「聽（よく聴く）」で、人々の声を聴いて政治を行う役所の意。官庁の相談窓口が訴えに耳を貸してくれなかったら、担当者に「庁」の字義を思い出してもらおう。（つ）

朝
チョウ
あさ

2020年2月25日

朝三暮四は「餌を朝に三つ、夕方に四つ」を「朝に四つ、夕方に三つ」と言い換えて、猿をたぶらかしたという、『列子』にある故事。消費増税に伴って実施されているポイント還元は、現代の朝三暮四とも言える。（つ）

嬉
キ
うれ（しい）

2020年2月26日

世の中でよく使われているのに常用漢字に認められていない字。訓読みでしか使わず、形容詞ということで採用に至らなかったが、常用漢字は公文書や新聞などでの使用の目安なので個人的に使うのは問題ない。（之）

漁
ギョ
リョウ

2020年2月27日

川や海で魚や貝を取る仕事を「漁業」、取れた量を「漁獲高」というように、「漁」の音読みはギョ。それを「漁師」や「大漁」のようにリョウと読むのは、鳥獣を捕る「猟」と混同した結果である。（祇）

粘
ネン
ねば（る）

2020年2月28日

「粘り勝ち」のような使い方をよくするが、「なかなか諦めない」という意味は、この漢字そのものにはない。ただ、「諸橋大漢和」には囲碁の戦法「粘（つぎ）」が載っていて、それと関係があるのかもしれない。（卍）

芦
ロ
あし

2020年2月29日

〈艹・くさかんむり〉に「盧《ロ》」という「蘆」が元の字体だが、書きにくいために「芦」と略された。囲《い》炉《ろ》裏《り》の「炉」も同様で、戦前は「爐」が正しかった。応用して、魚の「鱸《スズキ》」も「鲈」と略すことがあり、県内でも用いられている。（之）

室

シツ
むろ

雪室は、雪洞に根菜などを貯蔵する、雪国ならではの天然の食料庫。酒かすも雪室での熟成効果が期待できるという。暖冬の年は、雪下ろしの苦労はないものの、雪室という自然の恩恵にはあずかれない。（つ）

2020年3月1日

溶

ヨウ
と（ける）
と（かす）
と（く）

水を表す部首〈氵・さんずい〉にも現れているように、基本は、固体が液体になること。雪についても「溶ける」と書いてもよい。ただし、厳しい冬から解放されるという意味合いから、「解ける」と書くことも多い。（卍）

2020年3月2日

三

サン
み
み（つ）
みっ（つ）

「孟母三遷《もうぼさんせん》」は、中国・戦国時代の孟子《もうし》の母が息子の教育のために、墓場の近くから市場の近くへ、さらに学校の近くへと引っ越したという故事。「三」には「何度も」の意がある。孟母は元祖教育ママだ。（つ）

2020年3月3日

求

キュウ
もと（める）

動物の毛皮をつり下げた形で、「かわごろも」（毛皮で作った上着）を表したが、「願う」という言葉と同音だったのでやがて「もとめる」意に使われた。「かわごろも」は「求」と「衣」を合わせた「裘」で表した。（祇）

2020年3月4日

蠢

シュン
うごめ（く）

「蠢く」は、うごめくと読む。「春」は音読みを表すが、春先に虫たちがうごめく姿が浮かぶ。「蠢動《しゅんどう》」という熟語もある。「春」を「冬」に換えると「螽」、冬眠かと思うとイナゴであり、対応していないので要注意。（之）

2020年3月5日

明

メイ、ミョウ
あか（るい）
あき（らか）
あ（ける）
あ（かす）

名前でハルと読むことがあるのは、春にはことさら、太陽の明るさを感じるからか。「諸橋大漢和」では「名乗」として、ほかに、アキラ、トシ、ノリ、アキ、テル、ヨシ、ヒロ、ミツと多彩な読み方を挙げている。（卍）

2020年3月6日

駅

エキ

一定の距離ごとに街道に馬や乗り物を用意して、交通や通信の便を図った宿場のこと。宿場から宿場へ次々に人や物を送り届けることを「駅伝」と呼んだ。近代になって英語「ステーション」の訳語とされた。（祇）

2020年3月7日

苺

マイ
いちご
こけ

〈艹・くさかんむり〉が蒂《へた》を表し、「母」が種のある実をかたどると感じる人が多い。イチゴの象形文字だと言うのだが、実際には2画多い「莓」が古く、植物を意味する「艹」に音読みを示す「毎（每）」を加えた字。（之）

2020年3月8日

椅

イ

元は「飯桐（いいぎり）」という落葉樹を表すが、「倚《イ》」（よりかかる）と同じ発音であることから、「背もたれのある椅子」の意味に用いる。背もたれのない腰掛けは、中国では「椅子」と呼ばれない。（祇）

2020年3月9日

育

イク
そだ（つ）
そだ（てる）
はぐく（む）

上部は「子」を上下逆さまにした形、下部は古くは「女」と書かれ、のち「月」（にくづき）に変わった。母胎から胎児が、頭を下にして出てくることから出産を表し、ひいて「育てる」意に使われる。（祇）

2020年3月10日

曽

ソウ
ゾ
かつて

未曽有は「未《いま》だ曽《かつ》て有《あ》らず」と訓読し、これまでに一度も起こったことがないという意味。「未曽有の大惨事」のように用いる。「かつて」を「かって」と読むアナウンサーも増えてきたが、これも時代の趨勢《すうせい》だろうか。（つ）

2020年3月11日

曹

ソウ

訓は「つかさ」で、下級役人のこと。軍隊の軍曹はその例。法曹は司法官の意だが、日本では弁護士も含めて広く司法に携わる人をいう。韓国の法相の名字で有名になった「曺」は、1画少ないが、読みも意味も同じ。（つ）

2020年3月12日

塁

ルイ

強いて訓読みすれば「とりで」。守りの拠点だが、「諸橋大漢和」には「塁石」という熟語もあって、攻撃のために「石をころばす」ことだという。バスケットボールでシュートを連発する八村塁選手は、こちらのイメージか。（卍）

2020年3月13日

跳

チョウ
は（ねる）
と（ぶ）

「跳ね馬」は、春先に妙高山の外輪山、神奈《かんな》山の中腹に黒く現れる雪形。前足を上げた馬に見えるので、この名がある。古くは農耕を開始する合図とされた。跳ね馬と満開の桜の競演は、雪国の春の風物詩だ。（つ）

2020年3月14日

諜

チョウ

現在では、スパイ活動を意味する「諜報《ちょうほう》」として使われるイメージだが、歴史小説では「間諜《かんちょう》」としてよく使われた。常用漢字表を改定する際に用いられた印刷物での使用頻度の数値を、それがかなり引き上げていた。（之）

2020年3月15日

眠

ミン
ねむ（る）
ねむ（い）

「ねむる」という動詞で用いるのが本来で、「ねむい」という形容詞として使うのは、日本語独自の用法。「春眠、暁を覚えず」でも、目が覚めているのに眠いのではなく、まだぐっすり眠っているのである。（卍）

2020年3月17日

故

コ
ゆえ

亡くなった人のことを「故人」というが、この字には他に「故事」や「有職《ゆうそく》故実《こじつ》」のように「古い」という意味もある。そこから、「故人」という言葉はまた、「付き合いのふるい友」、「旧友」という意味も表す。（祇）

2020年3月18日

序

ジョ

序文は書物の前書き、端書き。後書きは跋文《ばつぶん》・後序。ちなみに新元号令和の出典は、奈良時代、大伴旅人《おおとものたびと》宅の観梅の宴で詠まれた、32人の「梅花の歌」に付けられた漢文の序。「万葉集」という書物の序文ではない。（つ）

2020年3月19日

惷

シュン

「愁」は「うれい」と訓読みして、さみしくなる、不安になること。「惷」はというと、「諸橋大漢和」では「みだれる」という意味を最初に挙げる。「春」には、雑草が乱れ生えるようなイメージがあるものらしい。（卍）

2020年3月20日

椿

チン
つばき

雪椿は藪椿《やぶつばき》の変種で、厚い雪に覆われる重みで、枝が地をはう樹形になったという。雪に負けずたくましく育ち、見事な花を付けるところから、県民性の象徴として、新潟県の木に指定されている。（つ）

2020年3月21日

椿

トウ

植物の「椿」と似ているが、土中に埋め込む杭《くい》の意を表し、「椿」とは別の字。出来事の意味の「椿事《とうじ》」が「椿事《ちんじ》」と誤認され、「珍事」の連想も手伝って、「椿事」を変わった出来事の意で使うようになったという。（つ）

2020年3月22日

煙

エン
けむ（る）
けむり
けむ（い）

日本にも昔は山中に狼《おおかみ》がいて、そのふんを燃料に使ったという。狼のふんは乾燥させて燃やすと煙が真っすぐに上がることから、ノロシに使われた。ノロシを漢字で「狼煙」と書くのはそのためである。（祇）

2020年3月23日

妹

バツ
マツ

「いもうと」かと思えば、さにあらず。右側が、「未《み》」ではなく「末《すえ》」。中国古代、夏《か》王朝滅亡の一因となったという伝説の悪女、妹喜（バッキ、マッキ。妹嬉とも書く）以外では、まず使われない。（卍）

2020年3月24日

騎

キ

馬は初め戦車を引かせる動物だったが、馬の口にかませる「銜」（はみ）が鉄で造られ、そこに手綱をつないだ。こうして馬上から馬を自由にコントロールできるようになり、騎馬技術が格段に進歩した。（祇）

2020年3月25日

藩

ハン

2020年3月26日

本来は、よそ者の侵入から家を守るために築く垣根を指す。江戸時代の「藩」は、本来、天皇家や将軍家を守る役割をする、大名の領地。「諸橋大漢和」には、「地方を鎮めて王家のまもりとなる国」とある。（卍）

泣

キュウ
な（く）

2020年3月27日

平安時代の貴族は、花が咲いたとか散ったとかいっては泣き、恋人からの手紙が来たとか来ないとかいっては泣いていた。彼らには荘園からの収入があるからあくせく働く必要がなく、要するにヒマだったわけだ。（祇）

滅

メツ
ほろ（びる）
ほろ（ぼす）

2020年3月28日

「諸橋大漢和」では、2番目の意味として「消す。火がきえる」とある。言われてみれば、「滅」には「火」が含まれているし、水を表す部首〈氵・さんずい〉も付いている。なかなかよくできた漢字である。（卍）

射

シャ
い（る）

2020年3月29日

「的を射る」は、矢が的に命中するように、要点を的確に捉えること。「当を得る」との混同から、「的を得る」という言い方も耳にする。これを擁護する立場もあるが、的はやはり「射る」ものだろう。（つ）

筍

シュン
ジュン
たけのこ

2020年3月30日

竹の旬だから「筍」と書くという話があるが、旬は中国では十日という意味。一番いい季節という意味は日本で生まれたので、この字源は説としては成り立たない。タケノコの語源ははっきりしていて「竹の子」。（之）

飲

イン
の（む）

2020年3月31日

今の中国で「のむ」という意味で「飲」を使うのは南方だけで、香港などで話される広東語では、「飲茶」と書いてヤムチャと発音する。日本でもおなじみの食事だが、香港では点心よりもお茶の方が重視される。（祇）

2章
2020年4月〜2021年3月

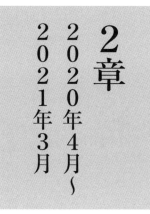

新

シン
あたら(しい)
あら(た)
にい

2020年4月1日

「新」には「～したばかり」の意味がある。結婚したばかりの「新婚」、生まれたばかりの「新生児」、入ったばかりの「新入社員」など。中国の杜甫《とほ》の詩には「新鬼《しんき》」（亡くなったばかりの人の魂）の語が見える。（つ）

杯

ハイ
さかずき

2020年4月2日

花見の季節には欠かせないものだが、部首は〈木・きへん〉だから、本来は木製の器を指したはず。その点、「盃《ハイ》」を使うと陶器でも問題はなくなるが、残念ながら、常用漢字には「杯」しか入っていない。（卍）

屋

オク
や

2020年4月3日

「居」（すまい）の省略形「尸」と「至」（いたる）から成り、人が暮らす家のこと。「本屋」など商店という意味で使うのは日本だけだったが、今は中国語にも取り込まれ、美容院を「髪屋」といったりする。（祇）

癖

ヘキ
くせ

2020年4月4日

本来は、今で言う「フェチ」「マニア」に近い意味を持つ。3世紀の中国で、「春秋左氏伝」という歴史書を愛読していた杜預《とよ》という将軍が、自分には「左伝の癖」があると公言した、という有名な話がある。（卍）

塞

サイ
ソク
ふさ(ぐ)
ふさ(がる)

2020年4月5日

音が2種類あり、「ふさぐ・ふさがる」の意味の場合は「閉塞」「脳梗塞」の「ソク」。「とりで」の意味ならば「要塞」「塞翁《さいおう》が馬」の「サイ」。「塞」一字で、北方の異民族の侵入を防ぐ万里の長城を表すことがある。（つ）

亀

キ
かめ

2020年4月6日

古代中国の神話では、人が暮らす社会は大きな亀の背中に載っていて、亀の動きにつれて日が昇り、日が暮れると考えられた。亀は怪力の持ち主とされ、やがて石碑の台座のところにも亀が造られた。（祇）

灯

トウ
ひ

2020年4月7日

本来は「テイ」と音読みする漢字。意味は、「諸橋大漢和」には「はげしい火」とある。しかし、後に「燈」の俗字として使われるようになった。常用漢字ではそれを採用して、「燈」の新字体として位置付けている。（卍）

上

ジョウ
ショウ
うえ、かみ
あ（げる）
のぼ（る）

2020年4月8日

場所などを表す語に付いて、「あたり、ほとり」の意を表す。中国・宋《そう》代の文豪、欧陽脩《おうようしゅう》は、文章を練るのに都合のよい場所として、「馬上《ばじょう》、枕上《ちんじょう》（寝床）、厠上《しじょう》（トイレの中）」の「三上《さんじょう》」を挙げた。（つ）

維

イ
つな
つな（ぐ）

2020年4月9日

カタカナのような表音文字がない中国では、外来語も意味に即して漢字で訳す。ビタミンを「維他命《ウエイターミン》」（他は「彼」の意、彼の命を維持する）というのは、なるほどうまいことをいうと感心させる訳語である。（祇）

泥

デイ
どろ
なず（む）

2020年4月10日

「どろ」にはまり込むと、なかなか抜け出せない。自動車でもそうだから、昔の馬車ならなおさらだ。そこから生まれたのが、「なずむ」という訓読み。「暮れ泥む」とは、日が沈んだのになかなか暗くならないこと。（卍）

棋

キ

2020年4月11日

元はすごろくに似たゲームを表し、また「木」を下にした「棊」という書き方もあった。のちにこの字が囲碁を表すようになった時、道具が石製だからと「木」を「石」に変えた「碁」という漢字が作られた。（祇）

梨

リ
なし

2020年4月12日

日本では果実が愛されるが、中国では昔から白い花が愛されてきた。「諸橋大漢和」にも、「梨雲《りうん》」や「梨雪《りせつ》」といった熟語が載っている。ついでに言えば、梨の花が咲くころに出回る「梨花春《りかしゅん》」というお酒も、載っている。（卍）

既

き
すで（に）

古くは左側を「皀《ひゅう》」と書き、台に食品が盛り上げられた形、右は人が大きく開けた口を食物から背けている形を示す。満腹で、もう食べられないことから、「事柄がすでに終了した」という意味を表す。（祇）

2020年4月14日

森

シン
もり

木が二つで「林」、三つで「森」になると説明されるが、木が多く茂る所を「森」と呼ぶのは、日本での用法。「森《しん》」は木が多い様子やおごそかな様子の意。「杜《と》」も「もり」ではなく、本来はヤマナシという果樹の名。（つ）

2020年4月15日

脇

キョウ
わき

「諸橋大漢和」を調べると、「脅」と同じだと書いてある。言われてみれば、どちらも「月」と「劦」の組み合わせ。「脅」を「おびやかす」の意味で、「脇」を「わき」の意味でと区別して使うのは、日本語独自の用法である。（卍）

2020年4月16日

就

シュウ
ジュ
つ（く）
つ（ける）

「その中で、とりわけ」の意味で使う「なかんづく」は、「就中」を「中に就く」と訓読したものの音便。「聞くならく（聞くところでは）、已《や》んぬるかな（もうおしまいだ）」なども漢文訓読に由来する語という。（つ）

2020年4月17日

訓

クン

「山」は音読み「サン」で、訓読み「やま」。「牛」は音読み「ギュウ」で、訓読み「うし」。耳で聞いても意味が分からないのが音読み、耳で聞いただけで意味が分かるものが訓読み、と考えれば分かりやすい。（祇）

2020年4月18日

泰

タイ
やす（い）

泰山《たいざん》は中国山東省《さんとうしょう》にある世界自然遺産。五岳《ごがく》の一つで、天子が封禅《ほうぜん》の儀式を行ったことで知られる。太山または岱山とも書く。「大山鳴動して鼠《ねずみ》一匹」は西洋の諺《ことわざ》の和訳で、中国の泰山とは無関係だ。（つ）

2020年4月19日

虎

コ
とら

2020年4月20日

古代の中国中央部にはトラが野生でいたから、虎視眈々《こしたんたん》（易経）とか、虎狼《ころう》の心（残忍な心のこと、史記）とか、虎穴に入らずんば虎子を得ず（後漢書）とか、トラを比喩に使った表現がたくさん作られた。（祇）

鯉

こい
リ

2020年4月21日

漢字なので音読みがあり、広島城は「鯉城《りじょう》」ともいう。「狸」も狐狸などでリと読むが、今の中国の人はこの字を見てもはっきりしたイメージがあまり浮かばない。旁《つくり》の「里《り》」にサトの意味が消えたのは音訳の「巴里《パリ》」と同じ。（之）

慙

ザン
は（じる）

2020年4月22日

「慙愧《ざんき》」は、「慙」も「愧」も「はじる」の意。自己の行為などについて「慙愧に堪えない」と用いる。ある大臣が慙愧を残念の意味で用いて、「そのような意味もある」と言い訳したという「残念な」話がある。（つ）

○

レイ
ぜろ

2020年4月23日

漢字かどうか微妙な存在だが、漢字と扱う辞書もある。元は空欄などを表す記号。漢数字では縦書きで扁平《へんぺい》になったり、「▽」のようになったりしやすい。「○」を則天武后《そくてんぶこう》は「星」、日本の僧侶は「輪」の代わりに用いた。（之）

薬

ヤク
くすり

2020年4月24日

病気を治す「くすり」だけではなく、「毒薬」「劇薬」「爆薬」など、尋常ならざる作用をもたらす物質に対しても用いられる。新型コロナウイルスを劇的に退治してくれる薬が、早く開発されてほしいものだ。（卍）

戦

セン
いくさ
たたか（う）
おのの（く）

2020年4月25日

「戦々兢々《きょうきょう》」の「戦」の訓は「おののく」で、恐怖で身震いすること。敵を恐れさせるのが「いくさ」であり、そこから「おののく」意が生じたという。未知のウイルスへのおののきは、いつまで続くのだろうか。（つ）

鰺

あじ

2020年4月26日

味がいいからアジという話は江戸の昔からある。旁《つくり》の「參」は略せば「参」。三を領収書で「参」と大字で書くように、三月が旬だからともいうが、古くは旁を「喿」とも書く。この生臭いという意をもつ字が崩れた形か。（之）

兄

ケイ
キョウ
あに

2020年4月27日

孔子の弟子の一人が「みんなには兄弟がいるのに私は一人っ子だ」と嘆くと、孔門高弟の子夏《しか》が「四海のうちはみんな兄弟である」と慰めた（『論語』顔淵《がんえん》）。四海とは世界のこと。一人っ子を悲しむ者は昔からいたのだ。（祇）

丼

どん
どんぶり

2020年4月28日

「諸橋大漢和」によれば、中国で古く「物を井中に投ずるおと」を指して使われた。日本語では、その音を「どんぶり」と表すことがあった。とはいえ、それと、食べ物を盛る「どんぶり」との関係は、はっきりしない。（卍）

鮑

ホウ
あわび

2020年4月29日

日本では奈良時代から使っている。前後して韓国、中国も同様に使っていた。「鮑」をアワビとして使い始めたのもどこが先か散逸した文字資料が多すぎて分からない。いずれにせよ書物でなく貿易で伝わったようだ。（之）

曜

ヨウ

2020年4月30日

「曜日」でおなじみだが、現在では、それ以外には暦の「六曜」のほか、「黒曜石」などがある程度で、活躍の範囲は狭い。本来の意味は、「輝く」。「諸橋大漢和」には、「曜星《ようせい》」「曜徳《ようとく》」など、18個の熟語を載せている。（卍）

釜

かま

2020年5月1日

世間で「文福茶釜《ぶんぶくちゃがま》」と呼ばれる話は、本来は「分福」が正しいらしい。この釜で点《た》てたお茶には人々に福を与える力があるとされ、「福を分ける茶釜」の意味で「分福茶釜」と呼ばれるようになったという。（祇）

重

ジュウ
チョウ
え、おも(い)
かさ(ねる)
かさ(なる)

2020年5月2日

「重箱」は、「ジュウ」が音読み、「はこ」が訓読み。このように漢字2字以上の語を、上を音、下を訓で読むことを重箱読みという。「台所」「献立」「角煮」「金平《きんぴら》」「茶飯」「団子」「金鍔《きんつば》」など、身近に多くある。(つ)

幸

コウ
さいわ(い)
さち
しあわ(せ)

2020年5月3日

刑具として使う「手かせ」をかたどった文字。手かせが「さいわい、幸福」という意味を表すのは、手かせをはめられる程度の刑罰で済んだからとも、手かせの刑すら免れた「僥倖《ぎょうこう》」だからともいう。(祇)

蚕

サン
かいこ

2020年5月4日

「蚕食」は、蚕が桑の葉を食うように、少しずつ他国の領土を侵略すること。中国の史書『史記』には、戦国時代の秦《しん》が他の諸侯の領土を蚕食して、史上初の統一王朝を創建した経緯が記されている。(つ)

勇

ユウ
いさ(む)

2020年5月5日

力強く男性的なイメージがあるが、「男」に「マ」を組み合わせた漢字にはあらず。「甬」と「力」を組み合わせた漢字が、やや変形したもの。力強いイメージの源は「力」にあって、部首も〈力・ちから〉である。(卍)

襲

シュウ
おそ(う)

2020年5月6日

上部の「龍」は、もともと「龍」を横に二つ並べた形で「重ねる」の意。「衣」を加えて、衣服を重ねて着ることを表した。「襲名、世襲」の語には、それまでの地位や名前などを重ねるように受け継ぐ意がこもる。(つ)

妊

ニン

2020年5月8日

「壬《じん》」は、糸巻きの絵から生まれた漢字。巻き付けられた糸は、真ん中が膨らむ。真ん中の横棒が左右に張り出しているのは、そのため。「妊」では、妊娠中の女性のふっくらとしたおなかを表している。(卍)

孵

フ
かえ（る）
かえ（す）

2020年5月9日

「卵からヒナが孵化する（孵る）」と使う。用途の狭い字だが、「孵卵器」は「ふ卵器」では読みにくい。「腐卵」と書き間違えた学生がいた。「卵」に音読み「フ」を表す「孚」（浮の旁《つくり》）を加えた分かりやすい字。（之）

楷

カイ

2020年5月10日

孔子《こうし》が亡くなった後に、弟子の子貢《しこう》が墓前に「楷」という木を植えた。楷はウルシ科の高木で、木や枝の姿が端正であることから、漢字の一点一画が整った書体を「楷書」というようになったとされる。（祇）

軸

ジク

2020年5月11日

「車軸を流す」は「車軸を降らす」ともいい、車輪を取り付ける軸ほど太く見える大粒の雨が降ること。車軸のような重いものが流れるという意味ではない。いずれにしても、近年の異常気象による大雨は要注意だ。（つ）

巾

キン

2020年5月12日

本来は小さな布地のことで、だから「頭巾」や「布巾」という言葉がある。だが、「巾」が「幅」の字の左側にあることから、やがて「幅」の略字として、「はば」という意味で使われるようになった。（祇）

艇

テイ

2020年5月13日

「諸橋大漢和」の「字訓索引」の「こぶね」の項には、19もの漢字が載っている。これもその一つで、「狭長な小舟」を指す。細長いから、速度が出やすい。「警備艇」「消防艇」「潜水艇」など、皆そのイメージである。（卍）

紦

ハ

2020年5月14日

「諸橋大漢和」に載っている。新しい版では『和漢三才図会』が出典として示されている。この字はベトナム産で、絹の名前を表す。江戸時代に長崎貿易でベトナムから入ってきたもので、こういう字まで拾い集めていた。（之）

群

グン
む(れる)
む(れ)
むら

「羊」と発音を表す「君」からできており、かつては同じ要素を上下に組みあわせた「羣」が、「むれ」という意味で使われていた。それが、近年の日本や中国では、「群」と書かれるようになった。（祇）

2020年5月15日

繍

シュウ
ぬいとり

「錦繍《きんしゅう》」は、模様を織り出した布（錦）と刺繍を施した布。転じて美しいものの、特に美しい紅葉や花をいう。宮本輝の小説『錦繍』は、紅葉に染まる蔵王で、十年ぶりに再会する男女の物語。タイトルが秀逸だ。（つ）

2020年5月16日

逆

ギャク
さか
さか(らう)

道を歩くことを意味する「辶」（しんにょう）に、人が向こうから来る形を表す「屰《げき》」を加えて、遠くから来る人を出迎えることを表す。来る人と迎える人の方向が反対であることから「ぎゃく」の意味を表す。（祇）

2020年5月17日

専

セン
もっぱ(ら)

「専」を書く時、右肩の点の有無に迷うことがある。「専」の旧字体は「專」で、右肩に点はない。「博《ハク》」「敷《フ》」「簿《ボ》」などの点がある部分の古い形は「甫《ホ》」で、新字体でも点は残る。「ハ行の漢字に点あり」と覚えたい。（つ）

2020年5月18日

玉

ギョク
たま

「王」と似ているので、篆書《てんしょ》（印鑑などに使う書体）では、「王」は三本線で上二本の間を狭くし、「玉」は間を均等にして区別した。だが、それでは紛らわしいので、のち「たま」に点を加えて「玉」と書いた。（祇）

2020年5月19日

担

タン
かつ(ぐ)
にな(う)

オランダ語由来のランドセルを「担筐《たんこう》」と訳したのは、幕末の蘭学者、高野長英。「背嚢《はいのう》」や「皮袋」などの訳語もあったようだが、いずれも定着しなかった。どの訳語も、愛らしい小学生には似つかわしくない。（つ）

2020年5月20日

鯖

セイ
さば

2020年5月21日

奈良時代の木簡にこの字が使われており、すでにサバを表していたとされる。青背の魚にぴったりな字だが、中国では、魚や肉などを混ぜて煮たり炒ったりした料理のほか、淡水魚とみられる魚の名を表していた。（之）

藤

トウ
ふじ

2020年5月22日

「滕《とう》」には「水がわき上がる」という意味があるので、「藤」もつるが上に伸びるところから作られたという説がある。だとすれば、古代中国の人は、垂れ下がる花にはあまり心を引かれなかったようだ。（卍）

稿

コウ

2020年5月23日

原稿用紙が20字×20行の体裁になっているのは、京都府宇治市の萬福寺で1671年に印刷された「鉄眼一《てつげんいっ》切経《さいきょう》」の版面がルーツとされる。メールの盛行で、近頃は原稿用紙をほとんど見掛けなくなった。（祇）

熄

ソク
や(む)

2020年5月24日

灰の中に埋めた火、埋《うず》み火の意。転じて「やむ」意に用いる。終熄は終わること。新聞などでは終息と書き換えるが、「息」にも「やむ」の意がある。新型コロナウイルス流行の一日も早い終息が待たれる。（つ）

璃

リ

2020年5月25日

「諸橋大漢和」の「璃」の項には、宝石の一種の「瑠璃《るり》」の説明と、ガラスを意味する「玻璃《はり》」の説明しか載っていない。つまり、単独では意味を持たない。すべての漢字に意味があるわけではないのである。（卍）

刈

か(る)

2020年5月26日

「乂《ガイ》」（草刈り用のはさみの形）と、「刂」（りっとう。刀の形）から、田んぼの雑草を刈り取ることを表す。ひいて「良くないものを取り除く」ことを表し、世間から悪人を取り除くことを「刈除《がいじょ》」という。（祇）

姓

セイ
ショウ

2020年5月27日

中国人の姓は「王・李・張」のように多くは1字。少数ながら、司馬遷の司馬、欧陽脩の欧陽のような2字の姓もある。香港行政長官の林鄭月娥《りんていげつが》氏は、林鄭が姓。結婚前の姓「鄭」に、夫の姓「林」を冠している。 （つ）

疫

エキ
ヤク
えやみ

2020年5月28日

「疒」（やまいだれ）と、「殳」（「役」の省略形で、エキという発音を表す）とからなる。古代中国では、疫病（流行《はや》り病《やまい》）は鬼（悪霊）が流行させると信じられた。早く悪霊を退治したいものである。 （祇）

あまのはしだて

2020年5月29日

室町時代に編まれた連歌の辞典や近世の俳諧などにある。京都の名勝で読みは「あまのはしだて」。前に紹介した「」の崩し字を転倒させたように見え、その地で股のぞきをする習俗があったためとも考えられる。 （之）

前

ゼン
まえ

2020年5月30日

「前広に」は官界では「あらかじめ、時間の余裕を持って」の意味という。安倍首相も国会答弁で「前広に」を使ったが、「前向きに幅広く」と解釈した人もいるだろう。さて、首相の真意はどちらだったのか。 （つ）

癒

ユ
い（える）
い（やす）

2020年5月31日

何かを「癒やす」という文脈で使われることが多いが、「治癒」「快癒」「癒着」といった熟語からすると、自然と「癒える」という意味合いが強い。自然に備わる回復力を我々はもっと信じるべきなのかもしれない。 （卍）

段

ダン

2020年6月1日

段落は、長い文章の中の大きな切れ目、転じて、物事の区切りのこと。「仕事が一《いち》段落ついた」のように使うが、「一《ひと》仕事終わった」「一《ひと》区切りついた」の連想からか、「ひと段落」と読む人が多くなった。 （つ）

福

フク

「禍福はあざなえる縄のごとし」という言葉があるように、「禍」と対になる漢字。〈ネ・しめすへん〉には神や天という意味があり、「福」も天からもたらされる幸いを表す。ウイルス禍も、福へと転じてほしいものだ。（卍）

2020年6月2日

稽

ケイ
かんが（える）

「稽古」とは、古代の書物を読んで聖人の教えを学ぶこと。後漢の桓栄《かんえい》は「陛下から頂いたごほうびはすべて『稽古』したおかげである。お前たちもしっかり勉強せよ」と学生に訓示を与えたという。（祇）

2020年6月3日

畠

はたけ
はた

奈良時代に中国の「白田」をまとめて「はたけ」と読ませた。韓国では木簡に二字に見える例が見つかった。中世に「田畠」を「でんばく」と音読みするようになり、近世に「畑」と同様に「はた」とも読むようになった。（之）

2020年6月4日

聖

セイ
ショウ
ひじり

聖人は、知徳に優れ、道理に明るい人のこと。これに次ぐ存在を賢人、賢者という。酒呑みの間では清酒を「聖」、濁酒《だくしゅ》を「賢」と呼ぶようだが、濁酒を「愚」と否定しないところがいかにも酒呑みらしい。（つ）

2020年6月5日

蟄

チツ

虫などが冬眠することを表す。「啓蟄」とは、動物が冬眠から覚め、巣の外に出て来ること。そこで、「蟄」を「すごもり」と訓読みして使うことがある。我々の時ならぬ巣ごもりも、そろそろ終わりになればいいのだが。（卍）

2020年6月6日

看

カン

「手」と「目」から成る。手を目の上にかざし、太陽の光を遮って遠くを見る形から、「ものを見る」という意味に使われた。ひいて、誰かを注意深く見守ることから、「看護」という言葉ができた。（祇）

2020年6月7日

仁

ジン
ニ

2020年6月8日

部首〈イ・にんべん〉と「二(慈しむ意)」で、他者への慈しみや親しみを表す。儒家思想では人道の根本をなす最高の徳とされ、『論語』には百回以上用いられている。平仮名の「に」は「仁」の草書体による。（つ）

放

ホウ
はな(す)
はな(つ)
はな(れる)
ほう(る)

2020年6月9日

「追放」のように追い払うことを表す一方、「解放」のように自由にすることをも表す。その微妙な関係が面白い。早くウイルスを「追放」して、自粛生活から「解放」されたいという思いは、皆さん同じだろう。（卍）

器

キ
うつわ

2020年6月10日

『論語』（為政《いせい》篇）に「君子は器《き》ならず」とある。「器」は用途が限定された道具で、教養ある君子は特定の分野だけでなく、多方面に才能を発揮させるべきだと孔子はいう。専門バカはだめということだ。（祇）

忸

ジク
は(じる)

2020年6月11日

「忸怩《じくじ》」は「忸」も「怩」も、恥じる意。自らの行為を恥ずかしく思う時に、「内心忸怩たるものがある」のように使う。「忸怩」や「慙愧《ざんき》」を多用する人がいるが、あまり反省する様子が見られないのは不思議だ。（つ）

欺

ギ
キ
あざむ(く)

2020年6月12日

特殊詐欺犯罪が頻発しているが、「詐」も「欺」も「だます」こと。「詐」には「言」が、「欺」には「欠《ケン》」があるが、「欠」とは口を大きく開くこと。ことばたくみにだまそうとする詐欺にくれぐれもご注意を。（祇）

〓

オウ

2020年6月13日

蘭学者はＯｘｙｇｅｎを酸性の源の物質と信じ酸素と直訳した。しかし、後に酸素は酸性と関係がないと分かった。その轍《てつ》を踏むまいということか中国で「气」に「養」や「羊」、さらに元素記号「Ｏ」を入れる人が現れた。（之）

裕

ユウ

2020年6月14日

「余裕」「裕福」のように、気持ちや財産に関する意味を持つのに、部首〈衤・ころもへん〉が付いているのは、本来は衣服に関する漢字だから。「諸橋大漢和」でも、「衣服がゆるく大きい」という意味を最初に挙げている。（卍）

恋

レン
こ（う）
こい
こい（しい）

2020年6月16日

「大臣の地位に恋々《れんれん》とする」のように、本来は、何かに強く執着すること。他人を慕う気持ちをいうのは、後から生まれた用法。いわゆる「恋」も要は執着にすぎないと思うと、なんだか興ざめである。（卍）

閣

カク

2020年6月17日

門の「かんぬき」を意味し、そこからかぎをかけておく「重要な建物」を表した。明・清時代の中国では、皇帝が宮殿の部屋に優秀な人材を集め、これを「内閣大学士」と呼んだ。これが「内閣」の語源である。（祇）

善

ゼン
よ（い）

2020年6月18日

羊（いけにえ）と言（言葉）で神に献《ささ》げるめでたい言葉の意から、「よい、正しい」を表す。同訓に「好（このましい）」「佳（美しい）」「美（りっぱ）」「良（すぐれている）」などがあり、意味は微妙に異なる。（つ）

投

トウ
な（げる）

2020年6月19日

野球の「投球」をはじめ、「投稿」「投薬」などでは、目指すところに届ける意味合いが強い。一方、「不法投棄」「さじを投げる」のように、途中で放り出すことをも表す。要は、「投げる」側の心掛け次第である。（卍）

岡

おか

2020年6月20日

小高い土地のこと。同じく「おか」と読む「丘」と意味の違いはないが、実際の使い方では、「岡」は岡山や福岡などの固有名詞に使われ、小高い土地を意味する時には「丘」を使うのが一般的である。（祇）

囍
キ

2020年6月21日

中国で明清の時代に「喜」が重なることを祝う紋様として生まれた。宋代にできたとの伝承もある。漢字のように使われるようになってキという音読みを持った。中国では結婚式場、日本では中華料理店でよく見かける。（之）

麦
バク
むぎ

2020年6月22日

旧字体は「麥」。初夏に実る麦は重要な穀物なので、「麦／麥」を含む漢字はけっこう存在する。「麺」はもちろんのこと、「麹《こうじ》」「麩《ふ》」などがその例。パンも漢字では「麺麭」。音読みでは「めんぽう」と読む。（卍）

衷
チュウ

2020年6月23日

部首は〈衣・ころも〉。衣の内側に着る肌着の意から転じて、「まこと（誠）、まごころ（忠）」を表す。「衷心より」の形で使うことが多い。今の字体は上部が〈亠・なべぶた〉に見えて、部首を意識しにくい。（つ）

楽
ガク
ラク
たの（しい）
たの（しむ）

2020年6月24日

短い柄に鈴を幾つか付けた楽器をかたどり、楽器から広く「音楽」に関する意味を表した。神をまつる時に美しい音楽をささげれば、神が心を喜ばせることから、さらに「楽しい」という意味にも使われる。（祇）

闖
チン

2020年6月25日

馬が突然、門から走り出る様子を表す。「闖入」は不意に暴れ込むこと。交ぜ書きで「ちん入」と書くと、雰囲気が出ない。将来、門構えに車と書いて、「アクセルとブレーキの踏み間違い」の意味で使うかもしれない。（つ）

拷
ゴウ

2020年6月26日

「拷問」という言葉だけにしか使われない漢字だが、これが常用漢字表に入っているのは、日本国憲法第36条に「公務員による拷問及《およ》び残虐な刑罰は、絶対にこれを禁ずる」と書かれていることによる。（祇）

庄

ショウ

庄司《しょうじ》さんと荘司《しょうじ》さんは別の名字に見えるが、読みも意味も同じ。平安時代以降、荘園（庄園）の管理者を荘司といい、庄司とも書いた。中国の簡体字は「庄」に一本化され、老庄（老荘）思想のように表記する。（つ）

2020年6月27日

易

エキ
イ
やさ（しい）

もとはトカゲの形をかたどった文字で、トカゲが光線の具合でさまざまな色に見えることから、「変わる」という意味に使われた。本来の「トカゲ」を表すためには、あらためて「蜴《えき》」という漢字が作られた。（祇）

2020年6月28日

𠈓

くた

江戸時代、越中立山に「𠈓𤢖」と書いて「くたべ」と読む妖怪が現れたという。顔は人間、体は獣。その絵を描けば疫病から逃れられるとも語ったそうだ。その後、「件」（くだん）と名を変えて各地で記録された。（之）

2020年6月29日

曲

キョク
ま（がる）
ま（げる）

中国式庭園で池に架かる橋は「九曲橋」とか「五曲橋」というように、ギザギザに曲がっている。歩く時に四方がよく見える工夫だというが、一説では、悪霊は直進しかできないので橋を曲げてあるともいう。（祇）

2020年6月30日

蠣

レイ
かき

レストランや料亭では、「牡蠣」の二字をよく見かける。略字の「牡蛎」のほうが書きやすいが、それよりも高級に感じられそうだ。「カキ」「かき」では、柿のことかと食べ物同士で迷うし、何だかボリューム感に欠ける。（之）

2020年7月1日

坪

ヘイ
つぼ

文字通り平らな土地の意だが、日本では土地などの面積の単位として用いる。「坪」を取引や証明に使用することは計量法が禁じているものの、「建坪」「坪単価」などの形でメートル法と併用されている。（つ）

2020年7月2日

鈴

レイ
リン
すず

2020年7月3日

「予鈴」では「れい」と読むが、「呼び鈴」では「りん」と読む。「りん」は、鎌倉時代ごろ以降に伝わった中国語の発音が変化した、比較的新しい音読み。夏に風鈴が軒先を彩るようになったのは、江戸時代だという。（卍）

擅

セン

2020年7月4日

独擅場《どくせんじょう》は「他の追随を許さない一人舞台」の意。「壇」に似ているため、「どくだんじょう」と誤読されて定着。消耗を正しく「しょうこう」と読んでも通じないように、独擅場《どくせんじょう》と読むと首を傾《かし》げる人も多いだろう。（つ）

壇

ダン
タン

2020年7月5日

「土を盛り上げて築いた土台」の意。中国、明《みん》・清《しん》代の天子が天を祭った北京《ペキン》の天壇は、世界遺産に登録されている。壇には「他よりも一段と高くした場所」の意があり、演壇、教壇、仏壇などはこの例。（つ）

我

ガ
われ
わ

2020年7月6日

元はノコギリの象形文字だが、ノコギリと「わたし」を表す言葉が同じ発音だったため、一人称代名詞に使われるようになった。日本語では一人称として私・我・吾などを使うが、今の中国語では「我」しか使わない。（祇）

七

シチ
なな
なな（つ）
なの

2020年7月7日

七夕の行事は、中国の「乞巧奠《きこうでん》」が始まり。陰暦七月七日の夜、女性たちは織女を祭り、技芸の上達を祈った。後に日本の「棚機津女《たなばたつめ》」の信仰と結びつき、七夕《しちせき》を「たなばた」と呼ぶようになったという。（つ）

品

ヒン
しな

2020年7月8日

「商品」「物品」のようにさまざまなものを表すのが基本だが、「品評」「上品」のように、それらをランク付けすることもあるのが特徴。その結果、ランクが高いと「品格」「気品」「品がある」ということになる。（卍）

鯨

ゲイ
くじら

2020年7月9日

クジラは古代中国の字書に「鱷」という字形で登場する。「鯨」はその異体字。「海の大魚なり」と説明されるクジラは古くから中国の沿海にもいたようで、さらに別の文献には鱷はオス、メスは鯢《ゲイ》というとある。（祇）

肘

チュウ
ひじ

2020年7月10日

「ひじ」と訓読みする漢字は他にもあるが、腕の上半分と下半分をつなぐ関節部分を指すのはこの漢字だけ。「肱《コウ》」は、ひじより上の二の腕を中心に指すことが多く、「臂《ヒ》」は、ひじより下の手首までを言うことが多い。（卍）

口

コウ
ク
くち

2020年7月11日

人の数と口の数は必ず同じになるから、そこから「人口」という言葉ができた。組織や集団に所属する人を「口」で数える例は古くからあり、八人所帯の家を『孟子』は「八口の家」と書いている。（祇）

匙

シ
ジ
さじ

2020年7月12日

サジは「茶匙」という熟語の音読みから生まれた単語。「匙」の「是」が音読みシを表す。後に匙だけでサジという訓読みを持った。「匕」はサジの象形でヒと読み、意味はサジ。音符を入れ替え「円匙」をエンピと読む人も。（之）

乙

オツ
イツ
オチ
きのと
おと

2020年7月13日

邦楽では高音域の音を「甲」（カン）、低音域の音を「乙」という。低い音域の音にもそれなりに味わいがあることから、「ちょっと気が利いている」とか「趣がある」ことを「オツ」というようになった。（祇）

仄

ソク
ほの（か）

2020年7月15日

「平仄《ひょうそく》」は漢字音の高低を表すアクセントの意で、「押韻《おういん》」と並んで漢詩の重要な規定。平は高低のない音、仄はそれ以外の音。話のつじつまが合わないことを「平仄が合わない」というのも、ここから来ている。（つ）

吸

キュウ
す(う)

2020年7月16日

「呼吸」とは息を吸ってから吐き出すことであるのに、それを動作の順にしたがって「吸呼」といわない。その理由は、漢字を発音する際の音の高さ(「平仄《ひょうそく》」という)の順によって並べているから。(祇)

姫

キ
ひめ

2020年7月17日

「諸橋大漢和」によれば、本来は「婦人の美称」。「貴人のむすめ」も「小さく愛らしいものに冠していう」のも、日本語独自の用法。初夏、三条市下田地区に咲く姫小百合《ひめさゆり》の「姫」は、後者の用法である。(卍)

戸

コ
と
へ

2020年7月18日

2枚のドアが両端を軸に中央から左右に開く形の門で、左側だけを取り出した形が「戸」。かつて観音菩薩像を納めた厨子《ずし》に両開きの扉がついていたことから、この開き方を「観音開き」という。(祇)

漱

ソウ
くちすす(ぐ)

2020年7月19日

「漱石枕流《そうせきちんりゅう》」は中国・西晋《せいしん》の孫楚《そんそ》が、うっかり「石に漱《くちす》ぎ流れに枕す」と言ってしまい、頑固にその誤りを認めなかったという故事から、ひどいこじつけをいう。夏目漱石も、負け惜しみが強かったのだろうか。(つ)

扱

あつか(う)

2020年7月20日

「あつかう」と読み、「処理する」という意味で使うのは日本だけの用法(国訓)で、本来は「つまみとる」とか「手元に引き寄せる」こと。古くは衣服の前裾を上げて帯に挟むことを「扱衽《そうじん》」といった。(祇)

橅

モ
ボ
ぶな

2020年7月21日

ブナは価値が低く木でな(無)いと言われたことがあったが、価値が高いとして「橨」と作り直した人がいる。魚に非《あら》ずだから「鯡(にしん)」、人に弗《あら》ずだから「彿」など旁《つくり》に否定詞を読み取る人がいる。(之)

株

シュ
かぶ

木の切り口が赤いところから、〈木・きへん〉と朱（赤い）で木の切り株を表す。音読みの「シュ」は出番が少なく、常用漢字表は訓読みの「かぶ」で掲載する。「前株《まえかぶ》・後株《あとかぶ》」は会社名を正確に認識するための知恵。（つ）

2020年7月22日

泊

ハク
と（まる）
と（める）

水を表す部首〈氵・さんずい〉にも現れているように、本来は、船を岸に着けることを表す。転じて、港をも指す。本県の「寺泊」をはじめ、地名にもよく使われるが、太平洋岸の地名ではあまり見かけない。（卍）

2020年7月23日

走

ソウ
はし（る）

「走る」を「とぶ」というのは、新潟の方言らしい。昔、老人は運動会の徒競走を「とび競走」と呼んでいた。国語辞典を見ると「とぶ」に「走る」の意味があり、古い用法がそのまま残ったというのが真相のようだ。（つ）

2020年7月24日

哘

さそ（う）

鎌倉時代の漢和辞典に現れ、室町時代の連歌の辞典に載り、江戸時代になると青森の地名に登場し、今も地名と名字に残る。「行こう」と誘うことから作ったとみられ、誘うという意味だが、国字なので音読みは使わない。（之）

2020年7月25日

異

イ
こと

上部には「畏《い》」（おそれつつしむ）の上と同じ形があり、鬼の面を表している。恐ろしい顔の面をかぶった人が、弔いの儀式で両手を上げて舞っている形から、「ことなった」世界に行った死者を表す。（祇）

2020年7月26日

官

カン

官庁に勤務して行政を担当する者の総称。「官」と「吏」には区別があって、「官」は試験によって選ばれ、皇帝が任命する上級職、「吏」はそれぞれの役所の長が業務の必要に応じて採用する事務官のこと。（祇）

2020年7月27日

硨

シャ
がためき

2020年7月28日

硨磲《しゃこ》貝《がい》は大きな二枚貝で、その殻は硨磲として珍重される。この字を使った地名が佐渡にあり、「がためき」と読ませる。石が多く車がガタガタいう道を表したようだ。江戸時代の俗字である世話字に萌芽が見られる。（之）

守

シュ
ス
まも（る）
もり

2020年7月29日

意味の一つに「見張る、番をする」がある。「守衛」「看守」はこの例。「株を守る（守株《しゅしゅ》）」は、切り株にぶつかって死んだ兎《うさぎ》を手に入れた農夫が、畑仕事をやめて見張りをし、国中の笑いものになったという故事（『韓非子《かんぴし》』）。（つ）

宮

キュウ
グウ
ク
みや

2020年7月30日

「宀」と「呂」から成り、「宀」は家屋の屋根を、「呂」は幾つもの部屋が並んでいるさまを上から見た形を表す。祖先への祭りや儀式を行う部屋などがたくさんある大きな建物から、宮殿の意味を表している。（祇）

蕣

シュン
あさがお

2020年7月31日

アサガオを漢字で書くと、ふつうは「朝顔」、ちょっと難しく書くと「牽牛花」。一文字で書き表したいとなれば、この漢字の出番となる。ただし、「諸橋大漢和」によれば、本来は「むくげ。きはちす」を指す。（卍）

銭

セン
ぜに

2020年8月1日

「ぜに」は訓読みだが、もともとは音の「セン」が変化したもの。馬や梅も同様で、「マ」から「うま」、「メ」から「うめ」に変化した。上越の方言でお金を「ぜん」と言うのは、おそらく訓の「ぜに」の訛《なま》りだろう。（つ）

匁

もんめ

2020年8月2日

重さの単位のモンメ。「銭」（泉）の中国での略字に端を発し、字形が変形して定着したのは、「文メ」の合字と意識されたためかもしれない。常用漢字から外されたが、真珠業界は前からカタカナ書きと決めていた。（之）

蜂

ホウ
はち

2020年8月3日

常用漢字に入る基準の一つは、音読みの熟語の有無。「蜂」には「蜂起」があるが、同じく身近な昆虫を表す漢字でも、「蠅《はえ》」「蟬《せみ》」には日常的な音読みの熟語はない。「蜂」だけが常用漢字となっている一因だ。（卍）

蠅

ヨウ
はえ

2020年8月4日

飛び回るハエは煩わしいが、五月（旧暦）のそれは奈良時代から「さばえ」と呼んで嫌われた。明治時代に「うるさい」という形容詞を「五月蠅い」と書くようになったが、最近では「八月蝉い」も現れた。「蝿」と書いても良い。（之）

箱

ソウ
ショウ
はこ

2020年8月5日

現在では、音読みはほとんど用いられない。同じく「はこ」と訓読みする漢字でも、「函」は「投函」「製函」など、音読みで使うことが多い。地名では「箱」の方が主流で、「函館」も昔は「箱館」と書いた。（卍）

示

ジ
シ
しめ（す）

2020年8月6日

神を招くために設けた祭壇の象形で、「神を祭る」意。また、「指」に通じて「しめす」意に用いる。部首としての〈示・しめす／しめすへん〉は、常用漢字では〈礻〉の形になる。祕（秘）の本来の部首は〈示〉。（つ）

機

キ
はた

2020年8月7日

バネ仕掛けで石を発射する「弩」（いしゆみ）のこと。ひいて、布を織る織機《しょっき》やからくり人形など「しかけ」がつけられた道具をいう。のち精神の働きについても、機転とか機知などというようになった。（祇）

瓦

ガ
かわら

2020年8月8日

粘土をこねて型を作り、うわぐすりを掛けずに焼いた素焼きの土器を広く「瓦」といい、そこから屋根を葺《ふ》く「かわら」の意味にも使われる。土器が粉々に割れるように壊滅することを「瓦解」という。（祇）

粛

シュク

聿（筆）と𣶒（円を描く道具）で、筆で文字を丁寧に書くことから、身の引き締まるさまや、おそれつつしむ意を表す。「自粛」は、自発的に自分の言行をつつしむこと。旅行などの自粛は、強制されてするものではない。（つ）

2020年8月9日

剣

ケン
つるぎ

旧字体「劍」は、右にある「刂」（りっとう）で「かたな」の意味を表し、左の部「僉」（センからケンに変化）で音を表した。北アルプスにある「劒岳」では、右を「刃」とする異体字「劒」を使う。（祇）

2020年8月10日

密

ミツ

昔の発音を示す「宓《ひつ》」と、意味を表す「山」の組み合わせ。成り立ちには諸説があるが、「樹木が濃く茂る山奥」を指すとするのが、分かりやすい。「3密」では「人混み」を指すのとは、大違いである。（卍）

2020年8月11日

奘

ジョウ
ゾウ

『西遊記』の玄奘三蔵で見かけるこの字は、さかん、おおきくすこやかなさまを表し、万葉仮名としてはザに当てられた。イザナギ、イザナミという神様のザは古来さまざまに書かれ、「弉」という異体字で定着した。（之）

2020年8月12日

塔

トウ

お墓に立てる「卒塔婆《そとば》」は、梵語《ぼんご》の「ストゥーパ」に対する当て字で、本来は仏舎利を収めるための高い建物を指す。それが省略されて「塔婆」となり、さらに「塔」だけでタワーを指すようになった。（卍）

2020年8月13日

且

かつ

祖先を祭る時に供える料理を置く台の形にかたどり、そこから祭られる「祖先」の意味を表した。後に「示」（降臨した神が居る席）を加えて「祖《そ》」と書かれ、供える料理を置く台は「俎《まないた》」と書かれた。（祇）

2020年8月14日

争

ソウ
あらそ(う)

2020年8月15日

旧字「爭」は、上部の爪と尹(物を手にする形)で、何かを引っ張り合うさまを示す。争奪・競争など、人と争うことを意味する語が多くあるが、近年は「争いは人の本能」とする説が疑問視されている。(つ)

灰

カイ
はい

2020年8月16日

「火」と「ナ」とから成り立っている。「ナ」は右手の象形文字である「又」が変化した形で、「手」という意味を表す。火が完全に燃え尽きてしまい、素手でもつかめるようになった余燼《よじん》(もえさし)をいう。(祇)

甲

コウ
カン
カツ
かぶと
きのえ

2020年8月18日

古代の暦では「甲《きのえ》」からはじまる十干《じっかん》と「子《ね》」からはじまる十二支の組み合わせで年・月・日・時を表した。「甲子」の年にあたる大正13年に兵庫県西宮市にできた野球場が「甲子園球場」である。(祇)

階

カイ
きざはし
しな

2020年8月19日

庭から座敷に上がるはしごを表し、ひいて「段階・階級」の意に用いる。質によって分けたランクを日本語で「しな」といい、「階」や「科」で表した。「山階」「山科」を「やましな」と読むのはそのため。(祇)

涼

リョウ
すず(しい)
すず(む)

2020年8月20日

猛暑の時期には、見るだけで気分がさわやかになる漢字だが、「諸橋大漢和」には「かなしむ」「あれる」という意味も載っている。つまり、背筋が寒くなるような感覚も含んでいて、「荒涼」がその例である。(卍)

鳰

にお

2020年8月21日

琵琶湖に住むニオはカイツブリともいう。水に入って魚を捕らえることと、「にほ」が「入」の音読みニュウ(ニフ)に似ていたので「鳥」と組み合わされた。中国の「鸊鷉《へきてい》」より分かりやすい。積み稲の「にお」にも当てられる。(之)

科
カ
しな

「禾《カ》」（穀物）と「斗《ト》」（計量用の「ます」）から成り、収穫した穀物の量をますで量ること。また、収穫量の多寡で農作物の品定めをすることから、「更科」や「仁科」のように「しな」と訓読みされる。（祇）

2020年8月22日

紫
シ
むらさき

「山紫水明」は、山水の景色が清らかで美しいこと。幕末の頼山陽《らいさんよう》が、京都に居を構えた時、そこから見える東山と賀茂川《かもがわ》の風景を絶賛した語。山陽の旧居「山紫水明処《しょ》」は、現在も保存公開されている。（つ）

2020年8月23日

押
オウ
お（す）
お（さえる）

日本のドアで「押」「引」と書かれる所が、中国では「推」「拉」と書かれている。「押」を今の中国では「抵当として借金のかたに取る」という意味に使うので、中国人は日本のドアの表示に驚くことがある。（祇）

2020年8月24日

指
シ
ゆび
さ（す）

人の薬指には「無名の指」の異名がある。中国・戦国時代の孟子《もうし》は、薬指がまっすぐ伸びないのを気にする人はあっても、心が劣っていることを恥じる人がいないのはなぜか、と鋭く問いかけている。（つ）

2020年8月25日

幽
ユウ

「諸橋大漢和」では、意味が28個も書いてある。「かくれる」「ふかい」「かすか」などから始まり、15番目が「鬼神」。18番目は「よみぢ」で、冥界のこと。日本の夏の風物詩「幽霊」は、このあたりと関係が深い。（卍）

2020年8月26日

𪀚
とき
つき

漢字では「朱鷺」。奈良・平安の昔から「𪀚」という国字が見られた。「年」でトキを表したのだろう。これが崩れて形が似ている漢字の「鴇」（のがん）や「鴾」（ふなしうずら）なども「とき」として用いられた。（之）

2020年8月27日

視

シ

2020年8月28日

中国の古典『大学』の一節「視《み》れども見えず」は、視（注意してよくみる）と見（目に入る）の意味の違いをよく表している。テレビ番組の視聴率が話題になるが、テレビを注視している人は、どれほどいるだろうか。（つ）

炙

シャ
あぶ（る）

2020年8月29日

夕（肉）と火で、あぶった肉の意。「膾《カイ》」は、なます（細切りの生肉）。現代の焼肉とユッケに近い。ともに人に好まれることから、評判になり、もてはやされることを「人口《じんこう》に膾炙《かいしゃ》する」というようになった。（つ）

狭

キョウ
コウ
せま（い）
せば（まる）

2020年8月30日

旧字体「狹」で右にある「夾」は、大きな人を二人が両側からはさんでいる形で、はさめるほど「横幅がせまい」ことをいう。「犭」（けものへん）があるのは、動物が作った狭い「けもの道」を意味したから。（祇）

饒

ジョウ

2020年8月31日

「豊饒《ほうじょう》」は豊かで富んでいること。「饒舌」は多弁の意だが、「饒」が表外字で画数も多いために、新聞などでは「冗舌」と書き換える。書き換えによって無駄という意味が付加され、おしゃべりな人には気の毒だ。（つ）

危

キ
あぶ（ない）
あや（うい）
あや（ぶむ）

2020年9月1日

崖の上に人がひざまずく形から「あぶない」意味を表す。「危」がつく漢字には「あぶない」意味があって、「詭」は「いつわり」、「跪」（ひざまずく）は腰と股《もも》を真っすぐに伸ばして座る不安定な姿勢のこと。（祇）

刊

カン

2020年9月2日

「刂」（りっとう。刀の形）と、カンという発音を表す「干」とから成り、「木を削る」ことをいう。昔の書物が木版印刷（板に文字を刻んで版画のように刷ったもの）だったことから「出版」の意味に用いる。（祇）

扇

セン
おうぎ

2020年9月3日

扇は夏の必需品。秋になると使わなくなるので、「秋扇」は不要なものの例。また、寵愛《ちょうあい》を失った女性の例という、女性に失礼な意味もある。「夏炉冬扇」も、時季外れで役に立たないものをいう。（つ）

串

セン
くし

2020年9月4日

クシは古く中国では縦線が二本の「丳」だったとされ、日本では肉が小さいからかクシが一本減って「串」と書くともいう。確かに『古事記』や『万葉集』の時代から「串」だったが、昔の中国にも「串」と書く人はいた。（之）

瘥

サ
シャ
い（える）

2020年9月5日

「諸橋大漢和」の字訓索引で「はやりやまひ」を探すと出てくる字。本文では「ちょっとしたはやりやまひ」と書いてあって、一安心。さらに、病が「いえる」という意味もある。新型ウイルスも早く収まりますように。（卍）

冊

サツ
サク

2020年9月6日

木や竹の札をなめし革の紐《ひも》で綴《と》じた形にかたどり、文書や書物の意味を表す。中国・春秋時代の孔子《こうし》は、『易経』を愛読し、なめし革の綴じ紐（韋編《いへん》）を何度も断ち切ったところから、「韋編三絶」の語がある。（つ）

柵

サク
き

2020年9月7日

「木」と「冊」で、木や竹の板を紐《ひも》で結び、それを立てて人が通れないようにした矢来《やらい》を表す。訓読みの「き」は、大和朝廷が蝦夷《えぞ》防備のために設けた、渟足柵《ぬたりのき》（新潟市の沼垂《ぬったり》）や磐舟柵《いわふねのき》（村上市）の名に残る。（つ）

党

トウ

2020年9月8日

「諸橋大漢和」では、中国人の姓として以外に21もの意味を挙げている。その10番目に「わたくし。かたよる」があり、11番目は「おもねる」。私の利益やおもねりばかりで集まった「党」なら、いただけない。（卍）

九

ク
キュウ
ここ
ここの（つ）

2020年9月9日

伝統的な暦では、1月1日、3月3日など奇数月で、月と日の数が「ゾロ目」になる日が節句とされ、9月9日は「重陽の節句」という。伝統的な占い「易」で、「陽」を象徴する数字9が重なることからその名称がある。（祇）

殺

サツ
サイ
セツ
ころ（す）

2020年9月10日

「黙殺」が黙って殺すという意味だとしたら、怖い話だ。この「殺」は、動詞を修飾して「ひどく〜する」の意を表す。「悩殺」「笑殺」「愁殺」の「殺」も同じ。「相殺」の「殺」は「減らす、消す」の意で、読みは「サイ」。（つ）

閥

バツ

2020年9月11日

本来は、門の左側に建てられた、その家の人の功績を示す柱を指す。功績のある家柄というところから、「財閥」のように使われるようになった。何らかの功績を上げて、初めて使うことのできる漢字である。（卍）

界

カイ
さかい

2020年9月12日

「田んぼの境界」から、「区切り」という意味を表す。「堺」の異体字。近代になって英語（ｗｏｒｌｄ）の訳語として使われるが、本来は「宇宙」という意味の仏教語で、「世」は時間、「界」は空間を表した。（祇）

拙

セツ
つた（ない）

2020年9月13日

拙速は、下手だが出来上がりが早いこと。孫子の兵法では「巧遅は拙速に如《し》かず」と、巧遅よりも評価されている。現代では「Ｇｏ　Ｔｏ　キャンペーンは拙速だ」のように、否定的に用いられることが多い。（つ）

介

カイ
たす（ける）
すけ

2020年9月15日

身体の前後に防具をつけている人の姿をかたどり、身を守る「よろい」（漢字では「介冑《かいちゅう》」と書く）を表す。カニやエビには外側に甲羅《こうら》や殻《から》があることから、海産動物の総称を「魚介類」と表現する。（祇）

熱

ネツ
あつ（い）

2020年9月16日

「余熱」「平熱」のように、人間の体も含めてものの温度が高いことを表すのが基本。ただし、「熱帯」「熱狂」のようにも使われる。「諸橋大漢和」の説明の中に、「生命のもと」とあるのは、なかなか奥が深い。（卍）

朔

サク

2020年9月17日

「朔日《ついたち》」は「つきたち（月立ち）」の音便。旧暦の一月《ひとつき》は「月立ち」から始まり、「月隠り（つきごもり・つごもり）」で終わる。柑橘《かんきつ》類の八朔《はっさく》は旧暦8月1日頃から食べられるので、この名があるという。（つ）

柴

サイ
しば

2020年9月18日

「おじいさんは山へ柴刈りに」の柴は、山野に自生する細い雑木のこと。昔は柴をたきぎにした。柴刈りも川の洗濯も見かけなくなったせいか、近ごろは「山へ芝刈りに」と脳内変換する人が多いようだ。（つ）

凶

キョウ

2020年9月19日

古代の中国では人が亡くなると遺体の胸部に「×」形の装飾を彫りこんだ。「凶」はそれを正面から見た形で、側面から見れば「匈」となる。それに「月」（にくづき）をつけて「胸」という漢字が作られた。（祇）

手

シュ
て
た

2020年9月20日

中国語の「手」を含む語には、字面では意味を推測しにくいものがある。手表は腕時計、手机（手機）は携帯電話、手柄は取っ手、手紙はトイレットペーパー。同じ漢字を用いながら、意味の隔たりは大きい。（つ）

圧

アツ
オウ
お（す）
お（さえる）

2020年9月21日

「壓」は戦後の当用漢字で「圧」と書かれるようになったが、中国の簡体字では「压」と、中にある「土」に点が一つついている。中国の簡体字が日本で使われる略体漢字よりも画数が多い、数少ない例である。（祇）

𠍱

ブツ
ほとけ

2020年9月22日

ホトケは「佛」と書く。Buddhaの当て字「佛陀」によるものだが、六朝時代から「仏」とも書かれるようになった。明清の時代から、「仙」（僊）に対して西の国の人だとして「𠍱」と書くようになり、日本でも使われた。（之）

筆

ヒツ
ふで

2020年9月23日

「聿《イツ》」について、「諸橋大漢和」の「筆」の項には、「聿はもとふでの字」とある。横線が二本引かれた下の部分が穂、そこから上に軸が伸びて、「ヨ」のような形は、その軸を持つ手らしい。よくできた漢字である。（卍）

悪

アク
オ
わる（い）
あ（し）

2020年9月24日

旧字体は「惡」。上部にある「亞」は、地下に作られた墓を地上から見下ろした時の形を示す。死んだ人を埋葬する場所を見た時の心情から、「わるい」（善悪）とか「にくむ」（嫌悪）という意味を表す。（祇）

棺

カン
ひつぎ

2020年9月25日

中華料理について「食は広州にあり」といい、さらに続けて「死は柳州《りゅうしゅう》にあり」という。柳州（広西チワン族自治区）は亜熱帯に位置し、豊富な森林資源を使って古くから良質の棺桶を生産してきた。（祇）

擾

ジョウ
みだ（れる）
みだ（す）

2020年9月26日

旁《つくり》を見るとユウと読みたくなるが、音はジョウ。「憂」は、人に慣れたサルを描いた象形文字の変形。法律用語の騒擾罪は騒乱罪と言い換えられたが、気象用語の熱帯擾乱はそのままの形で使われている。（つ）

首

シュ
くび

2020年9月27日

人間の頭部の象形。人の「くび」から「第一の、長《おさ》」の意に転じた。首位・首相・首脳・首領・元首・党首などは、この意味。首長を「くびちょう」と読むのは、「市長」との聞き間違いを避けるための工夫。（つ）

院

イン

2020年9月28日

垣根で囲まれた建物をいい、古くから学校や寺院、芝居小屋などの名前に使われたが、「病院」は16世紀の中国(明時代)に来た宣教師アレーニが作った地理学書『職方外記《しょくほうがいき》』に初めて見える言葉である。（祇）

中

チュウ
なか
あ(たる)

2020年9月29日

「中央」の中は「なか」、「中毒・命中」の中は「あたる」の意。日本語では意味の区別が難しいが、中国語では意味によってアクセントが違う。「悪人」の悪《アク》と「憎悪」の悪《オ》は、中国語では発音自体が異なっている。（つ）

亜

ア
つ(ぐ)

2020年9月30日

漢和辞典には「総画索引」があるが、漢字の画数計算には独特の決まりがあって、この索引は使いにくいといわれる。「亜」の旧字体「亞」は8画の漢字なのだが、どう書いたら8画になるだろうか？　お試しください。（祇）

衣

イ
エ
ころも
きぬ

2020年10月1日

「衣食足りて礼節を知る」という格言は、「倉廩《そうりん》実ちて礼節を知り、衣食足りて栄辱《えいじょく》を知る」とあるのを縮めたもの。「倉廩」つまり米倉がいっぱいになって、人ははじめてマナーを知る、というわけだ。（祇）

暴

ボウ
バク
あば(れる)
あば(く)

2020年10月2日

「あば(れる)」という意味の場合には、音読みは「ボウ」。「あば(く)」の場合には「バク」。だから、「暴力」を「バクリョク」と読んではいけないし、「暴露」を「ボウロ」と読むのも間違い。気をつけるべし。（卍）

俥

シャ
くるま

2020年10月3日

人力車が作られた明治の初めに新聞で、短く「俥」と書こうと提案があった。共感を得たのかあっという間に広まり辞書にも載った。その時、「馬車」も「䮠」と書こうと提案されたのだが、これは時代に合わなかった。（之）

媚

ビ
こ（びる）

2020年10月4日

四字熟語の「風光明媚」は、「媚」が常用漢字でないために「風光明美」と書かれることがあった。しかし、この「美」を受け入れない人が多い。「媚薬」を「美薬」は一層無理。「媚びる」を「美びる」も置き換えられない。（之）

性

セイ

2020年10月5日

人の本性は善だと主張したのは、中国・戦国時代の孟子《もうし》。これに対して悪だとしたのは、同じ戦国時代の荀子《じゅんし》。スーパーのセルフレジは「性善説」の、街角の防犯カメラは「性悪説」の象徴だろうか。（つ）

供

キョウ
ク
グ
そな（える）
とも

2020年10月6日

両手でものを上にあげることを表した「共」が、のちに「いっしょに」の意味で使われたので、「イ」（にんべん）をつけて「ものを上にあげてそなえる」ことを表した。「おとも」や「私ども」は日本だけの用法。（祇）

准

ジュン

2020年10月7日

「準」の俗字で、意味は同じ。正字と俗字の両方が常用漢字表に載る珍しい例。法律用語の批准や、准看護師・准教授などでは、習慣的に「准」を用いる。中国の大河「淮河《わいが》」の「淮」はよく似ているが、別の字。（つ）

公

コウ
ク
おおやけ
きみ

2020年10月8日

「おおやけ」という意味について、『韓非子《かんぴし》』（五蠹《ごと》篇）は「ム《わたくし》に背くを公と為す」と説明する。「ム」は「私」の省略形で「わたくし」のこと、「八」は線が左右に開くことから「背く」という意を表す。（祇）

体

タイ
テイ
からだ

2020年10月9日

「〜のていで」という言い方をよく耳にする。「てい」は「ありさま、様子」という意味の古くからある言葉で、漢字は体または態を当てる。「満足の体で」と書くと、「満足のからだで」と誤読されるかもしれない。（つ）

見

ケン
み（る）
み（える）
み（せる）

「目」と「儿」（にんにょう。人間の下半身をかたどる）から成る。目の部分を大きく強調した人の形から、目でものをはっきりと見ることを表している。また、誰かと対面する、会うことも表す。（祇）

2020年10月10日

角

カク
かど
つの

動物の頭部にあるツノをかたどった象形文字。先端がとがっていることから、「かど」という意味を表す。ウシやサイが敵にツノを突き立てて攻撃し、これを追い払うことから、「あらそう」ことを「角逐《かくちく》」という。（祇）

2020年10月11日

鵤

いかるが
いかる

くちばしが角のように見えるイカルガに、日本で7世紀にこの字が作られた。イカルガのガは角《かど》の意ともいう。中国の「鶻鵃《こっちょう》」がイカルガを指していたといった説もあり、漢字を土台に作られた可能性がある。（之）

2020年10月13日

輸

ユ

こちらにあるものを、あちらへ持っていくことを表す。「輸出」がその例。転じて、賭けたものを持って行かれること、つまり「負ける」という意味にもなる。難しい熟語だが、「輸贏《ゆえい》」とは、勝負のことをいう。（卍）

2020年10月14日

断

ダン
た（つ）
ことわ（る）

「孟母断機」は、中国・戦国時代の孟《もう》子《し》の母が、機《はた》で織りかけの布を刃物を使って断ち切り、息子を諭し奮起させたという故事。「孟母三遷」と同様に、ここにも孟子の父の影が見えないのは興味深い。（つ）

2020年10月15日

精

セイ
しら（げる）

米と青（汚れがない）で、「搗《つ》いて白くした米、しらげよね」のこと。転じて「澄んだ心」の意を表す。『論語』に「食《し》は精を厭《いと》わず」とあり、中国・春秋時代の孔子《こうし》も、現代人と同様に白いご飯を好んだようだ。（つ）

2020年10月16日

益

エキ
ヤク
ま(す)
ますます

古くは「𥁑」と書かれ、皿から水が外にあふれている形から「ふえる」ことを表した。のち「役に立つ」(利益)の意味に使われるようになったので、さんずいを加えた「溢」が作られた。（祇）

2020年10月17日

匹

ヒツ
ひき

「ひき」と読んで、牛や馬、鳥、虫などを数える単位としてよく使う。ただ、もう一つ、重要な意味がある。それは、対等の存在としてペアになること。「匹敵」とは、相手と対等の力を持つことをいう。（卍）

2020年10月18日

回

カイ
エ
まわ(る)
まわ(す)
めぐ(る)

水が渦を巻くさまをかたどり、そこから「旋回する」ことをいう。孔子《こうし》の一番弟子であった顔回は、「回」に関連する「淵」(水をたたえている所)を使って別名を子淵といい、また顔淵とも呼ばれる。（祇）

2020年10月19日

𤻲

リョウ
ラク
ヤク
シャク
い(やす)

「諸橋大漢和」の「字訓索引」の「いやす」の項に挙がっている、六つの漢字の一つ。基本的には、「療」と読み方も意味も通じる漢字。病気の治療が少しでも「楽(樂)」であるならば、たいへんありがたい話である。（卍）

2020年10月20日

光

コウ
ひか(る)
ひかり
みつ

古代文字ではひざまずいた人間が火を上に掲げている形に描かれ、本来は火の管理を担当する人物のこと。のち「ひかり」の意味に使われ、昼を「光」で、夜を「陰」で表したことから、時間を「光陰」という。（祇）

2020年10月21日

田

デン
た

元は整然と区割りされた「たんぼ」の絵。「苗」「畔」「界」なども同じ。一方、「思」「胃」「異」「富」などでは、他のものを表す形が変化し、たまたま「田」になっている。「たんぼ」とは関係がないので、ご注意を。（卍）

2020年10月22日

信

シン

2020年10月23日

お隣の長野県の旧国名は信濃。古くは「科野《しなの》」と書き、一説に科木《しなのき》の繁る野の意味という。信濃は、これに印象の良い漢字を当てたもの。「信が濃い」とも読めるが、漢字による意味の類推には無理がある。（つ）

叉

サ

2020年10月24日

手の指の間に物をはさんだ形にかたどり、「挟《はさ》み取る、ふたまた、組み合わせる、交わる」意を表す。先端がY字になった防犯用具は指叉《さすまた》。叉焼《チャーシュー》は叉環《さかん》という串に刺して焼くので、この名があるという。（つ）

佳

カ
ケ
よ（い）
よし

2020年10月25日

「佳作」とか「佳境」というように、素晴らしいという意味に使うが、ニンベンがついているように、本来は「佳人＝美しい女性」を表した。「佳人」は「薄命」でなく、いつまでも健康でいてほしいものだ。（祇）

埒

ラツ
ラチ

2020年10月26日

解決しないことを「埒が明かない」という。この「埒」は馬場の柵を指し、「埓」とも書く。県内各地で「だっちゃかねぇ」「だっちょもねぇ」「だちかん」などと言うのは、これが元。自由は大切だが、放埒はいけない。（之）

獲

カク
え（る）

2020年10月27日

古い字形は「隹」（尾の短い鳥）と「又」（右手）を組み合わせた形で、鳥を手で捕らえることから「手に入れる」ことを表した。後に「犭」（けものへん）を加えて、猟犬を使って鳥や動物を捕獲することを表した。（祇）

穫

カク

2020年10月28日

鳥獣を捕らえることを意味する「獲」の左側にある「犭」（けものへん）を、穀物を表す「禾」（のぎへん）に変えた漢字。鳥や動物には「捕獲」、穀物には「収穫」と、対象によって漢字を使い分ける珍しい例である。（祇）

枝

シ
えだ

枝豆の作付面積と消費量は、新潟県が全国で一番。しかし、県内で多くを消費するために、知名度で他県に負けているのは残念だ。旧暦九月十三夜の月は、月見に枝豆を供えるところから、豆名月という。（つ）

2020年10月29日

庶

ショ

「こいねがう」と訓読みできる。庶幾も、漢文の訓読で熟して「こいねがう」と読む。ミセスグリーンアップルの「庶幾《しょき》の唄」に「明日《あした》へと庶幾《こいねが》う唄」という歌詞があるが、作者はきっと漢文好きなのだろう。（つ）

2020年10月30日

棲

セイ
す（む）

「栖《セイ》」と同字で、鳥の巣、転じて「住む、くつろいで休む、住まい」の意を表す。現代表記では、棲息・両棲類を生息・両生類と書き換えることがあるが、隠棲はそのまま。同棲も同生と書いては興醒めだ。（つ）

2020年10月31日

尺

シャク

日本古来の度量衡法である尺貫法で、長さの単位の一つ。1尺は一寸の十倍。現在は曲尺《かねじゃく》も鯨尺も使えないのに、常用漢字表に「尺」があるのは、「尺度」「尺八」「縮尺」「巻き尺」などの語が健在だからだろう。（つ）

2020年11月1日

画

カク
ガ
エ
かぎ（る）
はか（る）

古くは「畫」と書き、「聿」（＝「筆」の省略形で「書き記す」意）と「田」を組み合わせて「田畑を区切る」ことを表し、そこから「図面を描く」意味に使われた。「画」は「畫」をくずした俗字形。（祇）

2020年11月2日

革

カク
かわ

動物の「かわ」をなめしたものを「革」、毛がついたものを「皮」という。だから財布やバッグは「革製品」、ミンクのコートは「皮製品」となる。「変革」の意味は、古代では「改」と音が近かったことによる。（祇）

2020年11月3日

靭

ジン
しな（やか）

2020年11月4日

革（なめした皮）と刃（丈夫な刃）で、しなやかで強い意を示す。「強靭」は、強く粘りがあること。政府が進める国土強靭化は、「強じん化」と書かれることがあるが、「強靭化」でないと意味が伝わりにくい。（つ）

津

シン
つ

2020年11月5日

津々浦々は「全国至る所の港や海岸」の意。訓読みだけで構成されていて、和製の四字熟語と分かる。オール訓読みの和製四字熟語には「得手勝手」「白河夜船」「浅瀬《あさせ》仇波《あだなみ》」などがあるが、その数は多くない。（つ）

讐

シュウ
あだ

2020年11月6日

「復讐」の讐は、もともとの「讎」のパーツの位置を入れ換えた形。「鄰・隣」「咊・和」「羣・群」「峯・峰」も、字形は異なるが同じ字。「裏・裡」は、部首の〈衣・ころも〉を〈ネ・ころもへん〉に置き換えている。（つ）

鯐

すけとうだら
すけそうだら

2020年11月7日

海の底の方に生息する魚という字源。この字は、明治時代に北海道大学で作られたという説がある。しかし、江戸時代から佐渡の文書に使われていることを地元の方が確かめてくださった。「すけと」と読むそうだ。（之）

刃

ジン
は
やいば

2020年11月8日

「諸刃の剣《つるぎ》」を「諸刃の刃《やいば》」と言うと意味重なりになる。「満天の星空」や「炎天下の下《もと》」も同じで、「天」と「空」、「下」と「もと」が重なっている。話し言葉では、無意識に意味重なりの表現をしてしまう。（つ）

巧

コウ
たく（み）

2020年11月10日

「すぐれた技術」の意。「たくみ」と訓読し、今は「技巧」「巧者」など良い意味に使うことが多いが、『論語』（学而《がくじ》篇）にある「巧言」は「口先だけのおべんちゃら」のことで、信用できない人物のことば。（祇）

契

ケイ
ケツ
キツ
セツ
ちぎ(る)

2020年11月11日

「わりふ」(文字やサインを書いた木の札を二つに割って片方ずつ持ち、後に照合して約束を確かめたもの)から、「約束する」という意味を表す。紙が発明される前には、契約書は木に書かれていた。(祇)

尼

ニ
あま

2020年11月12日

本来は、「なれ親しむ」ことを表す。仏教が中国に伝わってから、出家した女性を指す梵語《ぼんご》に当て字した「比丘尼《びくに》」という言葉が生まれた。一文字でいわゆる「あまさん」を指して用いるのは、その省略形である。(卍)

庇

ヒ
かば(う)
ひさし

2020年11月13日

この字が人名用漢字の候補に挙がった時、「へ」なので入れるべきではないとの声が相次いだ。「屁」に似ているが別の字だ。「あま」なので反対という人も。それは「尼」という字。人はパッと見て字を認識しがちだ。(之)

女

ジョ
ニョ
ニョウ
おんな
め

2020年11月14日

女史は、後宮の書記役の女官のこと。日本では、学問や芸術、政治などの分野で優れた女性を敬って呼ぶ語。また、その雅号や氏名に添えて敬意を表す。刀自《とじ》も女性の敬称だが、どちらも今では出番が少なくなった。(つ)

判

ハン

2020年11月15日

「血判」「連判」「太鼓判」などでは、「判子《はんこ》」の略。「大判」「小判」も、元はハンコの大きさに由来する。デジタル化が進んだ結果、ハンコがなくなることがあっても、これらのことばは生き残ってほしいものだ。(卍)

轍

テツ
わだち

2020年11月16日

「轍鮒《てっぷ》の急」は、車輪の跡にできた水たまりであえぐフナが、数日後の大河の水よりも、今すぐにわずかな水が欲しいと願ったという故事(『荘子』)。ウイルス禍で営業自粛を迫られ、轍鮒の急にある人々も少なくない。(つ)

襟

キン
えり

2020年11月17日

衣服の「えり」は、古くは「ネ」に「金」をつけた漢字で書かれ、それが同音の「今」「禁」に変わって「衿」「襟」ができた。もとは同じ漢字だが、今は洋服わは「襟」、和服わは「衿」と区別しているようだ。（祇）

茂

モ
しげ（る）

2020年11月18日

徳川十四代将軍の家茂《いえもち》や、栃木県茂木《もてぎ》町のように、固有名詞で「もち」「もて」と読むことがある。『万葉集』に出てくる古語に、「しげる」ことを意味する「もし」があるので、その変化したものか？（卍）

穴

ケツ
あな

2020年11月19日

山の崖を横にくりぬいた穴の入り口の形から、「ほらあな」の意を表す。中国西北部の黄土地帯では今も多くの人が暮らしている住居形式で、夏は涼しく冬は暖かい、自然に優しい住居であるという。（祇）

棄

キ

2020年11月20日

両手で持った「ちりとり」の中に生まれたばかりの子どもを置き、子どもを地面に棄《す》てる形から、「すてる」意味を表した。棄てられた子どもをすぐに拾い上げれば、子どもが丈夫に育つと信じられていた。（祇）

醧

ヨ
オ
オウ
ウ

2020年11月21日

「諸橋大漢和」が載せる意味を順番に挙げると、「うちわのさかもり」「酒を適度に飲む」「酒がうまい」。確かに、気の合う仲間とほどほどに飲むのが、酒を味わうには最高だ。みなさんの酒宴もそうありますように。（卍）

円

エン
まる（い）

2020年11月22日

明治時代の紙幣には「圓」と書かれていたが、社会では「圓」の手書き字形からできた略字「円」が広く使われた。明治半ばに建てられた日本銀行本店を上から見ると「円」に見えることがそれをものがたる。（祇）

工

コウ
ク
たくみ

真ん中に握る取っ手がある「さしがね」(ものさし)をかたどり、「ものを作る工具」の意味から、「仕事をする」、また「職人」の意味を表す。のち、さまざまな労働に従事する人の意味にも使われた。(祇)

2020年11月23日

魅

ミ

「人の心を引き付ける」こと。「みせる」と読んで使うのは当て字。他人の心を目的語にする漢字だから、「観客を魅せる演技」はまだしも、「自分を美しく魅せる」のように用いるのは、あまりお勧めできない。(卍)

2022年11月24日

截

セツ

「断つ、切る」の意。音はセツだが、裁・栽・載・哉などの連想からサイと読まれることがある。直截は、まわりくどくないこと。近年の新刊書には、慣用読みによる「直截《ちょくさい》」というルビが散見される。(つ)

2022年11月25日

推

スイ
お(す)

推敲《すいこう》は、中国・唐代の賈島《かとう》が「僧は推す月下の門」の句で、「推す」と「敲《たた》く」の選別に悩んでいたところ、知事の韓愈《かんゆ》に「敲がよい」と助言されたという故事(『唐詩紀事』)。メールを推敲せずに送信すると失敗しがちだ。(つ)

2022年11月26日

ム

シ
ござる

蒼頡《そうけつ》という四つ目の人が、自分を表すときに鼻を指すため鼻をかたどった「ム」で自分の意とし、後にそれに「禾」が付いて「私」となったという。日本では江戸時代にゴザを「△」で表したことから「ござる」と読ませた。(之)

2020年11月27日

尚

ショウ

和尚は梵語《ぼんご》で、仏法を伝える師の意。宗派で読み方が異なり、禅宗・浄土宗は「オショウ」、天台宗は「カショウ」、律宗・真言宗は「ワジョウ」。浄土真宗では、和尚という呼称自体がないという。(つ)

2020年11月28日

開

カイ
ひら（く）
ひら（き）
あ（く）
あ（ける）

2020年11月29日

「門」と「廾」（音読みキョウ、両手を前にそろえた形。「开」はその変形）から成り、両手で門をひらくことを表す。門をあければ視野が広がることから、のちに「文明開化」や「開明的」などというように使われる。（祇）

鏡

キョウ
ケイ
かがみ

2020年11月30日

夫婦が離婚することを中国語で「破鏡」という。日本の結婚式や建物の落成式などで行われるお祝いの「鏡割り」の場に中国人がいたら、通訳は「鏡を割る」とはいえないから、「桶を開く」などと訳している。（祇）

懐

カイ
ふところ
なつ（かしい）
なつ（かしむ）
おも（う）

2020年12月1日

寒い季節に嬉しい「使い捨てカイロ」は日本生まれの優れた商品だが、使い捨てタイプが登場する前の「かいろ」は、漢字で「懐炉」と書かれていた。「懐《ふところ》に入る炉（火鉢）」とは、大げさな言い方をしたものだ。（祇）

械

カイ

2020年12月2日

「木」と「戒」から成り、元々は罪人の手足につける「手かせ」や「足かせ」のこと。そこから、仕掛けやからくりがある道具を表した。「機」（はたおり）と組み合わせてできたのが「機械」という言葉。（祇）

椪

ポン
はえ

2020年12月3日

材木を整然と並べて重ねる方法である「はえ」は江戸時代から「掽」と書かれた。旁《つくり》を「并」にしたり、それらの「扌」を木へんで書いたりする人もいた。ポン柑を「椪柑」と書くのは中国からで、たまたま字体が一致した。（之）

血

ケツ
ケチ
ち

2020年12月4日

君子には「三戒」があり（『論語』季氏）青年期は血気不安定だから色欲を、壮年期は血気盛んなので闘争欲を、老年期は血気が衰えるので物欲を戒めねばならないという。人生は血気の消長とともにあるようだ。（祇）

爾

ジ
ニ
なんじ

2020年12月5日

「爾霊山《にれいさん》」は、中国遼寧《りょうねい》省大連市の旅《りょ》順口《じゅんこう》区にある丘陵。日露戦争の激戦地「二〇三高地」に「爾《なんじ》が霊《みたま》の山」の音読みを当てたもので、乃木希典《のぎまれすけ》将軍が命名した。将軍はこの戦争で二人の息子を失っている。（つ）

姪

テツ
めい

2020年12月6日

女と至（行き詰まり）で、血縁の末端に位置する者のこと。おいとめいの双方をいうが、日本ではおいの意で用いない。中国・唐代の顔真卿《がんしんけい》の名筆「祭姪文稿《さいてつぶんこう》」は、戦死したおいの顔季明を追悼する弔文の原稿。（つ）

鵠

コク

2020年12月7日

「鴻《こう》」と共に、ハクチョウを表す漢字。漢和辞典によればどちらもオオハクチョウだが、中国の辞書では、「鵠」をコハクチョウとしているものもある。今年も多くのハクチョウが、県下で冬を過ごすことだろう。（卍）

丸

ガン
カン
まる
まる（い）
たま

2020年12月8日

丸薬や弾丸など、「小さな粒状のもの」を「丸」という。紀元前６００年頃の中国に晋の霊公《れいこう》という暴君がいて、高殿から道に向けて弓で石を弾き、通行人が「丸」を避けるさまを見て楽しんだという。（祇）

則

ソク
のっと（る）

2020年12月9日

則天去私（天に則《のっと》り私を去る、天地自然に身を委《ゆだ》ねて私心を捨て去る）は、明治の文豪・夏目漱石《そうせき》の造語で、漱石が晩年に到達した境地。この語は漱石自身の揮毫《きごう》はあるものの、作品中の使用例はない。（つ）

望

ボウ
モウ
のぞ（む）

2020年12月10日

漢字の一部分としての「月」が、天体の「つき」を表す数少ない漢字の一つ。その証拠に、「望月《もちづき》」のように満月を表す用法がある。多くの漢字では、「月」は「肉月《にくづき》」といって、肉体を表す。（卍）

肝

カン
きも

2020年12月11日

昭和21年の「当用漢字表」に「腎」が入らなかったので「肝腎」が「肝心」と書き換えられた。のち平成22年の改訂で「腎」が常用漢字となったので、今は公用文などでも「肝腎」と書けるようになっている。（祇）

暮

ボ
く（れる）
く（らす）

2020年12月12日

「日が沈むころ」から転じて、「ある時期の終わりごろ」という意味にもなる。「歳暮」は、元は「年末」と同義。「諸橋大漢和」によれば、「くらす」と読んで「生活する」ことを指すのは日本語独自の用法である。（卍）

掌

ショウ
たなごころ

2020年12月13日

「てのひら」の意。転じて、職掌・分掌のように「物事にあたる、つかさどる」の意を表す。訓読みの「たなごころ」は、漢語の「手心《しゅしん》（てのひらの意）」を「た（手）＋な（の）＋こころ（中心）」と意訳したもの。（つ）

侍

ジ
さむらい

2020年12月15日

侍史《じし》は、貴人のそばに侍《じ》する書記のこと。また、その人を経て差し上げる意から、「誰々様侍史」のように手紙の脇付《わきづけ》として用いる。御中や机下、玉案下《ぎょくあんか》（案は机）なども、脇付として知られている。（つ）

⿴囗兎

ゲツ
つき

2020年12月16日

道教の本の中で「月」という字をこのように書くものがあったという。中国では、月で兎が薬草を搗《つ》いているとの伝承がある。「日」には「⿴囗烏」と書く字も作られ、これは日本では新聞で題字に使われたことがある。（之）

雲

ウン
くも

2020年12月17日

空の「くも」はもともと「云」と書かれたが、「くも」と「ものをいう」が同じ発音の言葉で、やがて「云」がもっぱら「ものをいう」意味に使われたので、改めて気象現象を表す「雨」を上につけた「雲」が作られた。（祇）

旅

リョ
たび

「諸橋大漢和」には29もの意味が載っているが、1番目は「軍制の名」。現在でも、軍隊のまとまりの一つを「旅団」という。「たび」は後から派生した意味で、「諸橋大漢和」でも16番目にならないと出てこない。（卍）

2020年12月18日

賦

フ

「取り立てる」「与える」「受ける」「税」「韻を踏んだ文章」など、さまざまな意味を持つ。「月賦」の場合は、「分けて与える」こと。「諸橋大漢和」にも、9番目の意味として「くばる。わかつ」とある。（卍）

2020年12月19日

注

チュウ
そそ（ぐ）

注連縄《しめなわ》は、災いを封じるために、新年に門口や神棚に張るもの。昔中国で、死者の魂が家に戻らないように張った注連《ちゅうれん》という縄が由来。藁《わら》の茎を七筋、五筋、三筋と縒《よじ》って垂らすので、七五三縄《しめなわ》とも書く。（つ）

2020年12月20日

食

ショク
ジキ
く（う）
く（らう）
た（べる）

食言（言を食す）は、五経の一つの『書経』から出た語。一度口から出した言葉を、また口に入れて、前言をくつがえすことをいう。食言癖が高ずると、食言したかどうかも忘れるものらしい。（つ）

2020年12月21日

喰

ショク
く（う）
く（らう）

「食」の意味が多様なために、〈口・くちへん〉を添えて、専ら「たべる」の意を表すために作られた字で、下品な意味はない。「くう・くらう」の語感を嫌って、「道草をたべる」と言い換える人もいると聞く。（つ）

2020年12月22日

皇

コウ
オウ
きみ

古代文字では燭台《しょくだい》の上に火がともっている形に描かれ、「かがやく」意を表した。のち秦時代に「皇帝」という言葉ができ、帝王の意味に使われたので、あらためて「火」を加えた「煌」が作られた。（祇）

2020年12月23日

艝

そり

2020年12月24日

雪中を滑るソリには「橇」などの漢字がある。『北越雪譜』には「雪舟」「雪車」などが当てられている。その2字を合わせれば「轌」、車よりも舟ということで江戸時代から「艝」とも書かれた。今やツイッターでも使われる。（之）

基

キ
もと
もとい
もと（づく）

2020年12月25日

「国際基督教大学」のように、キリストが漢字で「基督」と書かれるのは、イエズス会宣教師が作った音訳語「基利斯督」の省略形。日本でも明治初期から「キリスト」の漢字表記として広く使われた。（祇）

臼

キュウ
うす

2020年12月26日

関節で骨が本来の位置からずれることを「脱臼」といい、食べたものをすりつぶす歯を「臼歯」というが、「臼」そのものを見かけることが少なくなった。そのうち言葉だけに残る道具名になるかもしれない。（祇）

乾

カン
ケン
ゲン
かわ（く）
いぬい

2020年12月27日

「乾燥」など「かわく」という意味では「カン」と読むが、また「ケン」という音読みもあり、運を天にまかせて大勝負をすることを「乾坤一擲《けんこんいってき》」という。この場合の「乾」は天、「坤」は地の意を表している。（祇）

貫

カン
ワン
つらぬ（く）
ぬき

2020年12月28日

古代で貨幣として使われた貝に紐を通した形から「つらぬく」意を表し、さらに日本では重さの単位にも使われた。昔の銭湯や学校の保健室などにあった大きな体重計「かんかん」を漢字で書くと「看貫」となる。（祇）

折

セツ
お（る）
おり
お（れる）

2020年12月29日

新潟名物のへぎそばは、へぎという器に盛りつけられたそば。へぎは漢字で折と書き、折折敷《へぎおしき》（板を薄く剥《は》いで作った角盆）の略。「折そば」と書くと、せっかくの滑らかな食感が台無しになりそうだ。（つ）

者

シャ
もの

蕎麦屋《そばや》さんの暖簾《のれん》に書いてある崩し字は、右から「楚者《そは》」。者は漢文訓読で「～は、～なる者は」と読むところから、平仮名「は」の代わりに用いた。「ば」でないのは、濁点が必ずしも付かなかった時代の名残。（つ）

2020年12月30日

除

ジョ
のぞ（く）

除夜の「除」は「押しのける」の意。古い年を押しのけ、新しい年を迎えることから、大みそかの夜を除夜・除夕《じょせき》という。人々を苦しめた悪いウイルスを追い払って、新しい清らかな年を迎えたいものだ。（つ）

2020年12月31日

年

ネン
とし

現在では形の上だけから部首を〈干・ほす〉とするが、もとは「秊」と書き、部首は穀物を表す〈禾・のぎ〉だった。つまり、「年」とは穀物が実る周期。「諸橋大漢和」でも、最初に「みのる」という意味を掲げている。（卍）

2021年1月1日

丑

チュウ
うし

十二支の二番目で、動物では牛を当てる。牛は機敏でないことから、ことわざで牛を褒《ほ》めたものは多くない。「牛の涎《よだれ》」のような新型ウイルス流行に対しては、「牛歩」ではなく、速効性のある施策を望みたい。（つ）

2021年1月3日

夢

ム
ゆめ

「諸橋大漢和」によれば、本義は「くらい」。暗くてはかない、非現実というイメージが基本。「将来の夢を語る」のようにこの漢字を前向きに使うようになったのは、英語ｄｒｅａｍの影響を受けたものと思われる。（卍）

2021年1月4日

瑞

ズイ

めでたいしるしの意。古代中国では、天の神が善政を誉《ほ》めて示すと考えられた。瑞獣の麒麟《きりん》や白虎《びゃっこ》、瑞鳥の鳳凰《ほうおう》や朱雀《すざく》は、いずれも想像上の動物。ウイルス禍終息の瑞兆は、いつになったら現れるのだろうか。（つ）

2021年1月5日

小

ショウ
ちい（さい）
こ
お

2021年1月6日

小池都知事提唱の「五つの小《こ》」の中に小人数《こにんずう》がある。「しょうにんずう」と読むのではという声もあるが、「こにんずう」は辞書にもある読み方。小人数と大《おお》人数、少《しょう》人数と多《た》人数が対応している。（つ）

爪

ソウ
つめ

2021年1月7日

爪と瓜《ウリ》は形がよく似ている。爪は下に向けた手の形にかたどり、物をつかみ取る意を表し、瓜は蔓《つる》から下がったウリの象形。両者の字形を区別するために、「爪に爪無く、瓜に爪有り」という覚え方がある。（つ）

牙

ガ
きば

2021年1月8日

上と下の歯が噛《か》み合っている形から「歯」を表し、さらに「きば」の意に用いる。日本はかつて象牙を大量に輸入し、印鑑や、三味線のバチ、ピアノの鍵盤などを作ったが、いま代用品の開発が進められている。（祇）

冴

ゴ
さ（え）

2021年1月9日

旁《つくり》は「牙」だが、音読みはガではなくゴ。「冱」がもとの字体で、冱寒という熟語もある。唐代の仏典からこの異体字が用いられ、日本に伝わって連歌などで「さえる」として使われて広まり、国訓として多用されている。（之）

塩

エン
しお

2021年1月10日

「徒然草」に『しお』という漢字は土へんであると答えて笑われた、という話がある。「しお」の旧字は「鹽」だが、兼好法師の時代にはすでに「塩」という形が普及していたことがこの話から分かる。（祇）

第

ダイ

2021年1月11日

「第一義（第一は義なり）」は、戦国時代、越後の春日山城を拠点にして、北陸一帯を領有した上杉謙信が掲げた語。塩の供給を断たれた宿敵武田信玄に、義に感じて塩を送った「義の塩」の故事が知られる。（つ）

識

シキ

有識者《ゆうしきしゃ》は「学識有る者」の意。以前は学識経験者といっていた記憶がある。「ユウソクシャ」と読むと、有職家《ゆうそくか》と同意で、朝廷などの礼式の典故に通じている人のこと。読み方で意味がまるで異なる。（つ）

2021年1月12日

作

サク
サ
つく（る）

「かんずり」は、元来は上越地方の郷土食。塩漬けの唐辛子《とうがらし》を雪にさらしてあく抜きし、塩や麹《こうじ》などを加え、発酵させて作るので、漢字では「寒作里・寒造里」を当てる。唐辛子の雪さらしは真冬の風物詩。（つ）

2021年1月13日

遠

エン
オン
とお（い）
とお（ざかる）

『論語』冒頭に「朋あり遠方より来たる、また楽しからずや」とある。孔子《こうし》の時代には郵便すらなかったから、友人はアポイントもなくやって来た。突然に友だちが訪ねて来たら、さぞかし嬉しかったことだろう。（祇）

2021年1月14日

褻

セツ
け

儀式や祝い事を「晴《はれ》」というのに対して、「褻《け》」は日常的な私事《わたくしごと》。「猥褻《わいせつ》」は、下品でみだらなこと。特に男女間の口にできないような事柄をいう。「わいせつ」と書かれると、不思議と生々しさが薄れる。（つ）

2021年1月15日

觴

ショウ

酒器の「さかずき」の意。濫觴《らんしょう》は、どんな大河も、源流はさかずきをやっと浮かべるほどの細流であることから、物事の始まりをいう。流觴曲水《りゅうしょうきょくすい》は毎秋、諸橋轍次記念館の漢詩大会で催される風雅な行事。（つ）

2021年1月16日

甚

ジン
はなは（だ）
はなは（だしい）

甘（うまい物）と匹（夫婦）で、はなはだ楽しい、転じて「度を越す」の意を示す。「激甚（劇甚）」や「幸甚」などの語で「甚」が後に来る理由は、「激（劇《はげ》）しきこと甚だし」「幸いなること甚だし」と訓読すると分かる。（つ）

2021年1月17日

縦

ジュウ
たて

2021年1月18日

一字または「縦令」の二字で「たとい」と読み、「仮に、もし」の意を表す。現在は「たとえ」に変化し、「たとえ火の中水の中」のように用いている。譬喩《ひゆ》の「例え」とは別語。「例え死のうとも」とは書かない。（つ）

吹

スイ
ふ(く)

2021年1月19日

吹雪《ふぶき》は雪吹・雪風などとも書き、強風を伴って雪が乱れ飛びながら降ること。紙吹雪ならのんきだが、地吹雪や横吹雪はおそろしく、時には人命にかかわることもある。桜吹雪の時節の到来が待ち遠しい。（つ）

禅

ゼン

2021年1月20日

禅譲の禅は、禅宗や座禅とは無関係で、「ゆずる」の意。中国の伝説上の聖天子・尭《ぎょう》は、その位を息子に譲らず、有徳の舜《しゅん》に禅譲した。党利党略による政権交代は、禅譲ではなく、たらい回しだろう。（つ）

割

カツ
わ(る)
わり
わ(れる)
さ(く)

2021年1月21日

殷の名臣とされる伊尹《いいん》は、「割烹」を仕事とする料理人だった。「割」は肉を切る、「烹」は切った肉を煮ることをいうが、日本では江戸時代後期から、魚や野菜を料理する店を「割烹」というようになった。（祇）

隻

セキ

2021年1月22日

隹（鳥）と又（右手の形）から成り、一羽の鳥を手で持つことから、「一つ、わずかな」の意。また、屏風のようにペアのものの片方を表す。常用漢字表にあるのは、船を数える語としての需要からだろう。（つ）

甲甲甲

サ
セ

2021年1月23日

「諸橋大漢和」の索引巻の「字訓索引」に、「ゆきのなかをゆく」として掲載されている。「甲」は「よろい」を指す漢字だから、重装備で雪中行軍でもするのだろうか。いろいろ想像をめぐらせてみると、おもしろい。（卍）

簡

カン

紀元前１００年前後に中国で紙が発明される前、文字は竹や木を細長く削った札に書くのが普通だった。竹を削ったものを「竹簡《ちっかん》」、木を削ったものを「木簡《もっかん》」といい、手紙のことを「書簡」というのはその名残である。（祇）

2021年1月24日

在

ザイ
あ（る）
いま（す）

「います」は「ある・いる」の尊敬語で、「いらっしゃる」の意。高野辰之《たつゆき》作詩の唱歌「ふるさと」の二番に、「如何《いか》にいます父母《ちちはは》、恙《つつが》なしや友がき」とあるのは、自分の両親に尊敬語を使っていた時代の名残だ。（つ）

2021年1月25日

火

カ
コ
ひ
ほ

北京に残る宮殿「故宮」の中に、「火鍋店」がオープンした。文人皇帝として有名な乾隆《けんりゅう》帝は火鍋が大好物で、また稀代のグルメだった西太后《せいたいごう》は、鶏がらスープに菊の花を浮かべた「菊花火鍋」を生み出した。（祇）

2021年1月26日

劾

ガイ

役人の罪をあばいて取り調べること。今は「弾劾」にしか使われず、一般人には縁の無い漢字だが、憲法64条に裁判官を裁く「弾劾裁判所」に関する事項があることから「常用漢字表」に入っている。（祇）

2021年1月27日

街

ガイ
カイ
まち

街中に流れる噂話を、かつて「街談巷語《がいだんこうご》」とか「道聴塗説《どうちょうとせつ》」と呼んだ。「小説」とはそんな「取るに足らないつまらない話」のことを述べたもので、知識人が堂々と読むものではないとされていた。（祇）

2021年1月28日

飉

リョウ

「諸橋大漢和」では、「きたかぜ」という訓を付けている。字の形に含まれる「京」からは、「涼」が思い出される。ちなみに、「風」に「令」を組み合わせた漢字には、「諸橋大漢和」では「寒い風」という訓を付けている。（卍）

2021年1月29日

凬

ふぶき

2021年1月30日

ふぶきには「吹雪」が定着しているが、室町時代の連歌で「凬」と国字で書かれることがあった。「門」の中に「雪」と書く字も作られた。江戸時代には秋田藩でこの字が多用され、「飃」という異体字も生まれた。（之）

嫁

カ
よめ
とつ（ぐ）

2021年1月31日

古代中国には「媒氏《ばいし》」という役人がいて、男は三十にして娶《めと》り、女は二十にして嫁がしめたという。それからずいぶん時間が経って、女の結婚年齢は大きく変わったが、男はそれほど変わっていないようだ。（祇）

臭

シュウ
くさ（い）

2021年2月1日

旧字体は「自（鼻の象形）」と「犬」で、犬が鼻でにおいをかぐの意。常用漢字は「犬」を「大」に変えたために、字体から意味が説明できなくなった。「突」の「大」も元は「犬」で、穴から犬が不意に飛び出すの意。（つ）

節

セツ
セチ
ふし

2021年2月2日

節分は季節の分かれ目の意。立春・立夏・立秋・立冬の前日を指すが、現在では特に立春の前日をいう。２０２１年の節分は2月2日で、例年より１日早い。３日に豆を撒《ま》くと、「六日の菖蒲《あやめ》」と言われかねない。（つ）

温

オン
あたた（か）
あたた（まる）

2021年2月3日

「氵《さんずい》」がついているのは、この字が「温水」という川の名前を表すために作られたから。温水は雲南省に端を発し、貴州省にかけて流れるが、今は「南盤江」と呼ばれ、河川名に「温」は使われていない。（祇）

西

セイ
サイ
にし

2021年2月4日

西施《せいし》は中国・春秋時代の美女の名。西施が胸の苦痛で顔を顰《しか》めたのを見て、世の女性たちが皆その真似《まね》をしたことが、「顰《ひそ》みに倣《なら》う」の語源になった。芭蕉が「象潟《きさかた》や雨に西施がねぶの花」と詠んだのはこの人。（つ）

双

ソウ
ふた

2021年2月5日

旧字は雙。二羽の鳥(隹は鳥)を手(又は右手の形)で持つことから、「ふたつ、つがい、ならぶ」の意。隹が一つの「隻」と対をなす。屏風一双、手袋一双のように、ペアをなすものを数える語としても用いる。（つ）

颽

カイ

2021年2月6日

「諸橋大漢和」が載せる、南風を表す漢字。同じく南風を指す「凱風《がいふう》」という2字の熟語があるが、その1文字バージョンだと考えられる。今年もそろそろ、南寄りの暖かい風、春一番が吹くことだろう。（卍）

先

セン
さき

2021年2月7日

「先《さき》んずれば即《すなわ》ち人を制す」は、中国の歴史書『史記』から出た。先手を取れば相手を制圧できるの意で、「後《おく》るれば則《すなわ》ち人の制する所と為《な》る」と続く。先手必勝は新型ウイルス対策にも通じるものがある。（つ）

鳥

チョウ
とり

2021年2月8日

「鳥肌が立つ」は、人の皮膚が寒さや恐怖などの強い刺激を受けて、毛をむしり取った後の鶏の皮のように、ぶつぶつになること。演奏や演技に感動した時に、「鳥肌が立った」と表現するのは新しい用法だ。（つ）

脩

シュウ

2021年2月9日

部首は〈月・にくづき〉で、ほじし(細長い干し肉、現代のジャーキー)の意。昔、師のもとに入門する時に、束ねたほじし(束脩《そくしゅう》)を持参して贈った。同音の修と混用して、「おさめる、整える」の意にも用いる。（つ）

薹

タイ
とう

2021年2月10日

油菜《あぶらな》や菠薐草《ほうれんそう》、蕗《ふき》などの花茎のこと。花茎が伸び過ぎて食用にならないことを表す「薹が立つ」は、盛りを過ぎたことの形容にも用いる。蕗の薹は蕗の若い花茎で、独特の香りとほろ苦さがある早春の珍味。（つ）

孁

レイ
め

2021年2月11日

中国で女性の字《あざな》として辞書に載った字だが、それよりも早く『日本書紀』では天照大御神の別名オオヒルメを「大日孁」と書いている。「霊」（靈）の「巫」を「女」に取り替えたもので、日本では神名専用の字となった。（之）

系

ケイ

2021年2月12日

「糸」の上にある点は手の形を表しており、何本かの糸を手でつなぎ合わせることから「筋道」の意味に使われる。祖先からの血統を記したものを系図、学問や芸術の伝承関係を表したものを系譜という。（祇）

郡

グン
クン
こおり

2021年2月13日

新潟県には今、九つの郡があるが、郡という地域区分のルーツは古代中国にあり、秦の始皇帝《しこうてい》は全国を30余りの郡に分け、中央で任命した人物を長官としてそこに派遣した。これが官僚制度の始まりとされる。（祇）

菓

カ

2021年2月14日

もともと「木の実」を表す「果」と同字で、昔の中国では「菓」を「果実」の意味に使うこともあったが、今は使われない。日本では早くから、果を「くだもの」、菓を「かし」の意味に使い分けている。（祇）

獣

ジュウ
けもの

2021年2月16日

「けだもの」とも読むが、「だ」は果物の「だ」と同じで、「の」の意。「毛《け》だ物《もの》」と「毛物《けもの》」は意味はまったく変わらないのに、語感はかなり異なる。人を罵る時には、「けもの」ではなく「けだもの」がふさわしい。（つ）

知

チ
し（る）

2021年2月17日

知命は、五十歳の異称。『論語』にある孔子《こうし》の言葉「五十にして天命を知る」から出た。天命は「天が与えた使命」とも「天の定めた寿命」とも解釈されるが、人生百年時代の現代では、「使命」ととらえたい。（つ）

鋭

エイ
するど(い)

2021年2月18日

所得税の確定申告が始まった。昔は穀物で年貢を納めたので「税」に穀物を表す禾へんがついているが、今は金銭で納税するからとそれを「金」へんにしたら、「鋭」という別の漢字になってしまう。

(祇)

戒

カイ
いまし(める)
いまし(め)

2021年2月19日

両手で武器を持つさまから「警戒する」、ひいて「いましめる」意を表す。出家して仏門に入る時に師僧が戒律(いましめ)を与えることを「授戒」といい、その時に授ける仏教界での名前を「戒名」という。

(祇)

章

ショウ

2021年2月20日

断章取義《だんしょうしゅぎ》(章を断ち義を取る)は、詩や文章の一節を取り出して、勝手に解釈して用いること。政治家などが発言の一部を切り取られたと釈明することがあるが、断章取義かどうかは一概には言い切れない。

(つ)

粒

リュウ
つぶ

2021年2月21日

「米粒」「粒ぞろい」など、「つぶ」と訓読みすると身近だが、「粒子」「粒食」のように「りゅう」と音読みすると、専門用語の雰囲気。その中で、「一粒万倍」「粒々辛苦」といった四字熟語が、異彩を放っている。

(卍)

今

コン
キン
いま

2021年2月22日

病床に臥せる杜甫が「古い友人は雨が降っても会いに来てくれるが、新しい友人は雨の日には会いに来ない」と嘆き(「秋述」)、そこから「できたばかりの友だち」を「今雨《きんう》」というようになった。

(祇)

経

ケイ
キョウ
へ(る)
た(つ)
つね

2021年2月23日

機織りで縦に通す糸を「経」、横に通す糸を「緯」といい、そこから「事物を組み合わせたいきさつ」を「経緯」という言葉で表した。「経線」と「緯線」は、地球全体を織物に見立てた地理学用語である。

(祇)

𰻞

ビアン

2021年2月24日

清代に中国の南方で、色々な読みと意味で使われた俗字。近年、西安のビアンビアン麺の表記に転用され一躍有名となった。日本でも西安料理店で扱っており、テレビで取り上げられ、一部のコンビニでも売られている。（之）

通

ツウ
ツ
とお（る）
とお（す）
かよ（う）

2021年2月25日

神通力《じんつうりき》は「通」を濁音で読むと「ジンズウリキ」、富山県の神通川《じんつうがわ》も濁ると「ジンズウガワ」。昭和61年公布の「現代仮名遣い」に従うと、通の清音は「ツウ」、濁音は「ズウ」という奇妙な現象が生じる。（つ）

逃

トウ
に（げる）
に（がす）
のが（す）
のが（れる）

2021年2月26日

「にがす」と「のがす」では、送り仮名が異なることに注意。「にがす」と共通するのは「に」だけだから、「にげる」「にがす」の場合は「逃がす」。「のがす」は、「のがれる」と「のが」が共通するから「逃す」となる。（卍）

艶

エン
なまめ（かしい）
つや
あで（やか）

2021年2月27日

艶歌とはなまめかしい心情を詠んだ詩のことで、古代中国の民謡「子夜《しや》歌《か》」に「朱《あか》い口から艶歌を発す」とある。日本では「演歌」と同じ発音なので、歌謡曲のジャンルとして使われるようになった。（祇）

閏

ジュン
うるう

2021年2月28日

1年の月日が平年より多いこと。太陽暦では、4年ごとに2月を29日として調節する。ウイルス禍で延期された東京オリンピックは２０２１年に開催か中止か、はたまた次の閏年まで延期か、予断を許さない。（つ）

麗

レイ
うるわ（しい）
うら（らか）

2021年3月1日

「諸橋大漢和」では、「うるはしい」「つらなりゆく」「かず」「ふたつ」「つく」など、40近くもの意味を並べて説明しているが、ほとんどは現在では使われない。寒さが極まると、「麗《うら》らか」な春の訪れも近い。（卍）

親

シン
おや
した（しい）
した（しむ）

2021年3月2日

親書・親政・親征などの「親」は、「みずから、自分で」の意。親展（親《みずか》ら展《ひら》く）は、受け取り人自身の開封を求める手紙の脇付《わきづけ》。子ども宛の手紙を「親がひらく」と曲解して開封すると、親子げんかのもとになる。（つ）

巳

シ
み

2021年3月3日

十二支の六番目。蛇または胎児を描いたものという。「己《コ・キ》（おのれ）」や「已《イ》（すでに）」と似ているが、別の字。「上巳《じょうし》」は、陰暦3月の第一の巳の日のことで、後に3日に定着した。日本では桃の節句をいう。（つ）

卒

ソツ

2021年3月4日

卒の俗字が九と十に見えるところから、日本で数え年の90歳を卒寿ということがある。しかし、「卒《しゅっ》す」と読むと人が亡くなるという意味になり、めでたさは半減する。無理に卒寿と呼ぶ必要はない。（つ）

型

ケイ
かた

2021年3月5日

物の姿やフォルムを「形」といい、「型紙」など物を作るためのモデルやパターンを「型」という。古代中国で作られた青銅器の「鋳型」が土で作られたことから、「型」という漢字の下に「土」がついている。（祇）

暇

カ
ひま
いとま

2021年3月6日

仕事や課題がない時間を「暇」といい、束縛されずゆったりしている状態を「閑」という。解雇することを意味する「暇《ひま》を出す」や、別れることを表現する「暇《いとま》ごい」は日本だけの使い方である。（祇）

獄

ゴク
ひとや

2021年3月7日

もとは「裁判に訴えて争う」こと。犬を表す「犭」が左にあり、右の「犬」と2匹が吠えあうように、言葉で相手を訴えて争うことをいい、のち裁判で負けた者が入れられる牢屋の意味に使われる。（祇）

鼻

ビ
はな

2021年3月8日

本来、「自」が鼻の絵から生まれた鼻を表す漢字で、「畀《ひ》」は後から付け加えられたもの。「畀」は空気が穴を通ることを表す、という説がある。とすれば、花粉症の季節にはまことにうらやましい漢字である。（卍）

切

セツ
サイ
き(る)
き(れる)

2021年3月9日

適切の「切」は、哀切・痛切などと同じく程度の深さを表し、「ぴったりと、ふさわしく」の意。自分の行為について「適切に処理した」と言う人がいるが、適切かどうかは第三者が判断することだろう。（つ）

嶋

トウ
しま

2021年3月10日

島の異体字。島は山と鳥の省略形から成り、渡り鳥が羽を休める海中の山の意。パーツの山と鳥の位置を入れ換えると、嶋・嶌・㠀などの形になる。名字に嶋の付く方は、「山鳥の嶋」と説明するようだ。（つ）

努

ド
つと(める)
ゆめ

2021年3月11日

だれでも知っている漢字だが、意外と使い道がない。特に音読みの熟語は、「努力」以外にはないと言ってもいいくらい。昔は、「ゆめ」と訓読みして、「今の気持ちを努《ゆめ》、忘れてはならぬぞ」などと使った。（卍）

羅

ラ

2021年3月12日

「あみ」や「あみで捕まえる」ことを表す。「網羅」がその例。また、「羅列」とは、「あみの目のように並べる」こと。「ラ」と読む漢字は少ないので、外来語の「ラ」の音に当て字するときにも、よく使われる。（卍）

躊

チュウ

2021年3月13日

躊躇《ちゅうちょ》は、躊も躇も足の運びに関係があり、あれこれ迷って決断できず、ぐずぐずすること。「返答を躊躇する」や「躊躇なく拒絶する」のように用いる。新型コロナウイルス対策も、躊躇なく進めてほしいものだ。（つ）

倍

バイ

2021年3月14日

「同じ数を付け加える」ことを表す。そこで、「1倍」を「1回、同じ数を付け加える」ことだと考えると、結果的には「2倍」と同じだとも解釈できる。「人一倍、努力する」の「一倍」は、この意味の例である。（卍）

億

オク

2021年3月16日

『詩経』の「伐檀《ばったん》」は厳しい取り立てを呪う詩で、「畑仕事もしないでどうして三百億もの穀物を手にするのか」と権力者を非難するが、この「億」は実数でなく、「ものすごい量」という意味で使われている。（祇）

神

シン
ジン
かみ
かん
こう

2021年3月17日

新潟県には神社が約四七〇〇社もあり、その数は全国一。明治時代に人口が全国最多で、集落ごとに神社を設けたことが要因という。今年の初詣《はつもうで》では、新型ウイルス退散を願った人も少なくないだろう。（つ）

𩺊

いわし
いさば

2021年3月18日

イワシは奈良時代に「鰯」という字が作られ使われてきたが、平安時代にはこの字で書く人もいたようで辞書に記録された。江戸時代には山形でこの字を魚市場などの意で「いさば」と読ませた。集まる魚と魚を集める。（之）

映

エイ
うつ（る）
うつ（す）
は（える）

2021年3月19日

かつて漢文の入門書として広く使われた『蒙求《もうぎゅう》』に「孫康《そんこう》は雪に映ず」とある。貧しくて油が買えなかったので、雪あかりで勉強したというおなじみの話だが、春から秋までは勉強しなかったのだろうか。（祇）

雀

ジャク
すずめ

2021年3月20日

「門前雀羅《じゃくら》を張る」は、客がいないために門前にスズメが群れ遊び、雀羅（スズメを捕らえる網）を張ることができるほど寂しい様子。一日も早くウイルス禍が終息し、各地の門前雀羅の解消が待たれる。（つ）

詩

シ
うた

2021年3月21日

詩《しい》歌《か》の「シイ」は「シ」を延ばした慣用読みで、常用漢字表にはない。一方、夫・女・露の慣用読み「フウ・ニョウ・ロウ」は、同表に載っている。夫婦・女房・披露に比べて、詩歌は使用頻度が低いからか。（つ）

餞

セン
はなむけ

2021年3月22日

学校行事の予餞会は、予《あらかじ》め餞《はなむけ》をする会。卒業式前に行われる卒業生を送る会をいう。餞の訓読みは「馬の鼻向け」という慣習による。3月は別れの月。旅立つ人に向けた餞の言葉が、あちこちで聞かれる。（つ）

摩

マ

2021年3月23日

「摩天楼」は、英語ｓｋｙｓｃｒａｐｅｒの直訳。ｓｃｒａｐｅは「こする」ことで、「摩」にもその意味がある。一方、「天に届くほど高い」ことを「摩天」と表す例は、漢文にも古くから見られる。偶然の一致だろうか。（卍）

郭

カク
くるわ

2021年3月24日

後漢の郭巨《かくきょ》は暮らしが貧しく、老母が食べる物に困らないよう、子を土に埋めて「口減らし」しようとしたら、穴から大量の黄金が出たという。『二十四孝』に見えるが、今なら幼児虐待で訴えられる話である。（祇）

如

ジョ
ニョ
ごと（し）

2021年3月25日

植物に水をかけるのに使う如雨露《じょうろ》は、「雨露《うろ》の如《ごと》し」と読める。漢籍に由来する語と思いきや、ポルトガル語の訛《なま》りに漢字を当てたものという。倶楽部《クラブ》（倶《とも》に楽しむ部）や型録《カタログ》も、よくできた当て字だ。（つ）

幹

カン
みき

2021年3月26日

正しくは「榦」と書き、のち「木」の部分を字音カンを表す「干」に置き換えた。もとは土塀の両端に建てる頑丈な柱のことで、ひいて「樹木のみき」、また「物事の主要部分」などを意味に使われる。（祇）

塚

チョウ
つか

土を盛り上げて作った墓の意。青塚《せいちょう》は、中国・前漢時代の王昭君《おうしょうくん》の墓。王昭君は絶世の美女だったが、似顔絵師に自身を醜く描かせたことが災いして、匈奴《きょうど》の王妃として遣わされ、その地で没した。（つ）

2021年3月27日

絹

ケン
きぬ

東西交易の大幹線を「シルクロード」と名づけたのはドイツの地理学者リヒトホーフェンで、今の中国語では「絲綢之路」という。絲綢《しちゅう》はシルクのことで、今の中国では「絹」という漢字をほとんど使わない。（祇）

2021年3月28日

鱒

ソン
ます

コイ科の淡水魚を表したが、日本で平安時代からサケ科のマスを表すようになった。国訓であるが、「養鱒場《ようそんじょう》」のように音読みでも使われる。今では中国でもマスの意で使うようになった。口へんの「噂」も国訓。（之）

2021年3月29日

妙

ミョウ

「奇妙」「珍妙」などのイメージが強いが、本来は「妙技」「絶妙」のようにプラスの意味合いで使う。「諸橋大漢和」でも、「うつくしい」「よい」「すぐれる」といった意味が並び、「精美至善の極致」とまで書いている。（卍）

2021年3月30日

掉

チョウ
ふる(う)

掉尾《ちょうび》は、最後になって勢いがよいこと。慣用読みの「トウビ」が優勢で、「チョウビを飾る」と読むと通じないことがある。腔《こう》を「クウ」と読むのも慣用読み。口腔《こうくう》外科は飛行機の機体修理を連想させる。（つ）

2021年3月31日

3章

2021年4月〜2022年3月

四

シ
よ
よ（つ）
よ（っつ）
よん

数を数える時に、四《よん》と七《なな》だけは訓読みすることが多い。「シ」と「シチ」の聞き間違いを避けるために、読み分けるのだろう。助数詞が付く時も、四人・四個・七本・七枚のように湯桶《ゆとう》読みにするのが一般的だ。（つ）

2021年4月1日

矯

キョウ
た（める）
いつわ（る）

矢がまっすぐ飛ぶように、ゆがみを直すのに使った道具のこと。「ためる」と訓読し、曲がったりゆがんでいたりするものをまっすぐにすることを「矯正」と、顔をまっすぐあげて上を見ることを「矯首《きょうしゅ》」という。（祇）

2021年4月2日

脚

キャク
キャ
カク
あし

「あし」と読む漢字で、「足」は足首からつま先まで（英語のｆｏｏｔ）、「脚」は骨盤から下、足首までの部分をいう（英語のｌｅｇ）。「扁平足《へんぺいそく》」と「健脚」という言葉にその使い分けが示されている。（祇）

2021年4月3日

宵

ショウ
よい

「春宵《しゅんしょう》一刻直《あたい》千金」は中国・宋代の詩人・文章家、蘇軾《そしょく》の詩「春夜」の一節。春の夜のひとときには、千金の価値があるの意。雪国の春夜はまだ肌寒いこともあるが、夜桜見物をすると、この句の情趣を実感できそうだ。（つ）

2021年4月4日

横

オウ
コウ
よこ
よこ（たえる）
よこ（たわる）

門の内側にある「かんぬき」をいい、その形からのちに「よこ」や「よこたわる」ことを表す。また「よこしま」「ほしいまま」「勝手気まま」という意味も表し、「横暴」「横柄」「横着」などと使われる。（祇）

2021年4月5日

学

ガク
まな（ぶ）

聖人の言行を述べた『書経』（説命）に「斆《おし》えるは学ぶの半ばなり」とある。「斆」は「おしえさとす」意で、のち「教」と書かれた。人に何かを教えると、自分もはっきり分かるようになるものである。（祇）

2021年4月6日

菜

サイ
な

2021年4月7日

「艹」と「采（取る）」で、採取して食べる草、なっぱの意。一汁一菜の菜は「おかず」のこと。汁とおかずが一品ずつではわびしいが、接待の席で食事と酒に一人七万円も使うのは、どう考えても贅沢《ぜいたく》すぎるだろう。（つ）

栴

セン

2021年4月8日

栴檀《せんだん》は旃壇とも書き、白檀《びゃくだん》の異名。インドなどに産し、その心材は香料として珍重される。発芽の頃から香気を発するので、「栴檀は双葉《ふたば》より香《かんば》し」という。栴檀の芽を摘まないようにするのが大人の務めだ。（つ）

石

セキ
シャク
コク
いし

2021年4月9日

「他山の石、以て玉を攻《おさ》むべし」は、よその山の粗悪な石でも、砥石《といし》として自分の玉を磨くのに使えるの意で、他人の誤った言行を自分の修養や反省の助けにすること。身内の愚行は「他山の石」にはならない。（つ）

羽

ウ
は
ば
わ
はね

2021年4月10日

古代の戦争で、戦況が不利になり、援軍派遣の要請を書いて味方に送った木の札を「檄《げき》」と呼んだ。「檄をとばす」の語源であり、緊急事態であることを示すために、先端に鳥の羽根をつけたという。（祇）

吋

トウ
インチ

2021年4月11日

かつて、「寿」は「壽」と書かれ、「士のフエは一吋《インチ》」と覚えた。インチは二・五四センチなので、一寸に近い。それに口へんを付け、「吋」をそう読むようになったのは、明治の初めの日本でのことだった。（之）

涯

ガイ
きし
はて

2021年4月13日

「水べの崖」の意から、「終端」を表す。生涯とは人生の終端までの意。また「限り」の意味から、有限の生命で無限の欲望を追うことを『荘子』（養生主）は「涯《かぎ》り有るを以て涯り無きに随《したが》う」と表現した。（祇）

酌

シャク
く(む)

「酉」(酒壺の象形)と「勺」(水をくむ柄杓《ひしゃく》)で、酒をついで飲むの意。漢詩では「対酌・満酌・独酌」などの形で用いられる。友と酌み交わす、なみなみとつがれた酒はうまいが、手酌はやはりさびしい。(つ)

2021年4月14日

紺

コン
カン

「医者の不養生」と同じ意味の「こうやの白ばかま」にある「こうや」は、藍を染料として布を染める「紺屋」(こんや)が変化した言葉。「紺」は赤みがかった青が原義だが、「紺碧」は黒みを帯びた濃青をいう。(祇)

2021年4月15日

⿰男老

じじ

江戸時代に「ばば」は「婆」や「姥」と書かれた。秋田では「じじ」が「⿰男老」と書かれ、地名にもこの字が用いられた。「爺」は「父」と「耶」(音読みでヤ)からなるが、音読みが不要なら会意文字の方がしっくりくる。(之)

2021年4月16日

筍

ジュン
たけのこ

筍は食べられる期間が短く、一旬(10日)で竹になってしまうことから「筍」と書くというが、それは誤解。「旬」はぐるりと取り巻く意。上越地方でよく食べられる根曲竹《ねまがりだけ》の筍も、皮をむくのに手間がかかる。(つ)

2021年4月17日

歯

シ
は

旧字の齒は、止(物をかみとどめる意)と歯を描いた図形から成る。馬の歯を見て年齢を数えたところから、「よわい」の意味が生じた。8020運動に象徴されるように、高齢者の歯の悩みは深刻だ。(つ)

2021年4月18日

羨

セン
うらや(む)
うらや(ましい)

羊(羊肉)と次《せん》(よだれ)から成り、うまいものを見てよだれを流すことから、「うらやむ」の意が生じた。羨の下部は〈氵・さんずい〉か〈冫・にすい〉かで迷うことがあるが、「よだれはさんずい」と覚えたい。(つ)

2021年4月19日

案

アン

2021年4月20日

手紙や書類を書くための小さな机のことで、そこから「事情」とか「内容」という意味を表した。書くべき用件や内容を相手に伝えることを「案内」といい、事情や内容が予想から外れることを「案外」という。（祇）

末

ミ
いま（だ）

2021年4月21日

「末《すえ》」が「木」の先の方に横線を引いて「こずえ」を表すのに対して、枝葉を伸ばした木の絵から生まれた漢字。まだ若芽であるところから「いまだ」という意味で使われるようになった、とも言われる。（卍）

広

コウ
ひろ（い）
ひろ（まる）
ひろ（める）
ひろ（がる）

2021年4月22日

大きく広い屋根の意から、一般的に「ひろい」ことを表す。近年の研究によれば、鉱山に勤務する人が画数の多い「鑛」を省略して「鉱」と書き、その右側だけを独立させて「広」という字形ができたという。（祇）

龑

エン
ゲン

2021年4月23日

中国で五代十国の南漢の初代皇帝となった劉巖《りゅうげん》（10世紀）は、飛竜が天にあるとの意を込め、自身の名に「龑」という字を作った。鮮卑《せんぴ》族の前燕（4世紀）の王の慕容氏《ぼようし》も「皇」と「光」を合わせて「皝《コウ》」と名乗った。（之）

魔

マ

2021年4月24日

「諸橋大漢和」での一番目の意味は「おに」。いわゆる「魔物」のことだが、二番目には「一事に熱中して其《そ》の本性を失ふこと」とある。現在でいう「マニア」「フリーク」に近い。「詩魔」「書魔」などの熟語がある。（卍）

儲

チョ
もう（け）
もう（ける）

2021年4月25日

〈イ・人〉と〈諸・多くの物〉で、「貯え、備え」の意。「利益、利益を得る」の意は、日本語独自の用法。〈信〉と〈者〉に分けて、「信じる者は儲かる」という説明は興味深いが、通俗字解の域を出ない。（つ）

陽

ヨウ

2021年4月26日

「諸橋大漢和」では40以上にも分けて意味を説明している。その22番目が「いつわる」。明るいイメージからは想像しにくい意味だが、「陽動《ようどう》作戦」とは、敵をだますためにわざと別の行動を取る作戦をいう。（卍）

襷

たすき

2021年4月27日

中国に「衣へんに攀《ハン》」と書く字があった。音読みよりも意味を示すことを求めた平安時代の人は旁《つくり》を登攀のハンから、「挙《あげる》」の元の字「擧」に替えて「襷」と書くようになった。駅伝の襷もよくこの国字で書かれる。（之）

庭

テイ
にわ

2021年4月28日

「大庭《おおば》」「桜庭《さくらば》」などの姓では「ば」と読む。これは、「にわ」の昔の発音「には」から母音の「i」が落ち、「んは↓ば」と変化したもの。そうやって生まれた「ば」は、現在では「場」の訓読みとして使われている。（卍）

熟

ジュク
う（れる）

2021年4月29日

「熟年」という語が一般に使われるようになったのは、１９７０年ごろ。中年と老年の間の世代を呼ぶために発案されたものという。本来40歳のことだった「初老」も、今では60代を指すことが多くなった。（つ）

詰

キツ
つ（める）
つ（まる）
つ（め）
なじ（る）

2021年4月30日

シロツメクサ（クローバーの和名）を漢字で「白詰草」と書くのは、かつてオランダなどでガラス製品を梱包して輸送する時に、クローバーの白い花を乾燥させ、箱に「詰め」て緩衝材としたことに由来する。（祇）

改

カイ
あらた（める）
あらた（まる）
あらた（め）

2021年5月1日

元号を改めることを「改元」というが、過去の中国では皇帝崩御後もそれまでの元号を使い、新年元日に改元する「踰年《ゆねん》改元」が多かった。日本は基本的に、新元号が布告された日に改元する「即日改元」。（祇）

弓

キュウ
ゆみ

2021年5月2日

五月人形に飾る鍾馗《しょうき》は弓で悪鬼を退治するとの伝説から、奈良時代には正月に弓で的を射る儀式が行われた。また鬼は弓の弦が鳴る音を嫌うと信じられたので、出産などでは弦を鳴らす「鳴弦《めいげん》」が行われた。（祇）

追

ツイ
お（う）

2021年5月3日

「ツイキュウ」の書き分けに悩むことがある。責任や犯人を追い詰めるのは追及、利潤や快楽を追い求めるのは追求、真実や本質を追い究めるのは追究。追及・追究の代わりに追求を使うこともある。（つ）

刺

シ
さ（す）
さ（さる）

2021年5月4日

ビジネスマン必携の名刺は、古代中国の、姓名・住所などを記した木や竹の板が起源。名刺を差し出して面会を請うことを「刺《し》を通ず」、出された名刺を返し、面会を断ることを「刺を還《かえ》す」といった。（つ）

端

タン
はし
は
はた

2021年5月5日

端午の節句に粽《ちまき》を食べる習慣は、中国に起源がある。戦国時代、楚《そ》の屈原《くつげん》が世を憂え、５月５日に汨羅《べきら》という淵に身を投じた。土地の人々はその霊を弔うために、竹筒に米を詰めて水に投げ入れたという。（つ）

偉

イ
えら（い）

2021年5月7日

「世界の偉人伝」という題の本を何種類か見たところ、ガリレオやエジソンという定番の他に、スティーブ・ジョブズや渋沢栄一を取りあげたものもあった。「偉大」の中身は時代によって異なる、ということか。（祇）

欧

オウ
は（く）

2021年5月8日

１６１３年に伊達政宗が派遣した「慶長遣欧《けいちょうけんおう》使節」は、陸奥を出て太平洋からメキシコに行き、さらに大西洋を渡って、スペイン経由でローマに行って教皇に拝謁《はいえつ》した。片道２年がかりの長い旅だった。（祇）

母

ボ
はは

「諸橋大漢和」でこの漢字を探す時は、第六巻の部首〈母・なかれ〉のところを見る。「母」をこの部首に分類するのが、漢和辞典の習慣。もちろん、索引巻の「字訓索引」で「はは」のところから探す方が、手っ取り早い。（卍）

2021年5月9日

鳴

メイ
な（く）
な（る）
な（らす）

「諸橋大漢和」にもあるように、「本義は鳥がなく」。そこで部首は〈鳥・とり〉とするのが一般的で、〈口・くちへん〉ではないので注意。「鳩《はと》」「鶏《にわとり》」「鴉《からす》」など、部首としての「鳥」は漢字の右側に置かれることが多い。（卍）

2021年5月10日

逐

チク
お（う）

〈辶・行く〉と〈豕・いのしし〉で、「獲物を追う」の意。逐次は、順を追って物事が次々に行われる様子。戦力の逐次投入は愚策といわれるように、ウイルス禍でも対策の逐次実行は好ましくない。（つ）

2021年5月11日

戴

タイ
いただ（く）

戴帽は脱帽の対義語で、帽子をかぶること。戴帽式は看護学校などで、修了者が看護帽を戴く荘重な儀式。病院でナースキャップを見かけることは少なくなったが、今でも戴帽式と呼んでいるのだろうか。（つ）

2021年5月12日

瞑

メイ
めつぶ（る）
つぶ（る）
つむ（る）

「瞑る」は「つぶる」や「めつぶる」と読む。「めを」の「を」は訓では省く。「めつむる」でも良さそうだ。「つぶる・つむる」のは目だけなので「め」は省けるのだが「目を開く（ける）」の対と考えれば欲しくなる。（之）

2021年5月13日

痘

トウ

「豆」のような水疱《すいほう》ができる「天然痘」を表す漢字。かつては猛威を振るったこの感染症も、ワクチンの普及によって姿を消した。人類は新型ウイルスにも打ち勝つことができると信じたい。5月14日は、種痘記念日。（卍）

2021年5月14日

五

ゴ
いつ
いつ(つ)

2021年5月15日

古代中国では「算木」という棒を並べて数を表し、「一」「二」「三」に続いて4は棒を四本並べ、棒を×形にクロスして5を表した。その×形の上と下に横線を描いた形が変わって「五」という字形ができた。（祇）

運

ウン
はこ(ぶ)

2021年5月16日

占いに使われる『易経』はもともと儒学の経典で、その「繋辞伝《けいじでん》」に「日月は運行して一寒一暑す」とある。太陽と月が動いて、寒くなり暑くなる。変化こそが自然の摂理で、人生もまた同じと『易経』は語る。（祇）

固

コ
かた(める)
かた(まる)
かた(い)

2021年5月17日

集落を囲む城壁を表す「囗」と、コという音を表す「古」から成り、城をしっかり守ることから、「堅固」の意味に使われる。かたいものは融通が利かないので、がんこで見識がせまいことを「固陋《ころう》」という。（祇）

館

カン
やかた
たて
たち

2021年5月18日

出張中の官吏や外国の使者が宿泊する家屋。古くは「観」と書かれたが、食事を提供する場所だからと、唐代以後「館」と書かれた。「館」は、建物なら「舍」の方がふさわしいとして考えて作られた異体字。（祇）

柳

リュウ
やなぎ

2021年5月19日

「諸橋大漢和」が最初に挙げる意味は、「しだれやなぎ。枝の下に垂れるもの」。しかし、続いて「やなぎの総名」ともある通り、カワヤナギのような葉っぱが垂れ下がらない「やなぎ」も含めて使っても、問題はない。（卍）

呎

フィート

2021年5月20日

日本製か中国製か判断が分かれる字だったが、明治初期に日本の中で作られたことが分かった。1尺は30センチ余り、1フィートもそれに近いので、外来語の音訳を表す「口」へんを意訳の表示に転用して添えた国字である。（之）

緒

シヨ
チョ
お

2021年5月21日

「いとぐち、物事のはじめ、起こり」の意。情緒・端緒の緒は、読みにくいためか、慣用読みの「ちょ」が定着している。しかし、緒に就くや緒言・緒戦・由緒まで「ちょ」と読むのは一般的ではない。（つ）

貞

テイ

2021年5月22日

常用漢字表に掲載されている読みは音読みの「テイ」だけだが、お名前ではよく「さだ」と読む。考えてみれば、「貞淑」とは、心を一人に定めて動かさないこと。「諸橋大漢和」も「さだまる」という意味を載せている。（卍）

僾

アイ
ほのか

2021年5月23日

法務省で人名用漢字を増やす作業に携わった際に、子の名に付けたいとする要望が複数見られた字。字面もかわいらしいし、辞書の音訓でアイやホノカと読んだら良さそうだが、意味まで見ればボンヤリということ。（之）

埊

チ
ジ

2021年5月24日

中国史上ただ一人の女帝である則天武后が、7世紀の末頃に制定した則天文字と呼ばれる20字ほどの中の一つ。「地」は「山」「水」「土」から成り立っているという世界観から作り上げられ、在世中に皆に使用させた。（之）

存

ゾン
ソン

2021年5月25日

漢音のソンと呉音のゾンの読み分けは、存外に面倒だ。「存在・存続・存廃・存亡」はソン、「存分・温存・所存・保存」はゾン。「存命・依存・現存・残存」はどちらにも読むが、近年はゾン派が優勢。（つ）

辺

ヘン
あた（り）
べ

2021年5月26日

「邊」「邉」をはじめとして、異なる書き方が多いことで有名。「渡辺」という姓で使われるので、「ワタナベのナベという字」というふうに言及されることがあるが、訓読みは「べ」であり、「なべ」ではない。（卍）

2021年5月27日

帥

スイ
ひき(いる)

総大将の意。「三軍も帥を奪うべきなり(敵が大軍でも、その総大将を討つことができる)」は『論語』の一節。「匹夫《ひっぷ》も志を奪うべからざるなり(つまらない男でも、その意志を変えることはできない)」と続く。(つ)

2021年5月28日

瞬

シュン
またた(く)

「またたく」と「まばたく」は同じ意味。しかし、「星のまたたき」とは言うが、「星のまばたき」とはあまり言わない。「瞬間」を普通は「またたく間」と読んで、「まばたく間」とは読まないのも不思議だ。(つ)

2021年5月29日

紦

ハ

京都西陣などで生産される絹織物に「紦《パー》」や「紹紦《しょうは》」がある。茶道具の袱紗《ふくさ》や軸装などに用いられるが、この紦は江戸時代の初期に、南蛮貿易によってベトナムから長崎にもたらされたベトナム製漢字の字喃《チュノム》だった。(之)

2021年5月30日

汚

オ
けが(す)
よご(す)
よご(れ)
きたな(い)

地位や職権を使って不当に金品を得る犯罪を戦前は「瀆職《とくしょく》」と言ったが、「瀆」が当用漢字に入らなかったので「汚職」と言い換えた。漢字は簡単になったが、汚職が減らないのは困ったものである。(祇)

2021年5月31日

葉

ヨウ
は

20世紀の「中葉」とは、20世紀の中ごろのこと。この場合の「葉」について、「諸橋大漢和」は「世。時代」だと説明している。字の形に「世」を含むところから、その意味を受け継いだものだという。(卍)

2021年6月1日

酪

ラク

広く乳製品を表す。「乳酪」はバター、「乾酪」はチーズのこと。元は、主にウシやヒツジの乳を発酵させた飲料を指していたようで、「諸橋大漢和」では「濃いちちしる」と、古風な言葉遣いで説明している。(卍)

簗

やな

2021年6月2日

「梁」には建物のハリと漁具のヤナの二つの訓義がある。前者には中国で木へんを付けることがあった。漁具には竹冠を付けることがあり、日本で定着した。材質を部首の字を加えて表すことで使い分けができたのだ。（之）

潰

カイ
つぶ（す）
つぶ（れる）
つい（える）

2021年6月3日

当用漢字に入らなかったので、堤防などが崩れることを「決壊」と書いたが、２０１０（平成22）年に常用漢字になったので今は「決潰」も使われる。医学用語「潰瘍」は、内臓の組織がただれることからの命名。（祇）

虫

チュウ
むし

2021年6月4日

「虫」は「キ」と読み、毒蛇の蝮《マムシ》の意。動物の総称としての「虫」は「蟲」と書いたが、「虫」と省略したために字形が同じくなった。毛虫《もうちゅう》は獣、羽虫は鳥、鱗虫《りんちゅう》は魚、甲虫は亀の類、裸虫は人類のこと。（つ）

畝

ホ
ボウ
せ
うね

2021年6月5日

本来は耕地の面積を表す単位で、古代中国では百歩平方の耕地（約1・82アール）を一畝とした。のちに「あぜ・うね」の意味に使われ、古くは「畆」と書かれていたのがのちに「畝」の形になった。（祇）

六

ロク
リク
む
む（つ）
むっ（つ）

2021年6月6日

一般的な音読みは「ロク」だが、伝統的には「リク」を使うことが多い。『日本書紀』に始まる「六国史《りっこくし》」や、漢字の成り立ちの分類「六書《りくしょ》」がその例。「諸橋大漢和」でも、「リク」と読む熟語がたくさん並んでいる。（卍）

眼

ガン
ゲン
まなこ
め

2021年6月7日

阮籍《げんせき》という隠者は俗物が来ると「白眼」で迎え、心を許す友が来ると「青眼《せいがん》」で迎えたというが、「朝は青糸のような髪が夜は雪のようだ」という詩（李白）から考えれば、「青眼」は「黒い目」にすぎない。（祇）

夻

カ

中国で、口が大きいある魚のことを「大口魚」と呼ぶことがあり、韓国でも「夻(大口)」という字が作られた。同じ魚に対し日本では室町時代に宮中で、身が白くて冬が旬であるところから雪に例えて「鱈《たら》」が作られた。（之）

2021年6月8日

岩

ガン
いわ

作りがしっかりしていることをいう「頑丈」はかつて「岩乗」と書かれた。馬の蹄《ひづめ》・性質・体格・血統・産地の五つのポイントについての優れた条件をいう「五調」（ガンデウ）の発音が変化したものという。（祇）

2021年6月9日

漏

ロウ
も(る)
も(れる)
も(らす)

「漏刻《ろうこく》」とは、漏れ出す水の量によって時刻を測る、水時計のこと。「諸橋大漢和」のこの語の項には、唐王朝の時代の立派な水時計の図が載っている。図版を眺めるのも「諸橋大漢和」の楽しみ方の一つだ。（卍）

2021年6月10日

拾

シュウ
ジュウ
ひろ(う)

金銭証書の改竄《かいざん》を防ぐなどの目的で、漢数字「十」の代わりに用いる。「ひろう」の意味とは関係ない。同様に1から9は、壱・弐・参・肆・伍・陸・漆・捌・玖のように書く。漢数字の代用字を大字《だいじ》という。（つ）

2021年6月11日

拐

カイ
かた(る)
かどわ(かす)

「掛」の変形と考えられ、物をひっかけることから「かどわかす」ことを表す。日本では「誘拐」しか使われないが、中国には鉄の杖を空に投げて龍に変え、それに乗って空を飛ぶ鉄拐《てっかい》という仙人がいる。（祇）

2021年6月12日

績

セキ
つむ(ぐ)

小学校では4年生で「積」を、5年生で「績」を習う。そのためか、成績を成積と書き誤る児童も少なくない。成績の績は「功《いさお》」に通じ、優れた結果のこと。功績・事績・業績などの績も、みなこの意味。（つ）

21012年6月13日

飢

キ
う(える)
う(え)

穀物の不作を意味する「饉」と組み合わせて「飢饉《ききん》」というが、「飢」は「空腹である」こと、さらに空腹が極端な状態を「餓」という。食えずに死ぬことは「餓死」であって、「飢」では死に至らない。（祇）

2021年6月15日

薯

しょ
いも

薯・藷《しょ》は、「根が密ないも」の意。甘薯・蕃薯《ばんしょ》はサツマイモ、馬鈴薯はジャガイモ。薯蕷《しょよ》は「じょうよ」とも読み、ナガイモまたはヤマイモのこと。ヤマイモは自然薯《じねんじょ》と書くと、自生している感じがよく出る。（つ）

2021年6月16日

殆

タイ
あやう(い)
ほとん(ど)

「危険が迫る、ほとんど…だ、…に近い」の意。「思いて学ざれば則《すなわ》ち殆《あやう》し」（『論語』）と、学問と思索のバランスを説いたのは孔子《こうし》。先行研究を踏まえずに自説を展開すると、独断に陥って危険なのは事実だ。（つ）

2021年6月17日

偶

グウ
たまたま

「偶像」とか「土偶」というように、もとは人形のこと。「耦」（二人並ぶ）と同音であることから「連れ合い」の意味に使われ、また「遇」と同音であることから「偶発」「偶然」など「たまたま」の意味に使われる。（祇）

2021年6月18日

賢

ケン
ゲン
かしこ(い)
まさ(る)

三国志でおなじみの曹操が禁酒令を出した時にも、酒飲みたちは清酒を「聖人」、濁り酒を「賢人」と隠語で呼んで飲んでいたといい、そこから「清聖濁賢《せいせいだくけん》」という成語ができた（『三国志』魏書・徐邈《じょばく》伝）。（祇）

2021年6月19日

爺

ヤ
じい
じじ
じ

「爺《じい》や」「お爺《じい》さん」のように使うので、白髪の男性をイメージしがちだが、本来は、父親を指したり、男性の尊称として使われたりする。「諸橋大漢和」でも、「としより」を意味するのは日本語独自の用法だとしている。（卍）

22021年6月20日

服

フク

1文字だけを取り出すと「衣服」のイメージ。しかし、「服従」では他人の言うことを聞き、「克服」では相手に打ち勝つ。さらには、金銭を「着服」したり、薬を「服用」したり。意外と多彩な意味を持っている。（卍）

2021年6月21日

盾

ジュン
たて

楯とも書き、剣や矢などを防ぐ武具のこと。ある人が「何でも突き通す矛《ほこ》で、どんな武器でも突き通せない盾を突いたら、どうなるか」と問われ、答えに窮したという『韓非子《かんぴし》』の故事から「矛盾」の語ができた。（つ）

2021年6月22日

干

カン
ほ（す）
ひ（る）

敵の攻撃から身を守る盾をかたどった文字で、「戈」（武器のほこ）と組み合わせた「干戈《かんか》」は戦争のこと。「物干し」とか「干物《かんぶつ》」に使うのは、同じくカンと読む「乾」（かわかす）の当て字。（祇）

2021年6月23日

𥝱

ジョ

一、十、百、千、万、億と増やしていくと無量大数に至る。その間に十の24乗として𥝱がある。中国の算術書では「秭《し》」。江戸時代のベストセラー『塵劫記』で版木が傷んで字が変形し、「序・舒」につられ読みも変わった。（之）

2021年6月24日

因

イン
よ（る）
ちな（む）
ゆかり

「囗」（むしろの形）と「大」（人の正面形）から成る。敷物の上に人が寝ているさまを表し、そこから「物にたよる・ちなむ」の意に用いる。敷物は後に草かんむりをつけて「茵」（しとね）と書かれた。（祇）

2021年6月25日

辛

シン
から（い）
つら（い）

辛の「亠」に「一」を加えると幸に見えることから、「辛くても一度辛抱すれば幸せになる」と説く人がいる。しかし、辛は入れ墨の針、幸は刑具の手《て》枷《かせ》の象形で、成り立ちはまったく別。恣意《しい》的な字解は禁物だ。（つ）

2021年6月26日

顎

ガク
あご

「人を顎で使う」とか「顎関節症」などと「あご」の意味で使うが、この用法は日本だけ。中国では古い字書に「顔をあげる」とか「厳かなさま」と書かれていて、さらに、現代ではほとんど使われない漢字である。（祇）

2021年6月27日

貿

ボウ

現在では「貿易」以外ではほとんど使われない漢字。このように特定の音読み熟語でしか用いられない漢字は、改めて意味を問われると答えにくい。「諸橋大漢和」の意味の説明には、「物品を交換する」ことだとある。（卍）

2021年6月28日

荷

カ
ガ
に
にな（う）

ハスの葉で炒飯を包んで蒸す料理を「荷葉飯《かようめし》」というように、「荷」は本来植物のハスを表す漢字で、だから草かんむりがついている。それが後に当て字として「になう」意に使われるようになった。（祇）

2021年6月29日

錐

スイ
きり

「立錐《りっすい》の余地もない」は、先の尖《とが》った錐《きり》を立てる面積もないほど「密」であること。「嚢中《のうちゅう》の錐」は、錐の先が袋の布を破って突き出るように、才能のある人はすぐに才能を現して目立つことのたとえ。（つ）

2021年6月30日

風

フウ
フ
かぜ

中に見える「虫」は、天を舞う竜のような姿をした「かぜ」の神を表すという。空を飛ぶ鳥の姿をした「かぜ」の神を表す漢字に、「鳳《おおとり》」がある。初夏の心地よい「風」の中にも、神が宿っているのだろうか。（卍）

2021年7月1日

敢

カン
あ（えて）

『孝経』の最初に「身体髪膚《しんたいはっぷ》これを父母に受く、敢えて毀傷《きしょう》（そこなう）せざるは孝の始めなり」とある。封建的といわれるが、身体や皮膚に損傷を受ければ両親が悲しむのは、いつの時代も変わらない真理である。（祇）

2021年7月2日

高

コウ
たか(い)
たか
たか(まる)
たか(める)

2021年7月3日

上にそびえたつ楼閣の象形文字で、「空間的にたかい」こと、また「価格や年齢の価が大きい」ことを表す。苗字に使われる「髙」は辞書では俗字とされるが、原義ではむしろ「髙」の方が原形に近い。(祇)

獅

シ

2021年7月4日

獅子はライオンに類する想像上の動物。獅子身中の虫は、その体内にいて害をなす虫のことで、組織内部にいながら味方を裏切る者のたとえ。公益通報者は害虫どころか、むしろ益虫として保護されるべき存在だろう。(つ)

川

セン
かわ

2021年7月5日

もともとは大きな川を「河」、小さな川を「川」と区別した。日本では大河でも「川」が付くが、中国で「川」が付くのは輞川《もうせん》・樊川《はんせん》など少数。長江・黄河・漢水のように、川の名には「江・河・水」を添える。(つ)

宛

エン
あて
あ(てる)
あたか(も)
ずつ

2021年7月6日

中国では「まがる」とか「あたかも」などの意味を表し、「宛先・宛名」や「3個宛《ずつ》」と使うのは日本だけの用法。「充当する」意味で「あつ」と読む「充」の異体字を「宛」と誤認したことによるという。(祇)

乞

コツ
キツ
コチ
こ(う)
こ(い)

2021年7月7日

旧暦七月七日の夜、東アジアでは女たちが七本の針に五色の糸を通し、供え物を並べて、針仕事の上達を祈った。これを「乞巧奠《きっこうでん》」と呼び、「乞巧」は「巧みなるを乞う」、「奠」は供え物のことである。(祇)

竹

チク
たけ

2021年7月8日

「名を竹帛《ちくはく》に垂《た》る」は、功名や手柄が後世にまで残ること。竹帛は竹の札と帛《きぬ》で、紙がなかった時代はこれに文字を記した。転じて、歴史をいう。功績ならよいが、不祥事で名前を後世に残すのは情けない。(つ)

賓

ヒン

「来賓」「賓客」のように、大切な客人を指す。ただ、「諸橋大漢和」には、「客としてもてなす」「賓客をあつめる」という意味も載っている。海外から集まる賓客はきちんともてなすべきだが、感染拡大が心配だ。（卍）

2021年7月9日

蜀

ショク

「蜀犬《しょっけん》日に吠《ほ》ゆ」は、中国の蜀《しょく》（四川省）は山地で日の射す時間が短く、日を見ると犬が怪しんで吠えるということ。無知のため当たり前のことに疑いを抱く例えで、「新型ウイルス感染はただの風邪」などはこの類。（つ）

2021年7月10日

屯

トン
たむろ（する）

「屯田」「駐屯」「喫茶店に屯《たむろ》する」のように使い、「ある場所に集まる」ことを表す。漢和辞典では、草を表す非常に珍しい部首〈屮・めばえ〉に分類されるが、この部首と「屯」との意味上の関係は、はっきりしない。（卍）

2021年7月11日

宴

エン
うたげ

「宀」（うかんむり）がついているのは、もともと「家の中でくつろぐ」ことを表したから。後に意味が広がって「酒盛りして楽しむ」ことを表し、「宴会」とか「祝宴」「饗宴」などの言葉が作られた。（祇）

2021年7月13日

従

ジュウ
ショウ
ジュ
したが（う）
したが（える）

中国の戦国時代、最強国の秦に対抗するために、6国をまとめて合従《がっしょう》同盟を成立させたのは遊説家の蘇秦《そしん》。「従」は縦、南北の意。蘇秦は6国の宰相を兼任したが、現代ならEU大統領といったところか。（つ）

2021年7月14日

喪

ソウ
も

「喪は其《そ》の易《おさ》まらんよりは寧《むし》ろ戚《いた》め」は、「葬儀は形式ではなく、故人をいたみ悲しむ気持ちが大事だ」と薄葬《はくそう》を説いた孔子《こうし》の言葉（『論語』）。ウイルス禍で簡素な葬儀を余儀なくされたご家族に、この言葉を届けたい。（つ）

2021年7月15日

弁

ベン

2021年7月16日

分けることが、基本の意味。「諸橋大漢和」には、昔、物見遊山に出かけた時に、持って行った食事を参加者の間で分けて割り当てたのが「弁当」の由来だ、という説が載っている。7月16日は、駅弁記念日。（卍）

土

ド
ト
つち

2021年7月17日

五行説では、「木」「火」「金」「水」と共に、万物を構成する元素を表す。他の四つは春夏秋冬に割り当てられるが、「土」はそれぞれの季節の終わりの18日間を指す。今年もそろそろ、夏の「土用」がやってくる。（卍）

牲

セイ

2021年7月18日

犠牲は、犠も牲も神に供える「いけにえの牛」の意。転じて、ある目的のために生命や大切なものを捨てること。中国古代、殷《いん》の湯王《とうおう》が、わが身を捧げて天に祈り、雨乞《あまご》いをしたという故事に基づく（『呂氏《りょし》春秋』）。（つ）

之

シ
これ
ゆ（く）

2021年7月19日

足跡の象形で、「進みゆく」の意。「これ、の」の意にも用いる。名前に「之《ゆき》」がつく人は、「之」を「漢文に出てくる之《これ》」と説明することがあるようだ。平仮名の「え」に似ているが、「え」は「衣」の草体。（つ）

奢

シャ
おご（る）

2021年7月20日

「礼は其《そ》の奢《おご》らんよりは寧《むし》ろ倹なれ（礼法は分を越えて派手にするよりは、むしろ控えめがよい）」は『論語』にある孔子《こうし》の言葉。東京五輪で来日する役員への「おもてなし」も、この言葉にならって質素に徹するべきだ。（つ）

武

ブ
ム

2021年7月21日

「武器」「武力」など、軍事と関係が深い。一方で、「文武両道」の場合には、現在ではスポーツを指す。平和の祭典が「冷たい戦争」の場になるのはいただけない。観客たる我々も気をつけるべきだろう。（卍）

鮖

かじか

カジカは一般に「鰍」と書くが、県内の関川村に鮖谷《かじかだに》という地名がある。川底の小石の間に棲むために、この字が作られたのだろう。小泉蒼軒が江戸の滝沢馬琴にこの字について尋ね、馬琴は「土俗の造り字」と答えた。（之）

2021年7月22日

輪

リン
わ

「車輪」「輪ゴム」のように使われるが、「諸橋大漢和」によれば「高大なさま」という意味もある。現在ではまず使われないが、「輪奐《りんかん》」とは「建築物の壮大美麗なさま」。新国立競技場のためにあるような熟語である。（卍）

2021年7月23日

蒅

すくも

藍の葉を発酵させた染料を徳島でスクモと呼んだ。それを丸めたものが藍玉。明治以降、「蒅」は全国的に使われる字となった。最近、蒅という国字が徳島で江戸時代に生まれた方言漢字であったことが分かった。（之）

2021年7月24日

騒

ソウ
さわ（ぐ）

騒人は、うるさく騒ぎ回る人ではなく、文人や詩人など風流を解する人のこと。中国の戦国時代、楚《そ》の屈原《くつげん》が叙事詩「離騒《りそう》」を作り、憂国の情をうたったことからいう。古典に由来する語には意外な意味がある。（つ）

2021年7月25日

冷

レイ
つめ（たい）
ひ（える）
ひ（やす）
さ（める）

訓読みが多いことで有名。『常用漢字表』では上記の他、「ひ（や）」「ひ（やかす）」「さ（ます）」も載せている。昔は「さむ（い）」「すず（しい）」などとも読まれた。いずれにせよ、基本的な意味に変わりない。（卍）

2021年7月26日

質

シツ
シチ
チ

人に後天的に備わる外見や外面を「文」というのに対して、「質」は生まれつき持っている実質や内面。孔子《こうし》は『論語』の中で、「文質彬彬《ひんぴん》として然る後に君子なり」として、外見と中身の釣り合いを求めている。（つ）

2021年7月27日

関
カン
せき
かか(わる)

2021年7月28日

古代中国では長安や洛陽が都になることが多かったので、都を守る函谷関《かんこくかん》によって関東・関中・関西という名称ができた。日本の関東・関西もそれに由来するが、基準とされる関所は時代によって異なる。(祇)

応
オウ
こた(える)

2021年7月29日

弘法大師が「応天門《おうてんもん》」と書いた額を門の上に掲げてから、「応」の上にある点を書き忘れていたことに気づいたが、下から筆を投げあげて点を加えたという。「筆を誤った」あとも、弘法大師は達人であった。(祇)

漸
ゼン
ようや(く)

2021年7月30日

「漸く佳境に入《い》る」は、物事が次第におもしろくなるの意。中国・東晋《とうしん》の顧愷之《こがいし》が、さとうきびを先の方から甘い根もとの方へ食べ進むわけを聞かれて、「だんだんよいところへ進むのだ」と答えた故事による。(つ)

趣
シュ
おもむき

2021年7月31日

走と取(速い)で、「速く走る、おもむく」の意。転じて、「おもむき」の意を表す。「趣旨」(考え、目的、ねらい)と「主旨」(中心となる意味)は別の語だが、同音であるところから、同意に使う人が多くなった。(つ)

斬
ザン
き(る)

2021年8月1日

斬新は風情や趣向などが、際立って新しいこと。斬の部首「斤」は斧《おの》で、ものを斬った跡が鮮やかであることから、目新しいことを斬新という。東京五輪の開会式では、ドローン以外には格別斬新な企画はなかった。(つ)

繁
ハン
しげ(る)

2021年8月2日

基本は、数量が多いこと。植物に対しては「繁茂」、動物に対しては「繁殖」、人間の活動に対しては「繁盛」のように使われる。部首〈糸・いとへん〉に現れているように、元は糸状の飾りがたくさん付いていること。(卍)

㗊

ヨウ

2021年8月3日

五輪のマークに似た形の漢字がないかと「諸橋大漢和」を探して、見つけたのがこれ。「器」「品」などと関係があるかと思いきや、「要」の古い字だという。オリンピックの必要性は今後、改めて議論されるべきだろう。（卍）

皆

カイ
みな

2021年8月4日

呉服の生地で、染めや洗い張り、染め直しなどを請け負う業種を「悉皆《しっかい》屋」という。「悉皆」は「ことごとく」の意で、染物についてあらゆることを請け負ったことから、「なんでも屋」的な名前で呼ばれた。（祇）

懸

ケン
ケ
か(ける)
か(かる)

2021年8月5日

武士が与えられた土地のうち、命を懸けて守った場所を「一所懸命の地」といい、そこから「なにかを命がけでやる」ことを「一所懸命」という。その言葉が変化して、今は「一生懸命」と書かれることも多い。（祇）

逝

セイ
ゆ(く)

2021年8月6日

「行ったきりになる」の意。逝去・急逝のように、人の死に使うことも多い。『論語』の「逝く者は斯《か》くの如《ごと》きかな」は、孔子《こうし》が川のほとりで、過ぎゆくものはこの流れのように、二度と戻らないと嘆いた言葉。（つ）

閉

ヘイ
と(じる)
と(ざす)
し(める)
し(まる)

2021年8月7日

出入り口を出入りできない状態にすることを表す。「オリンピックが閉幕する」のような使い方は、「諸橋大漢和」では7番目にならないと出てこない。おそらく英語のｃｌｏｓｅの影響で、近代になってから生まれた用法。（卍）

朳

ハツ
えぶり

2021年8月8日

漢字で、歯のない鍬《くわ》を意味する字で、杁《いり》とは別の字。県内の関川村に朳差岳《えぶりさしだけ》がある。吉田東伍は『大日本地名辞書』で『和名抄』では江布利、「語根は柄振の義とす」としつつも、訛りで「いぶり」と読みを付けた。（之）

再

サイ
サ
ふたた(び)

2021年8月9日

「かさねて、もう一度」の意。「サ」は再来週や再来月などに限定的な読み方。中国語の「再見《ツァイチェン》」は、また会いましょうという挨拶《あいさつ》。再起や再生、再興などは喜ばしいが、病気の再発や再三の緊急事態は歓迎できない。（つ）

賑

シン
にぎ(わう)

2021年8月10日

貝(金品)と辰(奮い立つ)で、富み栄える、賑《にぎ》わうの意。殷賑は豊かで活気があること。新型ウイルスの感染拡大で、営業時間の短縮を迫られている飲食店も多い。失われた街の賑わいを、早く取りもどしたいものだ。（つ）

接

セツ
つ(ぐ)

2021年8月11日

「謦咳《けいがい》に接する」の謦咳は、咳《せき》ばらいの意。その人の咳ばらいを聞くことから転じて、「目上の方に直接お目にかかる」ことをいう。ウイルス禍が収束するまでは、親しい相手でも謦咳に接するのは控えたい。（つ）

唐

トウ
から

2021年8月12日

「唐詩」「唐三彩《とうさんさい》」「唐《から》織《お》りもの」など、中国の王朝の名から転じて、中国に関することを指して使われる。ただし、「諸橋大漢和」が最初に挙げる意味は、「大言。ほら。又、とりとめのない」。「荒唐《こうとう》無稽《むけい》」がその例である。（卍）

餓

ガ
う(える)
う(え)

2021年8月13日

仏教では人は死後に「六道」に輪廻《りんね》すると言われ、その最後にある「餓鬼道《がきどう》」に住む鬼はいつも食べ物に餓えている。発達期の子どもが貪るように食べることから、かつて子どもを比喩的に「餓鬼」と呼んだ。（祇）

波

ハ
なみ

2021年8月14日

「阿波踊り」で「わ」と読むのは、音読み「ハ」が変化したもので、「言ふ」が「言う」になったのと同類。これは単語の途中か終わりにのみ見られる現象なので、「波」だけを取り出して「わ」と読むことはない。（卍）

2021年8月15日

魂

コン
ゴン
たましい
たま

左にある「云」は「雲」の古字で、死者の霊魂や神秘的な霊的存在を意味する「鬼」が右にある。人が死ぬと霊魂は亡骸《なきがら》から抜け出し、雲となって空中に浮遊し、魂のない肉体は土に返ると考えられた。（祇）

2021年8月17日

更

コウ
さら
さら（に）
ふ（ける）
あらた（める）

「変更」「更改」というように本来は「取り替える」ことで、夜の宮殿で警備にあたる兵士が勤務を交代する時刻から、夜を五つに分けた時間を「更」で表す。深夜を「深更」というのはこれに基づく。（祇）

2021年8月18日

笽

そうけ

笊笥《そうけ》は、竹製の米揚げざるのこと。笥は食器。竹と皿を合わせて、笽という国字ができた。北陸地方では今でも半円形のざるを「そうけ」と呼ぶと聞くが、新潟県ではどうだろうか。（つ）

2021年8月19日

哉

サイ
かな
や

俳句の世界では、句の切れ目や句末に置いて詠嘆を表す「や・かな・けり」などを、切れ字と呼ぶ。信濃の小林一茶の句「雪とけて村いっぱいの子ども哉《かな》」の「哉」には、春を迎えた深い感動がこもる。（つ）

2021年8月20日

合

ゴウ
コウ
ガッ
あ（う）
あ（わせる）

夏に薄紅色の花を咲かせるネムノキは、夜になると葉が合わさって閉じ、あたかも眠るように見えることから命名された。中国ではネムノキが夫婦円満の象徴とされることから、漢字で「合歓」と書く。（祇）

2021年8月21日

橳

ぬで

ヌルデを意味する「白膠木」をもとに日本で作られた字。前橋市の地名に橳島《ぬでじま》があり、「諸橋大漢和」に収録された。この字はＪＩＳ漢字に採用する際、転記作業で間の「月」が形が抜けて「椦」となって第２水準に採用された。（之）

軽

ケイ
キョウ
キン
かる（い）
かろ（やか）

2021年8月22日

装備が簡単で速く走れる戦車を意味し、それで車ヘンがついている。身のこなしが軽快であることをいう「剽軽《ひょうけい》」（「剽」は素早い）を、日本語では「気軽でおどけた感じ」の意味に使って「ひょうきん」と読む。（祇）

薪

シン
たきぎ
まき

2021年8月23日

「樵」とも書き、燃料にするために切った木のこと。中国・春秋時代、呉王夫差《ごおうふさ》は仇敵越《えつ》に報いようと、薪の上に臥《ふ》して身を苦しめ、越王句践《えつおうこうせん》は苦い胆嚢《たんのう》を嘗《な》めて復讐心を忘れまいとした。「臥薪嘗胆《がしんしょうたん》」の故事である。（つ）

施

シ
セ
ほどこ（す）

2021年8月24日

音読みの「セ」は、施餓鬼《せがき》・施行《せぎょう》・施主・財施・布施のように、主に仏教に関する語の読みに用いられる。法曹界で「施行」を「セコウ」と読むのは、読み方の似た「執行」と区別するためという。（つ）

龗

レイ
おかみ

2021年8月25日

中国では龍や神などの意だが、日本では奈良時代の『日本書紀』『万葉集』『豊後国風土記』に、雨水の竜神として「高龗」「闇《くら》龗」「蛇龗《おかみ》」が登場する。これは「霊」（靈）の「巫」の部分を「龍」に取り替えた日本独自の用法だ。（之）

旺

オウ
さか（ん）

2021年8月26日

古くは「暀」と書き、「旺」はその省略形。本来は「太陽の光が美しい」ことで、そこから「旺盛」など「ものごとが盛んなさま」の意に使われる。一週間の日を表す「曜」の略字として使うのは日本だけの用法。（祇）

肖

ショウ

2021年8月27日

肖像画の肖は、「似る」の意。不肖は賢人や父に似ないの意から、愚かなことや未熟なことをいう。自分をへりくだった「不肖誰々は」という言い方は、古めかしく感じられるせいか、近頃はあまり聞かなくなった。（つ）

似

ジ
に（る）

似而非（似て非なり）は、外見は似ていても実は違うこと。日本語では「えせ」に「似非」を当て、「まやかし、にせもの」の意。言葉で水の結晶が変わると唱える「水からの伝言」は、似非科学の代表的なものだ。（つ）

2021年8月28日

核

カク
さね

「樹皮を編んで作ったかご」の意というが実際の用例はなく、古典文献では果実の中にある「さね」を表す。近代に物理学や生物学などが西洋から伝わって「細胞核」とか「原子核」という術語が作られた。（祇）

2021年8月29日

消

ショウ
き（える）
け（す）

消息は、陰気が消えてなくなることと、陽気が生じること。転じて、音信や様子の意。消息通は政界などの動静に通じた人。消息筋はある方面の事情に詳しいことやその人。どちらも今ではあまり使われない。（つ）

2021年8月30日

葱

ソウ
ねぎ

和食に欠かせない野菜で、白い部分を主に食べる根深葱《ねぶかねぎ》と、緑色の部分を利用する葉葱がある。根深葱は東日本で、九条葱《くじょうねぎ》に代表される葉葱は西日本で多く栽培される。新潟県では鍋といえば根深葱の出番だ。（つ）

2021年8月31日

塑

ソ

粘土を削って作った人形の意。常用漢字だが、塑像や彫塑以外には、あまり使い道がない。駐屯地を「駐とん地」と書くと間抜けに感じるのと同じで、「そ像」「彫そ」と交ぜ書きにすると締まりなく見える。（つ）

2021年9月1日

籤

セン
くじ

御神籤《おみくじ》（御御籤）は、社寺で参拝者が引く吉凶禍福を占うくじ。現代では、金銭運や結婚運などを記した紙の籤が主流。引いた籤は、境内の木の枝に結んでもよいし、反省材料にするために持ち帰るのもよいという。（つ）

2021年9月2日

最

サイ
もっと（も）

「冃（おおい）」と「取」で、「つまみ取る、特別にとりあげる、とりわけ」の意。「日（甲）を着けた兵士は、敵の耳を多く取った者がもっとも偉いから」と字源を解説する人がいるが、独りよがりの説は困る。（つ）

2021年9月3日

塊

カイ
かたまり

中国の通貨は「元」だが紙幣には「圓」（円の旧字体）と印刷されており、さらに話しことばでは「元」を「块」と呼ぶ。「块」は「塊」の簡体字で、古くは高額取引に銀塊を通貨として使ったことによるという。（祇）

2021年9月4日

研

ケン
ゲン
と（ぐ）
みが（く）

物の表面を磨く石を指し、ひいて物事の道理をきわめることをいう。「硯《ケン》」と同音なので「すずり」を意味し、南向きの机に座ると人が硯の北に位置することから、かつては手紙の末尾に「研北」と添え書きした。（祇）

2021年9月5日

素

ソ
ス
もと

繭《まゆ》から紡ぎ出したばかりの生糸の意。転じて、「もと、白い、むなしい」の意を表す。素懐《そかい》は、前々からの願い。素手《そしゅ》は、女性の白く美しい手。素封家《そほうか》は、爵位や領地はないが、その富が王侯に匹敵する家のこと。（つ）

2021年9月6日

露

ロ
つゆ

「つゆ」と訓読みすれば水滴のことだが、他に、むき出しにするという意味もある。「暴露」「露出」などが、その例。「露骨」とは本来、野ざらしになった死骸が腐って、骨がむき出しになることをいう。（卍）

2021年9月7日

抄

ショウ

書き写す、抜き書きするの意。戸籍抄本は、戸籍のうち請求者の指定事項だけを複写したもの。内容全てを複写した謄本に対していう。戸籍の電子化後は、抄本は戸籍個人事項証明書、謄本は戸籍全部事項証明書と呼ぶ。（つ）

2021年9月8日

而
ジ
しか(して)
しこ(うして)

而立《じりつ》は30歳のこと。『論語』に「三十而立(三十にして立つ)」とあるのによる。「而」に独立した意味はないが、志学《しがく》(15歳)・不惑《ふわく》(40歳)・知命《ちめい》(50歳)・耳順《じじゅん》(60歳)・従心《じゅうしん》(70歳)と形を揃えて、このようにいう。(つ)

2021年9月9日

寧
ネイ

辞書ではふつう、部首を〈宀・うかんむり〉とするが、その下に「心」を含んでいるところが、この漢字のポイント。「丁寧」とは、心配りが行き届いていること。「安寧」とは、心が落ち着いていることをいう。(卍)

2021年9月10日

刑
ケイ
ギョウ
のり

現今の司法制度では罪を犯し、裁判で有罪とされると懲役や禁固などの刑罰に処せられるが、「刑」の古い字形は左側が「井」になっており、それは四角い木の枠で作った首かせの形を表したという。(祇)

2021年9月11日

宇
ウ

宇は家の「のき」、宙は「むなぎ」を表し、だから屋根を表す「宀」があるが、前漢時代の『淮南子《えなんじ》』に「往古来今これを宙といい、四方上下これを宇という」とあって、「宇宙」で時間と空間が表現された。(祇)

2021年9月12日

酸
サン
す(い)

酸辣湯麺《サンラータンメン》は、酢と唐辛子・胡椒《こしょう》が食欲を刺激し、体を温める効果もある。「スーラー」の表記も見かけるが、おそらく上海《シャンハイ》語の読み方を当てたものだろう。中華料理店では、どちらに読んでも、出てくるものは同じだ。(つ)

2021年9月14日

祉
シ

「福祉」は、福も祉も示へん(神や祭りの意)で、「神からの助け、幸福」のこと。現代では特に、公的な扶助による生活の充足をいう。福祉の原義は神の下す幸いだから、支援を受けるのに、何の遠慮もいらない。(つ)

2021年9月15日

籾

もみ

米の刃（刄）のようなものとして作られた国字とされる。日本の仏典に「稲籾童子《とうちゅうどうじ》」と音読みがある。韓国の木簡に籾の略字とみられる「丑」が見つかった。中国の仏典では「籾」は交ぜ飯の意の「粈」の異体字。（之）

2021年9月16日

薄

ハク
うす（い）
うす（まる）
うす（れる）
すすき

「すすき」と訓読みすることがあるが、この植物を指すのは日本語独自の用法。一説では、「草が群がり生える」という意味があるところから転じたもの。「諸橋大漢和」にも、「くさむら」という意味が載っている。（卍）

2021年9月17日

洁

ケツ

江戸時代、地名の漢字を口頭で氵《さんずい》にヨシだと説明すると、皆「洁」なんて字があるかと首を捻《ひね》った。検校《けんぎょう》の塙保己一はそのヨシは「由」で「油」だと教えたと伝えられる。同じ話を滝沢馬琴も我《わ》が事として語った。（之）

2021年9月18日

下

カ
ゲ
した
しも
さ（げる）

701年制定の「大宝律令《たいほうりつりょう》」では課税対象を家にいる成人男性の数で大戸・上戸・中戸・下戸とわけ、祝い事に与えられる酒は下戸が最も少なかったことから、「酒量が少ない」ことを「下戸」と呼ぶ。（祇）

2021年9月19日

翁

オウ
おきな

もとは鳥の首にある羽毛のことで、年を取るほど男の髪が長くなることから、「老人」の意味に使われる。中国では姓にも使われる漢字で、ジュディ・オングさんの「オング」は「翁」の中国語音に由来する。（祇）

2021年9月20日

𠥱

ゲツ
ガツ
つき

「月」の則天文字。「囗《くにがまえ》」に「子」などとも書いた。この「囗」は古代文字や道教のお札のように「〇」でも書く。則天武《そくてんぶ》后《こう》は仏教や道教を信仰し、仏典にあった吉祥符を「卍」と変形し「萬」（万）に当てて漢字に取り込んでいた。（之）

2021年9月21日

委

イ
ゆだ(ねる)
まか(せる)
くわ(しい)

2021年9月22日

もっとも小さい国宝である福岡県志賀島《しかのしま》発見の金印は、2・3センチ(漢代の1寸)四方の印面に「漢委奴國王」五文字が彫られているが、「委」はスペースの制約によって「倭」のにんべんを省略した形。(祇)

刻

コク
きざ(む)
きざ(み)

2021年9月23日

古代の水時計は、壺から漏れた水の量を刻み目をつけた矢で測ったため「漏刻《ろうこく》」ともいう。江戸時代は日の出から日没、日没から日の出までを6等分した時間を「一刻」とし、春・秋分の日は一刻がちょうど2時間となる。(祇)

然

ゼン
ネン

2021年9月24日

部首の「灬」(れっか・れんが)は火。杜甫《とほ》の詩「絶句」に「山青くして花然《も》えんと欲《ほっ》す」とあるように、もともと「もえる」の意。然を「そのとおり」などの意味で使うようになったために、改めて燃を作って区別した。(つ)

含

ガン
カン
ゴン
ふく(む)
ふく(める)

2021年9月25日

古代中国では貴人の死者を埋葬する時に玉《ぎょく》で作った動物を口に含ませた、これを「含玉《がんぎょく》」といい、地中からの再生を願って蝉がよく使われたが、時には冥界で食物に困らないようにと豚を使うこともあった。(祇)

牧

ボク
まき

2021年9月26日

牛や馬、羊などを養い育てることを表す。昔は、それを庶民にも当てはめて、地方を治める長官のことを「牧《ぼく》」と言った。現在でいえば知事に相当。ウイルス禍の今、各都道府県の知事の奮闘には頭が下がる。(卍)

沃

ヨク

2021年9月27日

「諸橋大漢和」では「田に水をかける」と説明している。また、「土地がこえてうつくしい」ともある。「肥沃《ひよく》」「沃野《よくや》」などが、その例。新潟平野のように作物がよく実る大地は、それだけで美しいのである。(卍)

乃

ダイ
の

「乃公《だいこう》出《い》でずんば」は、「吾《わ》が輩《はい》がやらなければ、他の誰が」という大時代な言葉。乃公は「乃《なんじ》の公《きみ》」で、「われ」の意味。平仮名の「の」は、乃の草書体から出た。片仮名の「ノ」も、乃の第1画を取ったもの。（つ）

2021年9月28日

哺

ホ

口の中に何かを含むことを表す。転じて、「哺乳瓶」のように、食べ物や飲み物を口に運んで与えるという意味にもなる。そうやって育ててもらった子どもが、長じて親に恩返しすることを、「反哺《はんぽ》の孝」という。（卍）

2021年9月29日

蓋

ガイ
カイ
ふた
おお（う）

「ふた」の他に漢文では「けだし」と読み、ある程度の自信をもって推量する意味を表す。「おそらく〜だろう」と見込まれることを蓋然性《がいぜんせい》といい、推量の度合いでは必然性と可能性の中間に位置する。（祇）

2021年9月30日

酒

シュ
さけ
さか

「酉」は酒つぼの象形で、「酒」の原字。「酒」は、これに「氵」を付したもの。酒盛り・酒蔵・酒米・酒塩・酒樽《だる》・酒饅頭《まんじゅう》などの複合語では、「さか」と読むことが多い。杯も「酒《さか》」と「杯《つき》（皿形の容器）」から成る語。（つ）

2021年10月1日

隧

スイ
ズイ

隧道《すいどう》は昔の中国で、棺《ひつぎ》を墓の中に運ぶために掘られた道。日本では「ずいどう」と読み、トンネルの意で用いる。関越トンネルは全長約11キロ。道路用としては、東京の山手トンネルに次いで全国第2位の長さ。（つ）

2021年10月2日

岳

ガク
たけ

山岳信仰の中心地で「東岳《とうがく》」と呼ばれる泰山に「丈人峰《じょうじんほう》」があり、「丈人」が舅《しゅうと》を意味することから、妻の父親を「岳父《がくふ》」と呼ぶ。日本語の義父にあたるが、養父などの「義理の父」は岳父とは呼ばない。（祇）

2021年10月3日

刀

トウ
かたな

元々は「かたな」の絵。その切れる部分に印を付けたのが「刃」。二つにわけることを表す「八」を組み合わせたのが「分」。「切」では「七」が発音を表しており、音読み「セツ」と「シチ」の類似は、その名残である。（卍）

2021年10月4日

薫

クン
かお（る）
かお（り）

恩師や年長者の人徳や品位に感化され、優れた方向に導かれることを「薫陶を受ける」という。北宋時代の儒学者程頤《ていい》の伝記に、かつての名工は陶器を作るにあたってまず土によい薫りをしみこませた、とあることに由来。（祇）

2021年10月5日

疆

キョウ
さかい

何かと話題になる「新疆」の「疆」は「領土」という意味で、18世紀末にウイグル族の国を征服した清がそこを「新しい領土」として「新疆」と呼んだ。その言葉が今もそのまま使われ続けている。（祇）

2021年10月6日

全

ゼン
まった（く）
すべ（て）

よく耳にする「安心安全」は語順が逆。安全は危険がないこと。安心は心配がなく、心が安らぐこと。人は安全が保障されて、初めて安心感を抱くものだ。そもそも月並みな表現だが、せめて「安全安心」と言いたい。（つ）

2021年10月7日

驟

シュウ

馬と聚（速い）で、「馬が速く走る」の意。驟雨は、白雨・急雨ともいい、にわか雨のこと。晩秋から初冬にかけて、日本海側は天候が変わりやすく、にわか雨も多い。昔の人は「弁当忘れても傘忘れるな」と言った。（つ）

2021年10月8日

旻

ビン
ミン

「諸橋大漢和」によれば、「秋の空」を表す。また、「うれい」という意味もある。万物がしおれていくのを愁えるところから、秋の空を表すようになったらしい。秋の悲しみをうたうのは、中国文学の一つの伝統である。（卍）

2021年10月9日

嶼

ショ

2021年10月10日

日本は7千近い島嶼から成る島嶼国家。本州・北海道・九州・四国・沖縄本島以外は離島と呼ばれ、9割以上は無人島。嶼は小さな島の意。島と嶼の違いは明確ではないが、佐渡島は島、粟島は嶼に分類されるだろう。（つ）

天

テン
あめ
あま

2021年10月12日

ご覧のように、上の横棒の方が下の横棒より長い形が一般的。ただし、それは現代の印刷文字でのお話で、手書きでは古くから、上の横棒の方を短く書くこともあった。細かい字形には、こだわりすぎない方がよい。（卍）

外

ガイ
ゲ
そと
ほか
はず(す)

2021年10月13日

内面・外面では「外」をガイと読むのに、内科・外科で「外」をゲと読むのは、明治時代に近代医学が成立するまで、骨折や外傷の治療は医学の本流に位置しない「外道《げどう》」と認識されていたことによるという。（祇）

号

ゴウ
コウ
さけ(ぶ)

2021年10月14日

「口」と「丂」（口から息の出るさま）を合わせて「悲しむ声」を表す「号」は古くからある漢字で、さらに「虎」を加え「トラのように大声でさけぶ」意の「號」が作られた。両者はもともと別の漢字であった。（祇）

菌

キン
きのこ

2021年10月15日

古くは「きのこ」を意味し、ひいてきのこに似ていると考えられた生物を指すようになった。近代科学では黴《かび》やバクテリアなど、他の生物に寄生して醗酵や腐敗などの作用をし、病原体ともなるものを表す。（祇）

稼

カ
かせ(ぐ)

2021年10月16日

『論語』（子路）に、弟子の樊遅《はんち》から「稼」を教えてくださいと頼まれた孔子は「自分は年老いた農夫にとうてい及ばない」と答えた。「稼」は農業という意味で、「かせぐ」は日本での使い方である。（祇）

孫

ソン
まご

背中などを掻《か》くのに用いる孫の手は、孫さんの手の代用品と思いきや、「麻姑《まこ》の手」の書き換えという。麻姑は仙女の名。爪が長く、痒《かゆ》い所を掻かせると気持ちよいということから、「麻姑掻痒《そうよう》」の語がある。（つ）

2021年10月17日

遮

シャ
さえぎ（る）

上杉謙信の漢詩「九月十三夜」に「遮莫家郷の遠征を憶《おも》うを」とある。「遮莫」の読みは「さもあらばあれ」。中国の俗語を訓読したもので、「それならばそれでよい」の意。「帰去来兮（帰りなんいざ）」と並ぶ名訳だ。（つ）

2021年10月18日

悠

ユウ

のんびりしたイメージがあるが、「諸橋大漢和」が掲げる1番目の意味は「うれえる」。続いて「いたむ」「はるか」「とおい」などの後、6番目にようやく「ゆったり」が登場する。意味の幅は意外と広い。（卍）

2021年10月19日

股

コ
また
もも

「足のつけね」の部分を表し、ひいて足の膝から上の部分、「もも」を表す。股《もも》と肱《ひじ》は人の行動で非常に大きな働きをすることから、君主の手足となって重要な働きをする家臣を「股肱《ここう》の臣」と呼んだ。（祇）

2021年10月20日

杜

ト
もり

中国では植物のヤマナシ、ふさぐという意。平安時代に「社」を踏まえ、神が宿るとされたモリとして用いるようになった。早大の校歌に「早稲田の杜に」とあるが、作詞した相馬御風の現存する3種の自筆ではすべて「森」。（之）

2021年10月21日

肥

ヒ
こ（える）
こえ
こ（やす）
こ（やし）

「諸橋大漢和」によれば、この1文字だけで「こえた馬」を指すこともあるという。肉づきがふっくらしていることは、何よりも豊かさの証だった。「天高く馬肥ゆる秋」とは、素晴らしい秋の気候をいう決まり文句。（卍）

2021年10月22日

降

コウ
ゴウ
お(りる)
お(ろす)
ふ(る)

2021年10月23日

古代中国では空と大地の間には目に見えない梯子《はしご》があると考えられ、そこを上から下に向かって足が移動する形を描き、神が地上に降臨することを表した。のち一般的に、高いところから下に「おりてくる」意を表す。(祇)

椛

かば
もみじ
なぎ

2021年10月24日

樺は漢字で「かば」。日本では、旁《つくり》に「華」より「花」が好まれ、「樺」も「椛」と書かれ姓に定着した。木の葉が花が咲いたように色づくとして「もみじ」という読みも古くに起こり、近年では人名に使われるようになった。(之)

錦

キン
にしき

2021年10月25日

華麗な織物を表す錦は比喩にも錦鯉のように用いられる。その価値が金に相当するから金へんになったという説もあるが、江戸時代の思想家である安藤昌益は、やはり糸へんであるべきだとして「綿」と作り変えた。(之)

柿

シ
かき

2021年10月26日

「こけらおとし」は漢字で「柿落とし」と書き、「こけら」の右は「亠」と「巾」が上下つながっている文字(ハイと読む)だが、一般的な印刷では「柿」(カキ)と区別がつかず、文脈で判断するしかない。(祇)

蟬

セン
せみ

2021年10月27日

「春蛙秋蟬《しゅんあしゅうせん》」は無用の言論のたとえ。言葉で飾り立てた議論は、春のカエルや秋のセミのように、うるさく感じられるということ。東京五輪でも、アブラゼミがうるさくて集中できないという選手の声があった。(つ)

失

シツ
うしな(う)

2021年10月28日

「千慮の一失」は、智者《ちしゃ》でも時には考え違いや失敗があること。「愚者も千慮に必ず一得有り(愚か者でもたまには名案を出す)」と対をなす。「千慮の一得」でもいいから、ウイルス禍を収束させる妙策がないものか。(つ)

政

セイ
ショウ
まつりごと

2021年10月29日

攵(強制する)と正で、まっすぐに整えること、ひいて社会を整えるすべての仕事の意。『論語』の「政は正なり」は政治の本質を突いた孔子《こうし》の言葉。孔子は続いて、為政者がわが身を正しく保つことの重要性を述べる。(つ)

飽

ホウ
あ(きる)
あ(かす)

2021年10月30日

基本となる意味は、おなか一杯食べて満足すること。部首〈食・しょくへん〉にそのことが現れている。十分に飲み食いすることを「酔飽《すいほう》」という。味覚の秋、酔飽のしすぎにだけは注意が必要だ。(卍)

選

セン
えら(ぶ)

2021年10月31日

「選挙」は投票によって首長や議員などを選び挙げること。「選良」は選挙で選び出された優れた人の意で、特に代議士をいう。近ごろこの語を耳にしないのは、そう呼ぶに値する人物が少なくなったせいか。(つ)

衡

コウ
はかり
はか(る)

2021年11月1日

牛が人を突かないように2本の角の間にわたした横木のことで、転じて重さを量る天秤を表した。古くはものさしを「度」、ますを「量」、天秤を「衡」といい、ここから「度量衡」という言葉ができた。(祇)

寡

カ
すく(ない)

2021年11月2日

多寡がしれているは「少ない」ことを表し、そこから「連れ合いが他界して一人になった」男女を「寡夫・寡婦」という。古代中国の諸侯(大名)は自分のことを謙遜して「人徳の少ない者」という意味で「寡人《かじん》」と表現した。(祇)

農

ノウ

2021年11月3日

田畑で作物を作ることを表すが、「諸橋大漢和」では、七番目の意味として「つとめる」を挙げている。「努」と発音に通じるところがあるかららしい。実りの秋は、農家のみなさんの努力が報われる季節。感謝したい。(卍)

市

シ
いち

2021年11月4日

市は、毎日または定期的に商人が集まり、商品を売買する場所。三重県の四日市や広島県の廿日市《はつかいち》などは、市の立った日にちなんだ地名。県内にも五日町・六日町・十日町のように市日《いちび》に由来する地名が残る。

（つ）

虚

キョ
コ
むな（しい）
うつ（ろ）

2021年11月5日

人や物が存在しないことをいい、からっぽで中味がないことを「空虚」、木や草が生えていない崖を「虚壁《きょへき》」、自分より優れた人が来た時のために、上座である左側の席をあけておくことを「虚左《きょさ》」という。

（祇）

囚

シュウ
とら（える）

2021年11月6日

人と口（囲い）で、捕らえるの意。中国・春秋時代、斉《せい》の管仲《かんちゅう》は王位継承を巡って囚《とら》えられたが、友人の鮑叔《ほうしゅく》に救われ、推挙されて斉の桓公《かんこう》に仕えた。管仲と鮑叔の若き日の親密な交遊を「管鮑の交わり」と呼ぶ。

（つ）

車

シャ
くるま

2021年11月7日

「前車の覆《くつがえ》るは後車の戒め」は、前人の失敗は自分の戒めとなるということ。「覆車《ふくしゃ》の戒め・覆轍《ふくてつ》の戒め」ともいう。轍《わだち》ができた道路を走行することの難しさは、雪国のドライバーなら誰もが知っている。

（つ）

隠

イン
オン
かく（れる）

2021年11月8日

俗世を避けて暮らす隠者を尋ねることを「招隠」というが、真の隠者は人里離れた山中にはおらず、むしろ街中に超然と暮らしていることを、晋の王康琚《おうこうきょ》が「大隠は朝市に隠る」と表現した（「反招隠詩」）。

（祇）

河

カ
かわ

2021年11月9日

黄河を表す漢字として作られたが、長江を表す「江」とともに、今は大きな河川の名称に使われる。日本でよく使われる「川」は小規模の水流を表すので、中国では河川名にほとんど使われない。

（祇）

井

セイ
ショウ
い

「井底《せいてい》の蛙《あ》」は、井戸の中のカエルには広い世界が見えないことから、視野や見識が狭いことのたとえ。「井の中の蛙《かわず》大海を知らず」も同じ。大きな世界を知らないと、目先の利益だけを追求するようになる。（つ）

2021年11月10日

碱

ケン

「酸とアルカリ」は、漢字と片仮名の組み合わせで、見た目のバランスが悪い。アルカリを漢字で書くと「碱」。石鹸《せっけん》の鹸と同意で、植物を焼いた灰が原義。中国製のアルカリ電池には「碱性干电池」の表示がある。（つ）

2021年11月11日

課

カ

古代日本には租・庸・調という税があり、さらに土木工事などを担当させられた。これらを総称して「課役《かえき》」という。「課」とは人に何かを「割り当てる」こと。個人や組織に割り当てた問題を「課題」という。（祇）

2021年11月12日

拶

サツ

挨拶《あいさつ》はもともと禅家の語で、問答を繰り返して悟りの深浅を試すこと。挨も拶も「複数で押し合う」の意。日本語で会釈や受け答え、答礼などの意味で用いるのは、挨拶が一方通行ではなく、双方向のものだからだろう。（つ）

2021年11月13日

雌

シ
め
めす

「雌伏」は人に服従しながら、活躍の機会を待つこと。雄鳥が飛揚するように、勇ましく活躍することを「雄飛」というのに対する。女性の活躍が続くと、「雌伏・雄飛」から「雄伏・雌飛」と言い換えられるかもしれない。（つ）

2021年11月14日

苛

カ
いらだ（つ）

父も夫も子も虎に殺された女が墓前で号泣しているのを見た孔子《こうし》が、なぜこんな危険な土地を離れないのかと尋ねると、女は「ここには苛政《かせい》（重税や厳しい刑罰など）がないから」と答えたという。（祇）

202年11月16日

駒

ク
こま

2021年11月17日

中国最古の字典『説文解字《せつもんかいじ》』に「馬の二歳なるを駒という」とあり、古代の詩を集めた『詩経《しきょう》』の注釈に「五尺以上を駒という」とある。小さい馬の意味から日本では小さいものの総称として「将棋の駒」などという。（祇）

誰

スイ
だれ

2021年11月18日

誰何《すいか》は声をかけて名を問いただすこと。『史記』の「鴻門《こうもん》の会」で、乱入した樊噲《はんかい》を項羽《こうう》が「客何為《なんす》る者ぞ（お前は何者だ）」と誰何する場面は有名。近ごろは「ＳＵＩＣＡする」と誤解する人もいると聞く。（つ）

塾

ジュク

2021年11月19日

門の両脇にある部屋のこと。昔、そこで家中の子弟を教育したことから「まなびや」の意となる。現代では学習塾、書道塾、算盤《そろばん》塾のように、勉学や技能を教授する私設の教育機関をいうことが多い。（つ）

貂

チョウ
てん

2021年11月20日

優れたものに続くことを謙譲して「続貂《ぞくちょう》」という。貂は動物のテンの意だが、テンと読めなさそうなので、名字では「⿰豸占」と換えてみたり、毛皮業界ではわかりやすく「⿰犭天」と作り直したりしたことがあった。（之）

哩

リ
マイル

2021年11月21日

１マイルは約１６０９メートル。「里」と訳したが、これでは「一里」が約４キロの方か区別がつかない。イギリスの単位だからと「英里」と訳す人も現れたが、明治時代初期に外来語だからと誰かが「口」を付けて「哩」を当てた。（之）

有

ユウ
ウ
あ（る）

2021年11月22日

昔は、成り立ちの上で天体の月と関係があると考えられていたので、部首を〈月・つき〉としていた。しかし、現在では肉を手に持つことに由来するという説が有力で、部首を〈月・にくづき〉とする辞書が多い。（卍）

勤

キン
ゴン
つと（める）
つと（まる）

2021年11月23日

教育について述べる儒学の経典『礼記《らいき》』の「学記」に「時過ぎて然《しか》る後に学べば、勤苦して成りがたし」とある。「時宜《じぎ》を得ずに勉強したら苦労するぞ」と教えるのだが、それでも学ぶのは尊いことにちがいない。（祇）

醤

ショウ
ひしお

2021年11月24日

和食の味付けの基本は砂糖・塩・酢・醤油《しょうゆ》・味噌《みそ》の「さしすせそ」だという。しかし醤油の旧仮名遣いは「しやうゆ」で、語呂合わせに無理がある。近ごろ耳にする３Ｓソース（砂糖・醤油・酒）は卓抜なネーミングだ。（つ）

謝

シャ
あやま（る）

2021年11月25日

意味は幅広い。謝罪・陳謝は謝《あやま》るだが、感謝・謝金は礼を言う、礼金の意。新陳代謝は新しいものと古いものが入れかわり、古いものが立ち去ること。謝絶は断ること。慰謝料は慰藉料の書き換えで、藉はいたわるの意。（つ）

羹

コウ
カン
あつもの

2021年11月26日

ことわざ「羹に懲りて膾《なます》を吹く」で有名。ふつうはアツアツのスープだと説明されているが、本来は煮物に近い料理だとする辞書もある。どちらにせよ、これからの季節には欠かせない一品である。（卍）

箪

タン

2021年11月27日

箪笥《たんす》は、開き戸や引き出しのついた木製の家具の総称。もともとは飯を盛るために竹で作った、曲げわっぱに似た食器のこと。「一箪の食《し》、一瓢《いっぴょう》の飲、陋巷《ろうこう》に在《あ》り」は、孔子《こうし》が高弟顔回の清貧ぶりを評した語（『論語』）。（つ）

鍵

ケン
かぎ

2021年11月28日

馬が引いた古代の戦車で、車輪が車軸から外れないように止める「くさび」を表し、ひいて「かぎ」、また「重要なこと」の意に用いる。ピアノの「鍵盤」は英語ｋｅｙｂｏａｒｄの訳語で「かぎ」とは関係ない。（祇）

2021年11月29日

脂

シ
あぶら

「爾《なんじ》の俸《ほう》、爾の禄《ろく》は、民の膏《こう》、民の脂《し》なり」は、お前たちの俸禄は民から搾《しぼ》り取った膏脂《あぶら》なのだと、血税を浪費する官吏を戒めた言葉。現代人に嫌われる皮下脂肪も、もとは骨や皮などと並んで身体の大事な構成要素だ。（つ）

2021年11月30日

鏡鏡鏡鏡

かがみ

宮沢賢治が遺した手帳に書かれていた詩「岩手軽便鉄道の一月」に使われている字で、76画にのぼる。別の詩稿から「かがみ」と読むものとみられ、ハンノキの花が凍って輝く様子を表した造字だと考えられている。（之）

2021年12月1日

季

キ
すえ

字の上部にある「禾」は「稚」の省略形で「おさない」こと。兄弟での末っ子を表し、そこから「すえ」という訓読みができた。旧暦では季節を孟（はじめ）・仲（なか）・季で分け、12月を季冬といった。（祇）

2021年12月2日

啓

ケイ
ひら（く）
もう（す）

「ひらく」と訓じ、人が知らないことを口で教え、蒙昧《もうまい》（知識が不十分で道理にくらいこと）な状態を開いて教え導くことを「啓蒙」という。手紙に「拝啓」とか「謹啓」と書くのは「申しあげる」の意。（祇）

2021年12月3日

⿰虫爪

たこ
ソウ

中国では「蚤《ノミ・ソウ》」の異体字だったが、日本では平安時代の辞書に俗用される「たこ」の字として記録された。8本の脚が伸びた爪のようだから、あるいは「爪」の形をタコ全体の姿に見立てた用法だったのかもしれない。（之）

2021年12月4日

坐

ザ
すわ（る）

坐視・行住坐臥の坐は「すわる」の意。「广」（屋根・建物の意）を付した座は「すわる所、席」の意。坐と座は動作と場所に使い分けていたが、現代表記では座を使う。東京池袋には人世坐・文芸坐という名画座があった。（つ）

慄

リツ

2021年12月5日

「戦慄」「慄然」など、ふるえおののくことを表す。イメージの上では、とげとげした「栗」のいがと関係が深い。「諸橋大漢和」でも、『正字通』という辞書を引用して、古くは「栗」で「慄」の意味を表したと示している。（卍）

韻

イン
ウン
ひび（き）

2021年12月6日

「余韻」や「風韻」などに使い、音の響きや物事のおもむきを表す。中国では古く「韵」と書かれた。日本ではその右側にある「匀」の部分から「匂」という国字ができ、「におい」の意味を表した。（祇）

欙

ルイ
かんじき

2021年12月7日

深い雪の中を歩く時に、足を踏み込まないように靴などに付ける道具。木の枝や蔓《つる》などを輪にして作る。鈴木牧之《ぼくし》の『北越雪譜』に精緻な図解がある。雪国の冬の必需品だったが、今ではあまり見かけない。（つ）

湾

ワン

2021年12月8日

旧字体は「灣」。「諸橋大漢和」によれば、〈氵・さんずい〉を除いた「彎《わん》」とは「ひく。はる。弓をつがえる」という意味。「湾」も、弓なりにくぼんだ海岸線をいう。12月8日は、真珠湾攻撃が行われた日。（卍）

褫

チ
うば（う）

2021年12月9日

褫脱《ちだつ》は褫の部首「衤」から分かるように、着ている衣服を剥《は》ぎ取ること。転じて、官職などを剥奪することをいう。勲章を取り上げることも難しく褫脱というのは、稀有《けう》なことなので、言い換えの必要がないからだろう。（つ）

千

セン
ち

2021年12月10日

千里の馬は1日に千里を走る駿馬《しゅんめ》。中国・唐の韓愈《かんゆ》は「雑説《ざつせつ》」で、千里の馬が力を出し切るためには、馬の鑑定家である伯楽《はくらく》の存在が不可欠であると述べた。有能な人物が埋もれてしまう悲劇は、いつの世にも見られる。（つ）

胃

イ

2021年12月11日

下の「月」（ニクヅキ）は身体部位を表し、上の「田」は「物が詰まっているふくろ」を描いた形が変わったもの。古代人は捕らえた動物の解体を通じて、口から入った食べものが胃にたまることを知っていた。（祇）

両

リョウ

2021年12月12日

「両方」「両腕」「両思い」のように、現在では、二つあるものの二つともを指す場合に使うことが多い。しかし、長い目で見ると、単に数の2を表すのが基本である。「一両日」とは、1日か2日をいう。（卍）

討

トウ
う（つ）

2021年12月14日

「諸橋大漢和」では、成り立ちについて述べる「解字」の欄で「罪を論断し悪を絶つ意」と説明している。単に憎いからやっつけるというのではだめで、義がなければ「あだ討ち」にはならないのである。（卍）

賀

ガ

2021年12月15日

祝うべき事柄に対して「貝」（財宝・金品）を贈って慶祝の意を表すこと。のち「ねぎらう」とか「褒める」意を表す。年賀状の習慣は日本以外のアジアの国々にもあるが、旧正月に交換するのが一般的。（祇）

紙

シ
かみ

2021年12月16日

「洛陽の紙価貴《たか》し」は、中国・西晋《せいしん》の左思《さし》が作った『三都の賦《ふ》』が評判を呼び、人々が争って筆写したので、洛陽の紙の値段が上がったという故事。出版不況の現在、紙価を高騰させるような評判作は出ないものか。（つ）

舷

ゲン

2021年12月17日

船の舵《かじ》を船尾中央に取りつけるのがかつては難しく、右舷船尾につけられたので、舵を損傷しないよう、ほとんどの船は左舷に接岸した。飛行機の出入り口が機体の左側に設けられているのはその名残だという。（祇）

助

ジョ
たす（ける）
たす（かる）
すけ

2021年12月18日

「助長」は、農夫が苗の成長を助けようとして、逆に引き抜いて枯らしたという、『孟子』から出た語。本来の用法を離れて、「国際交流を助長する」のように、物事の発展を助けるという意味でも使われるようになった。（つ）

筋

キン
すじ

2021年12月19日

孫悟空が乗って空を飛ぶ雲は、『西遊記』では「觔斗雲《きんとうん》」と書かれるが、「觔」（「筋」の異体字）が分かりにくいので、日本のテレビやアニメでは「筋斗雲」と書かれる。「筋斗」はとんぼ返りの意。（祇）

軍

グン
クン

2021年12月20日

古代の戦争では馬が引く戦車が機動力を発揮して敵を撃破したことから、「車」と「冖」（取り囲むことを表す「包」の省略形「勹」がさらに変わった形）を組み合わせて、「軍」という漢字が作られた。（祇）

淡

タン
あわ（い）

2021年12月21日

「薄い、あっさりしている」の意。「君子の交わりは淡きこと水の若《ごと》し（水のように淡々としているが、いつまでも続く）」は、「小人の交わりは甘きこと醴《れい》の若し（甘酒のように甘いが、長続きしない）」と続く（『荘子』）。（つ）

習

シュウ
なら（う）

2021年12月22日

「習い性と成る（習慣は第二の天性）」は、『書経』にある語。『顔氏《がんし》家訓』の「少成は天性の若《ごと》し（幼い時の習慣はやがて天性になる）」も同じ意味。幼時の教育は重要で、虐待や育児放棄はもってのほかだ。（つ）

洪

コウ

2021年12月23日

河川の水があふれる「おおみず」のこと。そこから「大きい」の意に使われる。偉大な事業を「洪業」というが、島崎藤村『夜明け前』に「神祖以来の鴻業《こうぎょう》、一朝に廃滅す」とあるように、同音の「鴻」で表すこともある。（祇）

極

キョク
ゴク
きわ（める）
きわ（まる）
きわ（み）

2021年12月24日

屋根の一番高い位置に取りつける棟木《むなぎ》から、「このうえないこと」、また「末端・はて」などの意味に用いる。駐車場などの「月極《つきぎめ》」は、古くから「極」を「とりきめ」の意味で使う日本だけの用例。（祇）

怱

ソウ

2021年12月25日

怱々は、慌ただしい様子。中国・唐の張籍《ちょうせき》の詩に「復《ま》た恐《おそ》る怱怱説きて尽くさざるを（急いで書いたので書き漏らしがないかと気がかりだ）」とある。日本では草々などとも書き、手紙の末尾で走り書きを詫《わ》びる意に使う。（つ）

掉

チョウ
トウ
ふ（る）

2021年12月26日

掉尾《ちょうび》（尾を掉《ふ》る）は、最後になって勢いが盛んになること。また、物事の最後。「掉尾の勇を奮う」「掉尾を飾る」のように用いる。「とうび」と読む人が多くなったため、「ちょうび」とルビを振るには勇気がいる。（つ）

尽

ジン
つ（くす）
つ（きる）
つ（かす）

2021年12月27日

尽無《ずくな》しは「役立たず、怠け者、不精《ぶしょう》者《もの》」と人を罵《ののし》って言う語。「ずく」は根気、根性の意。信越地方の方言とする説もあるが、多くの国語辞典に載っていることから考えると、古くは広く使われた語のようだ。（つ）

署

ショ

2021年12月28日

部首の「罒《あみがしら》」は網の象形。網の目のような区分に人を配置することから、「役割、部署、役所」の意。日本では警察署、消防署、税務署、森林管理署のように、地域ごとに設置された官署や、省庁の出先機関をいう。（つ）

卸

シャ
おろし
おろ（す）

2021年12月29日

もと「御」と同字。馬車を操縦する者（＝御者）が車から馬を解き放すこと。つながれていた馬を車から放すことから「おろす」と訓じられ、そこから日本では「棚卸し」とか「卸問屋」のように使われた。（祇）

滄

ソウ
あお(い)

「滄桑《そうそう》の変」は中国・唐の劉廷芝《りゅうていし》の詩から出た語で、桑田《そうでん》(桑畑)が滄海《そうかい》(青海原《あおうなばら》)に変わること。時勢の激しい変動をいう。世の無常を嘆く「年年歳歳花相似《あい》たり、歳歳年年人同じからず」の句もこの詩にある。(つ)

2021年12月30日

醳

エキ
セキ

「諸橋大漢和」では「としこし酒」と説明している。といっても、大みそかの夜に飲むのではなく、冬に仕込んで翌春にできあがる酒のこと。「こい酒」「にがい酒」ともある。飲み過ぎにはくれぐれもご注意を。(卍)

2021年12月31日

壬

ジン
みずのえ

今年の干支《えと》は壬寅《みずのえとら》。壬は十干《じっかん》の9番目、方位では北北西。寅は十二支の3番目、動物では虎。還暦は数え年で考えるので、60年前の1962(昭和37)年、壬寅の年に生まれた人は、今日還暦を迎える。(つ)

2022年1月1日

詣

ケイ
ゲイ
もう(でる)
まい(る)

「初詣」や「熊野詣《くまのもうで》」など、神聖な場所に行くことを「参詣」といい、臣下が宮殿に参内することを「詣闕《けいけつ》」(闕は、宮殿の門)といった。学問や芸術を究め、深い境地に達する「造詣」の「造」も「いたる」の意。(祇)

2022年1月3日

源

ゲン
みなもと

水流がはじまる「みなもと」を指し、ひいて「物事のはじまり」を意味する。昨今の中国料理店には「医食同源」をいうメニューが多いが、この言葉は中国の文献に見えず、どうやら近年の日本でつくられたようだ。(祇)

2022年1月4日

局

キョク
つぼね

死者の手足を曲げて埋葬する屈葬の形から、仕切られた空間の意を表す。すごろくに使う板の表面が線で区切られていることから囲碁や将棋の盤面を「局」といい、そこから「対局」という言葉ができた。(祇)

2022年1月5日

褐

カツ

本来は「褐」と書き、常用漢字の「褐」は省略形。目の粗い布で作った粗末な衣服のことで、また布地の色から「光沢のないこげ茶色」も表す。粗末な服を着た身分の低い男を古代では「褐夫《かっぷ》」と呼んだ。（祇）

2022年1月6日

札

サツ
ふだ

文字を書き記すための薄い木片（簡札）や書き付け（札記）、手紙（書札）の意。日本語では紙幣、券、寺社の守り札、立て札などをも意味する。2千円札以外の紙幣は、数年後にデザインが一新される。（つ）

2022年1月7日

愚

グ
おろ（か）

「知恵がない」ことをいい、また自分のことに関する謙譲語として「愚見」「愚弟」などという。反対語は「智」で、『史記』（淮陰侯《わいいんこう》伝）に「智者の千慮に必ず一失あり、愚者の千慮に必ず一得あり」とある。（祇）

2022年1月8日

丼

ずぶり
どぶり
どんぶり

平安時代の説話集『江《ごう》談抄』に、渤海からの使者の姓名に紀丼丸《キノズブリ》と丼丸《ザブリ》がいたとある。「丼」は井戸の意から、井戸に物を投げた音の意となり、字体も「丼」を派生していたことから生まれたお話。（之）

2022年1月9日

成

セイ
ジョウ
な（る）
な（す）

成人は成年に達し、大人になること。また、その人。日本では満20歳以上を成年としてきたが、2022年4月以降は民法の改正で、満18歳で成年となる。成人式は、県内では厳冬の1月を避けて行う自治体も多い。（つ）

2022年1月10日

樽

ソン
たる

中国では酒《さか》だるの意だった。日本では、「たる」であれば中身や用途は何でもよくなり、醬油《しょうゆ》樽、味噌《みそ》樽、ビール樽など用途を広げた。小樽はアイヌ語への当て字。旁《つくり》は手書きでは「尊」と書くのが自然だ。（之）

2022年1月11日

雫

ダ
ナ
しずく

中国では辞書にダ・ナという音読みが載るだけで意味が分かっていない。日本では、雨が下りるという構成により中世から「しずく」と読んで使われてきた。平安時代に「液」、常用漢字では「滴」と書くがピンとこない。（之）

2022年1月12日

矛

ム
ほこ

訓読み「ほこ」が使われることはあまりなく、ほとんどは音読み熟語の「矛盾」の形で用いられる。使用場面が限られているのに常用漢字に入っているのは、世の中に矛盾がいかに多いかの現れだろう。（卍）

2022年1月13日

炊

スイ
た（く）
かし（ぐ）

旁《つくり》の欠は缺《ケツ》の略体ではなく、欠伸《けんしん》（あくび）の欠《ケン》。火と欠で、人がしゃがんで、口を開けて火を吹きおこす様子を表す。昔、かまどで飯を炊く時には火吹き竹を使ったが、その存在を知る人も少なくなった。（つ）

2022年1月14日

婿

セイ
むこ

娘の配偶者の意。壻、聟とも書く。常用表には「セイ」があるものの、話し言葉で「女婿《じょせい》（娘の夫）」は「むすめむこ」と言い換えないと、意味が通じにくい。十日町市松之山地区には婿投げの習俗が残る。（つ）

2022年1月15日

歎

タン
なげ（く）

『歎異抄《たんにしょう》』は鎌倉時代の仏教書。著者は唯円《ゆいえん》の説が有力。浄土真宗の祖親鸞《しんらん》没後、信者間に生じた異義を歎（嘆）じ批判して、親鸞の真意を示したもの。無人島に持参するならこの一冊と決めているという声も聞く。（つ）

2022年1月16日

塗

ト
ぬ（る）

「諸橋大漢和」が最初に掲げる意味は「どろ」。なるほど、部首〈土・つち〉に加え、〈氵・さんずい〉も含まれている。「塗炭の苦しみ」とは、泥水と炭火の苦しみというところから、水害や火災の苦しみをいう。（卍）

2022年1月17日

味

バツ

2022年1月18日

小学生が「味」の右側を「末」と書いたら、そんな漢字はない、と注意されるだろう。しかし、「諸橋大漢和」には存在する。ただ、意味としては「くらい。くらいひかり」としか書いていない、マイナーな漢字である。（卍）

𢭏

なぐさみ
すさみ

2022年1月19日

室町時代に現れたこの字は日本製漢字。辞書には「なぐさみ」という訓で採録され、一条兼良の連歌の本「筆の𢭏」では同義の「すさみ」と読む。「すさみ」には「愛」「遊」「荒」「𢯱」など思い思いに字が当てられた。（之）

猫

ビョウ
ねこ

2022年1月20日

歴史的には「貓」と書く方が由緒正しく、「諸橋大漢和」でも本見出しはそちら。〈豸・むじなへん〉は珍しい部首だが、「豹《ひょう》」や「貂《てん》」などが含まれる。外では雪が降り、中では猫がこたつで丸くなる季節がやってきた。（卍）

粤

エツ

2022年1月21日

中国の広東、広西一帯を「粤《えつ》」と呼ぶ。呉越同舟の「越」は今の浙江省辺りにあった。ベトナムも「越南」と書く。要は長江流域を古くエツと呼び、漢字を当てつつ拡張していった。越後などの越は別で古くは「高志《こし》」とも。（之）

皿

ベイ
さら

2022年1月22日

浅く平らな食器を描いた象形文字。丸くくぼんだ大皿は盂《う》、平らに開いた大皿は盤という。「皿」を部首とする漢字に、盆（円形で浅い鉢《はち》）、盥《かん》（手を洗う器）、盃（飲み物を入れるふっくらした器）などがある。（つ）

膨

ボウ
ふく（らむ）
ふく（れる）

2022年1月23日

肉体を表す部首〈月・にくづき〉に現れているように、本来は、肉体の一部が大きくなることを表す。なんらかの異常が原因であることが多いわけで、「膨大」になり続ける国債の発行額が、かなり心配である。（卍）

少

ショウ
すく(ない)
すこ(し)

2022年1月24日

「少年老い易《やす》く学成り難《がた》し」で知られる「偶成」の詩は、長らく中国・宋代の大儒、朱熹《しゅき》の作とされてきた。しかしこの詩は朱熹の詩文集には見られず、現在では日本の五山の僧の作とする説が有力になっている。（つ）

畏

イ
おそ(れる)

2022年1月25日

鬼がむちを持つ形から「おそろしい」ことを表し、尊敬すべき存在を敬うことも表した。日本では「おそれおおい」ことを「畏し（かしこし）」といい、かつて女性は手紙末尾にその省略形として「かしこ」と書いた。（祇）

豪

ゴウ
コウ
たけし

2022年1月26日

オーストラリアをかつて漢字では「濠太剌利」と書いたが、「濠」が当用漢字に入らなかったので戦後は「豪」に置き換えられた。中国では「澳大利亜」と書くので、「豪州」と書いても中国人には通じない。（祇）

是

ゼ
これ

2022年1月27日

「是是非非《ぜぜひひ》（是を是とし非を非とす）」は、正しいものは正しいとし、間違っているものは間違っているとして、公正な判断をすること（『荀子《じゅんし》』）。是を非とし、非を是とする愚者にはなりたくないものだ。（つ）

沿

エン
そ(う)

2022年1月28日

川の流れにそって移動することで、のちには道や方針などに従うことにも使われる。ありのままに従うことをいう「沿」と、変化することをいう「革」をあわせて、物事の移り変わりを「沿革」という。（祇）

軒

ケン
のき

2022年1月29日

御者台から前に長く突き出た轅《ながえ》（先端に馬をつなぐ軛《くびき》をつける）を持つ馬車を表し、転じて屋根から突き出た「のき」や欄干などの意。轅がそりあがっていることから「高い」意にも使われ、「意気軒昂《いきけんこう》」などという。（祇）

喉

コウ
のど

ひとくちに「耳鼻咽喉科」というが、人の「のど」は大きく咽頭と喉頭に分けられ、鼻の奥から口の奥を通って食道に至る部分を咽頭といい、気管の上にあって空気が通り声帯がある部分を喉頭という。（祇）

2022年1月30日

輝

キ
かがや（く）

プロ野球の選手に、「輝」をコウと読む名前の人がいる。字形内にある「光」の音読みを使っているのだろうが、「耗」（コウ）をモウ、「憧」（ショウ）をドウと読むなど、同じような例はたくさんある。（祇）

2022年1月31日

嗅

キュウ
か（ぐ）

イヌが鼻でクンクンとにおいをかぐことから「臭」という漢字ができた。上の「自」は「鼻」の省略形、下の「犬」を常用漢字は「大」にするが、「口」へんをつけた「嗅」では、ちゃんとイヌがいる形になっている。（祇）

2022年2月1日

渇

カツ
かわ（く）

のどがかわくこと。孔子が「盗泉」という名の泉の前を通った時、ちょうどのどが渇いていたが名前が忌まわしいから、とその水を飲まなかった故事（出典は陸機「猛虎行」）を「渇しても盗泉の水を飲まず」という。（祇）

2022年2月2日

北

ホク
きた

「敗北」のように「逃げる」という意味も持つ。その場合に、漢文では「はしる」と読むこともある。「諸橋大漢和」では名乗《なのり》として挙げている「キタバシリ」は姓のようだが、この「はしる」に由来するのだろうか。（卍）

2022年2月3日

皸

ヒ
あかぎれ

「諸橋大漢和」の「字訓索引」の「あかぎれ」の項には、これも含めて八つの漢字が挙がっている。そのうち四つは部首〈皮・かわ〉の漢字、残りは〈⻊・あしへん〉。昔の人は手よりも足のあかぎれに苦しんだようだ。（卍）

2022年2月4日

修

シュウ
シュ
おさ（める）
おさ（まる）

修羅場《しゅらじょう》は仏語で、戦いを好む阿修羅《あしゅら》が仏法を守護する帝釈天《たいしゃくてん》と争う場所。転じて、戦場などの血腥《ちなまぐさ》い場所。歌舞伎や講談では激しい戦いの場面を修羅場《しゅらば》と呼び、そこから「修羅場と化す」のような用法が生まれた。（つ）

2022年2月5日

藻

ソウ
も

海藻は海産の藻類の総称で、緑藻類、褐藻類、紅藻類に大別される。紅藻類のフノリは、布の洗い張り用の糊を作ったのでこの名がある。新潟県では、フクロフノリをつなぎに使った「ふのり蕎麦《そば》」が有名。（つ）

2022年2月6日

𩺊

いわな

「鮖」は県内に「かじか」と読ませる地名があるが、これは旁《つくり》が「石」でなく「岩」で、長野県松本市で「𩺊留《いわなどめ》」という地名や滝の名として使われていた。今は「岩魚留」と変わったが、「鮖」のほうは健在である。（之）

2022年2月7日

唾

ダ
つばき
つば

昔中国で、宋定伯《そうていはく》という男が、鬼《き》（幽霊）が羊に化けたのを見て、唾を吐きかけて元に戻らないようにし、その羊を高値で売り払って大儲けをしたという話がある。中国の幽霊は人の唾が苦手と見える。（つ）

2022年2月8日

宜

ギ

「宀」（屋根）と「且」（肉を置く台）からなり、祭りに肉を供えることから「ふさわしい」ことを表す。古代中国では、男の子が生まれるまじないとして妊婦が身につけたワスレグサを「宜男草《ぎなんそう》」と呼んだ。（祇）

2022年2月9日

鼠

ソ
ねずみ

股《もも》の付け根を鼠蹊部《そけいぶ》というように、この字はソと読む。略して「鼡」のように書くこともある。大学生に「殺鼠剤」の読みを問うと、サッチュウザイと答える人が多い。殺虫剤もあるし、鼠はチュウと鳴くからだそうだ。（之）

2022年2月10日

国

コク
くに

「国」という字形は古い文献にはほとんど見えず、中国でも日本でも「國」の略字は「囗」（領土）と「王」を合わせた「国」だった。戦後に「王」を「玉」（宝玉）に換えたのが「国」である。（祇）

2022年2月11日

種

シュ
たね
くさ

「くさ」と読むと、物事を生ずるもと、材料の意。言い種、語り種、悔やみ種、謗《そし》り種、嘆き種、お笑い種などがあり、いずれも「ぐさ」と濁る。近ごろはあまり聞かないが、質種《しちぐさ》も質屋から金を借りるためのもと。（つ）

2022年2月12日

掛

か（ける）
か（かる）
かかり

手で物をひっかけることで、本来は「挂《かい》」と書き、「掛」はその俗字。役所や企業などで課長の下、ヒラの上にいる役職をかつては「掛長」とも書いたが、今はほとんど「係長」と書かれるようになった。（祇）

2022年2月13日

気

ケ
キ

明治8年に東京気象庁が設置されるまで「気象」は「気性」と同義で、人の性質や気立てを意味する言葉だった。「気象予報士」試験の合格率は5％前後らしいが、人の「気象」を予報するのも難しいものだ。（祇）

2022年2月15日

肯

コウ
がえ（んずる）

動物の身体で骨と肉がぴったりくっついているところを「肯綮《こうけい》」といい、そこに包丁をあてるときれいに肉を切り取れることから、物事の道理を明快に説いて、相手に要点を理解させることを「肯綮に中《あた》る」という。（祇）

2022年2月16日

堕

ダ

堕落は品行が悪くなり、身を持ち崩すこと。仏教では、信仰心を失い俗悪な心を持つこと。『堕落論』は新潟市出身の作家、坂口安吾が戦後発表した評論。「生きよ、堕《お》ちよ」という逆説的な主張が関心を集めた。（つ）

2022年2月17日

堪

カン
た（える）

「堪忍」というように、本来の音読みはカンで、「堪能」（才能がすぐれていること）を「タンノウ」と読むのは慣用音。「十分である」意味の和語「た（足）んぬ」の音が変化し、それを漢字で「堪能」と当てた。（祇）

2022年2月18日

帯

タイ
お（びる）
おび

一《いち》衣《い》帯《たい》水《すい》は、一筋の帯のような細長い川。川や海峡を隔てて接近していることをいう。意味的には「一／衣帯水」だが、「一衣／帯水」と読むことが多い。一衣帯水の国との関係は良好でありたいものだ。（つ）

2022年2月19日

伎

キ
ギ
わざ

日本固有の演劇「歌舞伎」は、「変わった身なりや行動をする」意の動詞「かぶく」の名詞形に漢字を当てた書き方。女性が演じた「歌舞妓」をやがて男性だけで演じるようになって「妓」が「伎」に変わった。（祇）

2022年2月20日

各

カク
おのおの

ある講演会の会場で、椅子に「関係者各位様御席」と書かれていた。「各」は「それぞれ」、「位」は人を数える敬語だから「各位」ですでに尊敬表現になっており、それに「様」をつけると誤用になる。（祇）

2022年2月21日

宋

ソウ

「宋襄《そうじょう》の仁《じん》」は、行き過ぎた情けをかけてひどい目に遭うこと。春秋時代、宋の襄公が楚《そ》と戦った時、敵陣が整わないうちに攻めようという進言を「君子の取るべき道ではない」と退け、結局負けたという故事による。（つ）

2022年2月22日

嵩

シュウ
スウ
かさ
かさ（む）

「趣味が昂じて」は「高じて」とも書く。さらにかすむ、高くなるイメージから、「山」を乗せて「嵩じて」と書くことがけっこうある。「崇高」が混ざったわけでもない。日本人はえてして雰囲気を優先するのかもしれない。（之）

2022年2月23日

靆

タイ
たなび（く）

2022年2月24日

「靉靆《あいたい》」の形で、雲が湧き起こる様子や、雲が太陽を隠す様子を表す。この熟語は、転じて眼鏡をもいう。七十二候の「霞始靆」は、「かすみはじめてたなびく」と読み、2月24日ごろからの5日間を指す。（卍）

夕

セキ
ゆう
ゆうべ

2022年2月25日

三日月を描いた象形文字で、月の輝く夜のこと。後に夕方の意となり、夜の字が別に作られた。熟語では一朝一夕のように「セキ」と音読みするが、日本語の夕刊や夕礼の場合は、熟語でも訓読みすることが多い。（つ）

邪

ジャ
ヤ
よこしま

2022年2月26日

邪馬台国《やまたいこく》は中国の史書『三国志』に見える日本の古代国家名。「南のかたの邪馬台国に至る、女王の都する所」とあり、邪馬台は「やまと」の音訳とする説がある。位置も畿内説と北九州説に大別され、大論争となっている。（つ）

婦

フ

2022年2月27日

右側の「帚」はほうきを表すので、長い間、もともとは掃除をする女性を表すと解釈されてきた。しかし、最近では、神聖な場所を清める、神に仕える女性だと考える説が有力。これも時代の変化の一つである。（卍）

項

コウ

2022年2月28日

「うなじ」（首の後部）を指し、たくさんの人がぎっしりと並んで、前の人の首筋や背中しか見えないことを「項背《こうはい》相い望む」といったが、後に同音語の当て字に使われ、「項目」や「事項」の意味に使われた。（祇）

弥

ミ
ビ
や
いや

2022年3月1日

「諸橋大漢和」では、30ほどの意味を並べた上で、日本語独自の用法として「いや。や。いよいよ・ますますの意を表はす接頭語」と説く。「弥生《やよい》」は本来、「や・おい」で、植物が「ますます生える」という意味。（卍）

金

キン
コン
かね
かな

2022年3月2日

金《きん》は自然界に砂金として存在し、簡単に採取できる貴金属として早くから利用された。平安時代に唐に派遣された遣唐使や留学僧たちも、現地での滞在費と物品購入のために、国家から砂金を与えられていた。（祇）

耳

ジ
みみ

2022年3月3日

「牛耳を執る」は、実権を握って支配すること。「牛耳る」は「牛耳」を動詞化した語。名詞に「る」を付けて動詞を作るのは日本語の得意技で、「サボる」「メモる」「ググる」「告《こく》る」「拒否る」など、用例に事欠かない。（つ）

免

メン
まぬか(れる)

2022年3月4日

「諸橋大漢和」は昭和戦前に基礎部分が作られたが、それでも「免疫」も載っている。説明は「伝染病の伝染を免れること」。「免疫体」「免疫血清」という項目もある。当時から高い関心が寄せられていたのだろう。（卍）

昆

コン

2022年3月5日

中国の古い字書に「同じなり」とあって、なにかと同類であることをいう。自分と同類ということから「兄」を意味し、また種類が同じなら多数になることから「多い」意を表し、たくさんの虫を「昆虫」という。（祇）

巴

ハ
ともえ

2022年3月6日

漢字は表語文字であるが、「巴」は特別の意味を表すよりも、日本では巴里《パリ》のように音訳用として活躍している。「ともえ」は国訓で、武具の鞆《とも》に描かれた絵がこの字の形に似ている点から当てられたもの。（之）

擤

コウ
か(む)

2022年3月7日

鼻水を「かむ」は江戸時代から「擤む」と書く。手へんに鼻で送り仮名もあるので、初見で読める人がいる。「はなかむ」とも読むが、噛むではない「かむ」は鼻しかない。「擤鼻」は「こうび」と読む同義の熟語。（之）

姻

イン

女性の嫁ぎ先を意味し、そこから結婚による親戚関係を「姻戚」という。昔の中国では皇帝の娘婿はまず「駙馬都尉《ふばとい》」（皇帝外出時の伴走車を引く馬を管理する官職）に任じられ、そこから出世街道をかけあがった。（祇）

2022年3月8日

畠

ハタケ
ハタ

韓国で「白田」にも「畠」にも見える字が書かれた木簡が出土した。韓国では「水田」は早くに一字になっていたが、「畠」は確実な用例がまだ見つかっていない上、ハタケの意とは異なるとの見解もあり、新たな発見が待たれる。（之）

2022年3月9日

蜃

シン

蜃気楼は光線の屈折異常により、遠方の建物などが空中に映って見える現象。昔の人は蜃（大蛤《おおはまぐり》）の吐く息で起こると考えた。富山県魚津市でよく見られるが、県内でも新潟市や上越市柿崎区で出現したことがある。（つ）

2022年3月10日

覇

ハ

「諸橋大漢和」によれば「はたがしら」という意味。「特に文徳を主とせず、武徳を主とするもの」だともある。武力によって他を従えようとする「覇権主義」は必ずや反発を招き、いずれ破綻することになる。（卍）

2022年3月11日

堂

ドウ

「諸橋大漢和」によれば、昔、盛り土の上に築いた家のうち、南側の広々とした平土間の部分を「堂」と呼んだという。転じて広く高殿や建物を指す。お水取りで知られる東大寺の二月堂の「堂」は、そちらの意味。（卍）

2022年3月12日

兵

ヘイ
ヒョウ

刃物を表す「斤」と両手を表す「廾」を合わせた形が、変化したもの。刃物を両手で持つところから、武器や武器を持った人を表す。「兵は不祥の器」とは、武力は不幸しか生まないことを喝破した『老子』の名言。（卍）

2022年3月13日

懇

コン

「ねんごろ」と訓じ、真心をつくし細やかな気配りをすることをいう。「懇談会」や「懇親会」は穏やかに運営されるのが本来の姿だが、時には殺伐たる雰囲気になることもある。悲しい現実である。（祇）

2022年3月15日

団

ダン

団塊《だんかい》は物が集まってできた、かたまりのこと。戦後のベビーブーム時代に生まれた世代を「団塊の世代」と呼ぶのは、堺《さかい》屋《や》太《た》一《いち》の同名の小説に由来する。第二次ベビーブーム世代は「団塊ジュニア」と呼ばれる。（つ）

2022年3月16日

彁

（読みは不明）

パソコンやケータイの中に必ず入っている字でありながら、読みも意味も分からない「幽霊文字」。１９７８年に、ＪＩＳ漢字第２水準に「彊《きょう》」という字を採用した際、字体がかすれて混入してしまったものであろう。（之）

2022年3月17日

彼

ヒ
かれ
かの

現在では三人称の印象が強いが、〈イ・ぎょうにんべん〉には移動や場所を表すはたらきがあるので、離れた場所を指すのが本来の意味。「彼岸」はまさにその例で、仏教で、三途の川の向こう岸をいう。（卍）

2022年3月18日

演

エン

明治の自由民権運動で壮士たちが歌によって政治的主張を唱えることを、「演説」をもじって「演歌」と呼んだ。のち政治色がなくなって悲恋などを歌う芸能となり、また「艶歌」とも書かれるようになった。（祇）

2022年3月19日

燕

エン
つばめ

燕は常用漢字とされていないが、燕市に行けば常用されている。ツバメの象形文字。「つばくらめ」とも言い、平安時代末期の字書『類聚名義抄』には「䳲」のように変わった形も収められた。（之）

2022年3月20日

奥

オウ
おく

2022年3月21日

太陽が昇る東に向いて造られた家屋では、部屋の西南がもっとも奥まった場所となるので、古代中国ではそこを「奥」と呼んで位牌を置き、家長が位置した。「奥」を妻・夫人の意味に使うのは日本だけの用法。（祇）

泉

セン
いずみ

2022年3月22日

黄泉は地下の泉。また、地面の下にあって死者が行く所、よみ、よみじ。中国の五行思想では、「木《モク》火《カ》土《ド》金《ゴン》水《スイ》」の土に黄の色を配した。人が他界することを「泉下の客となる」という。客は旅人の意。（つ）

牀

ショウ

2022年3月23日

寝台と腰掛け兼用の家具の名。中国・唐の李白「静夜思《せいやし》」の「牀前月光を看る、疑《うたが》うらくは是《こ》れ地上の霜かと」は、牀の前に差し込む月光を、地面に降りた霜と錯覚したという情景。牀は土間に直接置いたことがわかる。（つ）

具

グ

2022年3月24日

下の「廾《きょう》」は両手で何かを持って、上方に捧げあげる形。上にある「目」の形は「鼎《かなえ》」（3本足の鍋）の省略形で、お祭りの場で神に供える料理を入れた鍋を捧げ持って、「そなえる」ことを表した。（祇）

球

キュウ
たま

2022年3月25日

正岡子規は野球を愛好し、野球について「春風や　まりを投げたき　草の原」など、多くの俳句を詠んでいる。子規は多くの雅号を使ったが、うちの一つに幼名「升《のぼる》」と野球をからめた「のぼーる（野球《ボール》）」がある。（祇）

伯

ハク

2022年3月26日

「伯爵」の場合は、5段階の爵位の3番目。「伯父」では、兄弟のうち最も年長の者。他にもいくつかの意味があるが、「諸橋大漢和」には「一芸に長ずる者の称」という意味が載っている。「画伯」がその例である。（卍）

鶯

オウ
うぐいす

2022年3月27日

正確にはコウライウグイスを指す。「諸橋大漢和」によれば、「普通のうぐひすよりも大きく、体は黄色」で「機を織るやうな声を出して鳴く」。その声が愛され、漢詩にもよく登場する。いわゆるウグイスとは別科の鳥。（卍）

貢

コウ
ク
みつ（ぐ）
みつ（ぎ）

2022年3月28日

貨幣に関する意味を表す「貝」と、発音を表す「工」からなり、貴重なものを届けること＝「みつぐ」意を表す。かつての東アジアでは、各国が中国の皇帝に使者を派遣して貢ぎ物を献上する外交方式を「朝貢」と呼んだ。（祇）

繭

ケン
まゆ

2022年3月29日

昭和21年の当用漢字に入らなかったので公文書で使えず、養蚕の盛んな地域から強い要望が出されて、昭和56年の常用漢字に収録された。だが産業構造が変わって、いま実際にまゆを目にすることはほとんどない。（祇）

締

テイ
し（まる）
し（める）

2022年3月30日

締めは飲食、特に宴会の終わり。また、その時に一同が手を打ち合わせること。中締めは本締めの前に、退席したい人への配慮として行うという。上越には宴会の締めに万歳の伝統があったが、健在だろうか。（つ）

完

カン

2022年3月31日

完全無欠で「まったい」こと。趙《ちょう》という国の宝物であった璧《へき》（円盤状で中央に穴がある美玉）を秦の昭王が奪おうとしたのを、使者が機転をきかせて無事に持ち帰った故事から「完璧《かんぺき》」ということばができた。（祇）

4章

2022年4月〜2023年3月

輩

ハイ
やから

「先輩」「後輩」のように使う漢字に、どうして「車」が付いているのか？「諸橋大漢和」には、戦いの時に「車百輛を一まとめに並べたもの」とある。車の集団から転じて、人間の集団も指すようになったらしい。（卍）

2022年4月1日

移

イ
うつ（る）
うつ（す）

もと「稲穂が風に吹かれて横へなびく」ことを表し、それで「禾」（穀物の総称）がついている。後に「うつる・変化する」意に使われ、社会的な習慣を変えて世の中をよくすることを「移風易俗《いふうえきぞく》」という。（祇）

2022年4月2日

雛

スウ
ひな

ひよこの意。雛鳳《すうほう》・鳳雛は、鳳《おおとり》のひなで、将来有望な若者のこと。日本では雛人形や、雛形のように模型の意にも用いる。雛祭りは女子の幸福を祈る行事。雪解けを待って4月3日に行う地方もある。（つ）

2022年4月3日

帰

キ
かえ（る）
かえ（す）

女性の結婚を祝う詩「桃夭《とうよう》」に「この子ゆき帰《とつ》がば、その室家に宜《よろ》しからん」とある。「帰」を「とつぐ」と訓じるのは「女は夫を以て家と為し、故に嫁ぐを帰という」と説明される。もちろん大昔の中国の話である。（祇）

2022年4月4日

颯

ソウ
サツ

昔の漢字音は「サフ」なので、変化して「ソウ」。熟語になると「颯爽」で「サッ」に変わる。子供の名前に使える字で、右側の「風」から「フウ」と読ませたり、左の「立」から「リュウ」と読ませたりする人もいる。（之）

2022年4月5日

駘

タイ

春風駘蕩《しゅんぷうたいとう》は春風がのどかに吹く様子。また、性格などがのんびりしている形容。中国・六朝時代の詩人謝朓《しゃちょう》は、「春物《しゅんぶつ》は方《まさ》に駘蕩たり」と春景色をうたった。冬の長い雪国では、雪融けと駘蕩たる春光が待ち遠しい。（つ）

2022年4月6日

算

サン

「竹」と「具」の変形で、竹棒をそろえて数えるの意。電算は電子計算機の略だが、その性能や用途を考えると、電脳と呼ぶのがふさわしい。小学校の算数セットには、今も竹ひごが入っているのだろうか。（つ）

2022年4月7日

𦬇

ボサツ

「菩薩」は画数が多いので唐の僧侶は書くときに草冠だけ二つ書いて済ませた。日本でもそれを真似てササボサツと名付けて多用し今に至る。仏教系の大学ではさらに上下をつなげ「𦬇」のように略記する学生まで現れた。（之）

2022年4月8日

東

トウ
ひがし

「日」が「木」の向こうから昇ってくる様子を表す、と説明されたのは昔の話。現在では、古代中国語で「両端を縛った袋」を表していた漢字が、発音の類似から当て字的に転用されたものだと考えられている。（卍）

2022年4月9日

浮

フ
う（く）
う（かれる）
う（かぶ）
う（かべる）、うわ（つく）

「諸橋大漢和」によれば、浮わつくことを表すのは中国語本来の用法だが、陽気になることを表すのは、日本語独自の用法。花が咲くと誰もが「浮き浮き」しがちなのは、いかにも日本的な情景なのかもしれない。（卍）

2022年4月10日

檬

モウ

レモンは「檸檬」と書く。多くが梶井基次郎の書名で知るという。梶井は読めない人がいるのではと出版前に心配した。自筆原稿では「⿰木孟」と書くなど間違えていた。檸檬を獰猛《どうもう》と混同していたからこそ爆発を予感したか。（之）

2022年4月12日

腸

チョウ
はらわた

断腸は、はらわたがちぎれるほどの悲しい思い。子猿を捕らえられた母猿が悶《もだ》え死にし、その腹を割いたところ、はらわたがずたずたに断ち切れていたという故事が『世説新語《せせつしんご》』にある。何とも残酷な話だ。（つ）

2022年4月13日

悲

ヒ
かな(しい)
かな(しむ)

2022年4月14日

部首〈心・こころ〉は、漢字の左側では〈忄・りっしんべん〉となる。「悱」は、うまく言葉にできない憤りを表す漢字。今、世界を覆っている悲しみは、言葉にできない憤りに裏打ちされているように思われる。（卍）

𪐷

くろ

2022年4月15日

「諸橋大漢和」にないが、評論家の吉本隆明はこの字を原稿に何度も書いた。玄も黒の意だが、「黝《くろ》」と混じて作ったか。作品が国語教科書に載ったため、JIS漢字の委員会で拾い上げられJIS第4水準に採用されている。（之）

散

サン
ち(る)
ち(らす)
ち(らかす)
ち(らかる)

2022年4月16日

理髪を散髪と言うことがある。髪を整えるのに散らすは変だが、明治の初め、髷《まげ》を落とし、ざんぎりにする散髪が流行した名残という。美容院でカットする若者は、散髪とは言わないだろう。（つ）

復

フク

2022年4月17日

2022年の4月17日の日曜日は復活祭。キリスト教でイエスの復活を祝う日だが、「諸橋大漢和」によれば、「復」には魂を呼び返すという意味がある。古代中国の風習で、高台に登って布を掲げ、魂を招くのだという。（卍）

稗

ひえ

2022年4月18日

県内の小千谷市にある地名の稗生《ひう》は、古くに「日生」から改められたという伝承がある。この「稗」という字は「諸橋大漢和」になかったが、中国でも「稗」にくさかんむりを加えた異体字として存在していたようだ。（之）

豎

ジュ

2022年4月19日

豎子は子ども、小僧、青二才の意。二豎は、病魔、病気のたとえ。中国・春秋時代、晋《しん》の景公が病んだ時、二人の豎子となった病魔が、膏肓《こうこう》(治療の及ばない心臓と横隔膜の間)に隠れたという故事による(『左伝』)。（つ）

2022年4月20日

枕

チン
まくら

「諸橋大漢和」によれば、「頭の横骨」という意味もある。具体的にどの骨を指すのかは不明だが、頭に「枕」が内蔵されているとは驚きだ。もしその「枕」で眠ったら、どんな春の夜の夢が見られるのだろうか。（卍）

2022年4月21日

己

コ
キ
おのれ
つちのと

字形が似た漢字を区別するために、昔は「已《すでに》・巳《み》」と「己《おのれ》」について、「巳《み》は上に、已《すで》に已《や》む已《のみ》中ほどに、己己《おのれつちのと》下につくなり」と縦線の始点を教えられたが、昔の中国の印刷物では区別されないことも多い。（祇）

2022年4月22日

宸

シン

天子の住まいの意。また、宸筆（天子の自筆）のように、天子に関する語に添えて用いる。宸翰《しんかん》は天子自筆の文書。宸襟《しんきん》は天子の心。宸遊《しんゆう》は天子のお出ましの意だが、今では行幸と言わないと通じにくい。（つ）

2022年4月23日

汽

キ

北海道のサロマ湖や島根県の宍道湖のように海水と淡水が入り混じった湖を日本語では「汽水湖」というが、「汽」はもともと水蒸気のことで、ガスとの連想から中国ではソーダ水を「汽水」という。（祇）

2022年4月24日

釈

シャク
セキ
と（く）
ゆる（す）

釈奠《せきてん》は釈も奠も「供物を置く」の意。古代中国に始まる行事で、後漢以降は孔子《こうし》やその高弟らを祭る大典に特化した。東京の湯島聖堂では、毎年4月に酒・鯉・野菜などを供え、孔子祭として釈奠が行われている。（つ）

2022年4月25日

依

イ
エ

誰かをあてにして頼ることを漢文で「依怙《いこ》」といったが、それを日本では「一方だけに肩入れする」意味に使い、「大きな力を出す」意味の「ひいき」と組み合わせて、「依怙贔屓《えこひいき》」ということばが生まれた。（祇）

臣

シン
ジン

2022年4月26日

家来の意。君主に対する家来の自称や、自分を謙遜して言う語にも用い、漢文訓読では「シン」と音読みする。中国の科挙の最終段階、殿試《でんし》では、答案を「臣対臣聞」で始め、「臣謹対」で結ぶのが通例だった。（つ）

胸

キョウ
むね
むな

2022年4月27日

古代中国では死者の胸に「×」形の模様を彫りこんだ。「不吉」を意味する「凶」がその形を表しており、それを横から見た形の「匈」に「月」〈月・にくづき〉をつけて、「胸」という漢字が作られた。（祇）

芽

ガ
め

2022年4月28日

古代エジプトでは大麦を発芽させた「麦芽」からパンを作ったが、余ったパンが硬くなるので水に浸しておくと、やがて醗酵してアルコール飲料となった。こうしてビールが造られるようになったという。（祇）

右

ウ
ユウ
みぎ

2022年4月29日

膳に載せられた和食で手前左に米飯、右に汁物を配置するのは、日本の伝統では左が上位、右が下位とされることを踏えている。食事では米飯が主、汁物が従なので、そのように置かれるようになった。（祇）

羊

ヨウ
ひつじ

2022年4月30日

ヒツジの頭を描いた絵から生まれた漢字。斜め上に突き出た二つの短い線は、ヒツジの角のなれの果て。このように、絵から漢字を生み出す方法を象形《しょうけい》という。暖かくなってくると、ヒツジも毛刈りの季節である。（卍）

壱

イチ

2022年5月1日

不正な書き換えを防ぐため、法的文書や領収書では漢数字を一・二・三でなく壱・弐・参と書く。この書き方を「大字」といい、四からあと肆・伍・陸・漆・捌・玖・拾と続き、さらに佰・仟・萬が使われる。（祇）

克

コク
か（つ）
すぐる

重さの単位グラムを中国では「克」で表し、100グラム入り茶葉の包装には「100克」と書かれる。グラムの音訳表記「克蘭姆」に由来し、日本ではそれを「瓦蘭姆」と書いたことから、グラムを「瓦」で表す。（祇）

2022年5月2日

恩

オン

古代中国の思想書『韓非子《かんぴし》』（外儲《がいちょ》説《ぜい》右上）に「貧窮を振《す》いて孤と寡を恤《あわ》れみ、恩恵を行いて不足に給《たま》えば、民まさに君に帰せんとす」とある。政権の座にある人にしっかり記憶していただきたい言葉である。（祇）

2022年5月3日

畔

ハン

「諸橋大漢和」で最初に「あぜ」と解説しているように、田畑の境界を表す。「湖畔」のように水辺を指して使うのは、そこから転じたもの。田植えの時期、田んぼに水が張られると、あぜ道は水辺に早変わりする。（卍）

2022年5月4日

粽

ソウ
ちまき

「諸橋大漢和」では、中国の古い書物を引用して、5月5日にちまきを食べるいわれを説明している。この日に入水自殺した詩人、屈原《くつげん》の霊をなぐさめるため、米を竹筒に入れて水に投げ入れたのが始まりだという。（卍）

2022年5月5日

樋

とい
ひ

中国ではトウと読む正体不明の木の名を表す。日本では奈良時代から木でできた水の道ということでトイ（トヒ、ヒ）の意で使われてきた。江戸時代には鉱山でこれを応用し、鉱床、鉱脈のことを「⿰金通《ひ》」と書いている。（之）

2022年5月6日

対

タイ
ツイ
む（かう）

対句法は、意味や調子の類似した二句を並べて配置する表現技法。「良薬は口に苦し」は、「忠言（真心からいさめる言葉）は耳に逆らう」と対をなす。格言で対句の一方を示し、他方を暗示するものは少なくない。（つ）

2022年5月7日

孝

コウ
キョウ
たか
たかし

2022年5月8日

「老」の省略形と「子」を組み合わせた形から、年老いた両親を大切にする子の意を表した。儒教では「孝」が何よりも重要な徳とされ、後世への模範となる孝行の人物を集めた『二十四孝』という書物などが作られた。（祇）

韓

カン

2022年5月10日

古代中国にあった国名を表したが、今は韓国を表すためだけに使われる。「韓国」の名は1世紀から5世紀にかけて朝鮮半島南部にあった「三韓」に由来し、１９４８年に国号が「大韓民国」と決定された。（祇）

慕

ボ
した（う）

2022年5月11日

〈⺗・したごころ〉は部首の一つ。「心」が漢字の下側に置かれた時に、この形になることがある。その証拠に、「諸橋大漢和」には「莫」の下に「心」を書く漢字も、「慕」の古い形の字として載っている。（卍）

鉛

エン
なまり

2022年5月12日

江戸時代の「鉛白粉」という白粉《おしろい》は、価格も手ごろで、のびがよいことから人気があった。しかし鉛は有毒で、大奥に仕えた乳母が首から胸にかけて鉛白を厚く塗ったので、大奥では多くの乳児が鉛中毒にかかったという。（祇）

嘯

ショウ
うそぶ（く）

2022年5月13日

「嘯《うそぶ》く」は空気を胸一杯に吸い、口をすぼめて吐き出す養生法。また、声を長く引いて詩を吟じること。日本語では「恍《とぼ》ける、豪語する」の意も。「嘘ぶく」と書いたり、「嘘をつく」の意で使ったりするのは誤り。（つ）

痕

コン
あと

2022年5月14日

「あばた」を漢字では「痘痕」と書き、本来は天然痘が治ったあと、顔に残る発疹のあと。のち一般的に吹き出物のあとを意味するが、笑った時にできる頰のくぼみである「えくぼ」と見まちがうことはまずあり得ない。（祇）

友

ユウ
とも

2022年5月15日

古代文字では「又」を二つ重ねた形。「又」は、元は簡単に描いた右手の絵。手を重ねるところから、助け合う間柄を表す。対立するよりは助け合う方が生産的だが、人類はその簡単なことがなかなかできない。（卍）

蘤

イ
ハ
カ
はな

2022年5月16日

「諸橋大漢和」の字訓索引の「はな」の項には、26もの漢字が挙がっている。が、その中で画数が最も多いもの。意味としては「花」「花が咲く」。字形に「白」を含むからには、明るい花のイメージだろうか。（卍）

岑

シン
みね

2022年5月17日

高く突き出た小さな山の意。僧良寛が漢詩「翠岑《すいしん》を下る」で詠じたのは、薪《まき》を背負い翠《みどり》一色の小高い山を下る杣人《そまびと》の様子。そこには国上山《くがみやま》の五合庵で長く隠遁《いんとん》生活を送った良寛自身の姿が重なる。（つ）

⿰車自

じてんしゃ

2022年5月18日

県内に自転車の3字をまとめてこの1字で書く自転車店がある。明治期から受け継がれてきた字である。大正期には「東京毎夕新聞」で創作漢字の懸賞募集があり、「⿰車夸」（跨《また》ぐ車）が選ばれ、都内の琺瑯《ほうろう》看板で見掛けた。（之）

酬

シュウ
むく（いる）

2022年5月19日

応酬は答える、やり返す、返信するなどの意で、「酒席での杯のやりとり」は日本語独自の意味。酬酢《しゅうさく》は宴席で酒を勧め合うことだが、「酢」の字を見ると、なんだか口の中が酸っぱくなりそうだ。（つ）

⿱山葵

わさび

2022年5月20日

「山葵」をワサビと読むのは熟字訓。その2字の合字で、中世の辞書や日記に見られる。山は冠になりやすく、一つの単語なので合字にしやすかった。長岡市などの地名の「山葵谷《だに》」も「⿱山葵谷」と書くことがあった。（之）

簓

シン
ささら

2022年5月21日

「諸橋大漢和」の字訓索引には、「ささら」と読む漢字が八つ並んでいる。そのほとんどは掃除に使う道具だが、これは楽器。東京・浅草の三社祭では、この楽器を鳴らしながら踊る「びんざさら舞」が奉納される。（卍）

翠

スイ
みどり

2022年5月22日

翡翠《ひすい》は水辺に住むカワセミという小鳥。オスを翡、メスを翠という。またカワセミの背の色から、濃い緑色の光沢を有する石の名。翡翠の硬玉は、日本では糸魚川市の小滝川や青海川流域などで産出する。（つ）

呪

ジュ
のろ（う）

2022年5月23日

「口」と「祝《シュウ》」の省略形「兄」で、いのる、のろう、まじなうの意。「祝」は幸運を、「呪」は不幸を祈る場合に分けて用いる。「咒」は「口」の配置を変えた異体字。意味は同じなのに、より不吉に見えるのは気のせいか。（つ）

堺

カイ
さかい

2022年5月24日

江戸時代には、境目を意味する「さかい」は「堺」、「界」は「世界」などカイという音読みで文書などに使うことが多かった。前者の意のときは「境」とも書き、次第に「境」が一般化して、「堺」は名字や地名として残った。（之）

皐

コウ

2022年5月25日

「諸橋大漢和」では「皋」を正式な形とし、「さは」（沢）や「水田」「きし」（岸）など山地や田園の水辺にまつわる意味を載せる。5月を「皐月《さつき》」と書き表すのは、水辺がまぶしい季節にいかにもふさわしい。（卍）

妛

あけび

2022年5月26日

平安時代からアケビと読まれた「山女」は、中世に合わさって「妛」とも書かれた。江戸時代には今の滋賀県で「妛原《あけんばら》」という地名に使われたが、１９７８年にＪＩＳ漢字に採用する際に「妛」と間違って採用された。（之）

⿰夏鳥

カ
ゲ

2022年5月27日

中国の古い辞書に断片的な記載があるだけなので、「諸橋大漢和」では音読みのみを載せ、意味は未詳となっている。ただ、どこかの誰かが「ほととぎす」を表す漢字として使っていても、不思議ではない。（卍）

澄

チョウ
す（む）

2022年5月28日

「すみません」は漢字で書くと「済みません」が普通。しかし柳田國男は「澄みません」と当て、落ち着かないの意だとする。どちらも「平然としていられない」という気持ちを表す点は同じだ。（つ）

登

トウ
ト
のぼ（る）

2022年5月29日

部首〈癶・はつがしら〉は、左右の足を並べて描いた形。足を踏ん張って行う動作を表す。新緑の季節に「山登り」に出掛けるのは、足腰のためにもなる。ただし、くれぐれも安全には最大限の配慮を。（卍）

員

イン

2022年5月30日

詩聖杜甫の人生は流転の連続だったが、50歳直前に成都で「工部員外郎《こうぶいんがいろう》」（土木系の定員外職員）という官職を得て、安定した時期を過ごした。その官職名から彼の詩集が『杜工部集』と名づけられた。（祇）

越

エツ
こ（す）
こ（える）

2022年5月31日

1965年に湖北省の墓から長さ約56センチの銅剣が発見され、その鍔《つば》近くに装飾的な字体で「越王勾践《えつおうこうせん》自作用剣」と記されていた。「臥薪嘗胆《がしんしょうたん》」の故事で知られる越王勾践が作らせた剣だった。（祇）

珠

シュ
たま

2022年6月1日

「たま」は宝飾品となる丸い石のこと。珠は貝の体内にできる真珠の類。玉《ぎょく》は鉱物で、翡翠《ひすい》などの美しい石。その加工品に、璧《へき》（環状で中央に穴がある）や玦《けつ》（環状で一部が欠けている）、圭《けい》（角があるもの）などがある。（つ）

平

ヘイ
ビョウ
たい(ら)
ひら

2022年6月2日

「諸橋大漢和」では3番目の意味として「たひらぐ」を挙げ、その中を「征伐する」「なかなほりをする」に分けている。21世紀の時代に征伐は似合わないが、早く仲直りをして「平和」を取り戻してほしい。(卍)

綴

テツ
つづ(る)
と(じる)

2022年6月3日

破鍋《われなべ》に綴《と》じ蓋《ぶた》は、壊れた鍋には修理した蓋が似つかわしいように、どんな人にもふさわしい配偶者がいるということ。自分や身内を謙遜して言うのはよいが、結婚披露宴の祝辞に使うと舌禍を招く。(つ)

玩

ガン
もてあそ(ぶ)

2022年6月4日

人の心が理解できるという犬を献上された王が、珍獣に夢中になって国政をおろそかにしないようにと賢臣が「人を玩《もてあそ》べば徳を喪《うしな》い、物を玩べば志を喪ふ」と諫《いさ》め、この故事から「玩物喪志《がんぶつそうし》」という言葉ができた。(祇)

埼

キ
さき
さい

2022年6月5日

岸の湾曲部の意。日本では岬、山の鼻の意も。埼玉県の埼は「さき」の音便。JRの路線名は信越線、上越線のように二つの地名を音読みしたものが多いのに対して、埼京《さいきょう》線は訓音混在で、やや据わりが悪い。(つ)

幣

ヘイ

2022年6月6日

「諸橋大漢和」では「ぜに。かね」と説明していて、部首〈巾・はば〉を〈貝・かい〉に置き換えた同じ意味の漢字もあるという。〈巾〉は布を表す部首だから、昔、布をお金として使った名残なのだろう。(卍)

救

きゅう
すく(う)

2022年6月7日

自然災害による飢饉《ききん》や戦争などによって食料が不足した時に、間に合わせとして利用されるものを救荒作物という。今では普通に食べられるジャガイモやサツマイモ、サトイモも、かつては救荒作物だった。(祇)

騰

トウ

2022年6月8日

部首は〈月・にくづき〉ではなく〈馬・うま〉。ウマが跳ねるように勢いよく上がることを表す。ウクライナ危機の影響もあって「物価騰貴」の今日このごろ。なんとか工夫して節約して乗り切りたい。（卍）

詠

エイ
よ（む）

2022年6月9日

古代中国の寺では僧が釈迦や高徳の僧をたたえた「梵讃《ぼんさん》」や「漢讃《かんさん》」を朗唱し、日本でもそれにならって「和讃《わさん》」が作られた。この和讃に節をつけて、寺院を巡礼する者が歌ったのが「御詠歌」の起源である。（祇）

計

ケイ
はか（る）
はか（らう）

2022年6月10日

儒学の経典である『礼記《らいき》』の「内則《だいそく》」に、子どもが10歳になったら寄宿制の学校に入れて「書計」を学ばせよ、とある。書は漢字をめぐる原則、計は各種の計算法で、うちの一つに「方程」がある。（祇）

趨

スウ
シュウ
はし（る）

2022年6月11日

貴人や年長者の前を通る時に、小股で足早に歩くこと。中国の春秋時代、孔子の息子の鯉《り》が、庭先にいた父親の前を小走りに過ぎる際、詩や礼を学べと諭された故事から、「趨庭」や「庭訓《ていきん》」の語ができた。（つ）

腐

フ
くさ（る）
くさ（れる）
くさ（らす）

2022年6月12日

熟語を集めてみると、「腐乱」「腐臭」はもちろん、ありふれていることを意味する「陳腐」も含めて、悪い意味のものばかりが目立つ。唯一の例外は「腐心」で、うまくいくように考え抜くことを表す。（卍）

鬱

ウツ

2022年6月14日

林の中で醸《かも》した酒の香りが周囲にたちこめることから、「たくさん集まる」意を表す。草木が「鬱蒼《うっそう》としげる」というのが本来の使い方で、のち「心がふさがる」ことをも表すようになった。（祇）

雬

フウ
フ

2022年6月15日

「諸橋大漢和」によれば、霧を表すほか、「あめがやまない」という意味もあるという。字の形からすると不思議な意味で、本当は「雨」「不」の下に「止」が隠れているのではないかと、疑いたくなってくる。（卍）

⿰生姜

しょうが

2022年6月16日

戦国時代に、曲直瀬《まなせ》流の漢方医が漢方薬の名前を一字だけで表現するように工夫し始めた。一字銘などと呼ばれ、部外者には暗号のように働く。葛根は「葛」だが、生姜は「姜」「薑」のほか二字を合わせてこう書かれた。（之）

警

ケイ

2022年6月17日

「夜警」と呼ばれるレンブラントの名画があるが、それは茶色く変色した画面を夜の光景と誤解して与えられたタイトルで、実際には火縄銃を手にした市民自警団が出動しようとする昼間の光景を描いている。（祇）

丘

キュウ
おか

2022年6月18日

紀元前552年に山東省昌平郷《しょうへいきょう》に生まれたある男子は、頭頂がへこみ周囲がもりあがっていたので「丘」と名づけられた。後に聖人とされて孔子と呼ばれるが、その実名はきわめて安易な方法で命名されたのだった。（祇）

父

フ
ちち

2022年6月19日

「諸橋大漢和」によれば、「又（右手）」と「｜（むち）」を合わせた形が変化したもの。「家長たる父が手にむちを持って家人を率い教える」ことなのだとか。今と懸け離れた父親像を背負わされた先人に同情さえする。（卍）

息

ソク
いき

2022年6月20日

息子は「産《む》す子」の意で、親から見て男の子どものこと。娘（産す女《め》）と対をなす。ご子息や令息、坊っちゃんなどは、相手に敬意を表す表現。逆にへりくだっていう場合は、愚息、豚児、倅《せがれ》などという。（つ）

囲

イ
かこ(む)
かこ(う)
かこ(い)
かこ(み)

2022年6月21日

囲碁は古代中国ではじまった遊戯で、前漢第6代皇帝景帝(紀元前141年没)の墓「陽陵」から陶器製の碁盤が発見されているが、かなり粗雑に作られているので、墓守たちが遊んだものと考えられている。(祇)

淫

イン
みだ(ら)

2022年6月22日

「川が増水してあふれる」ことを表し、それでさんずいがついている。大水の意から「はなはだしい・度を過ごしている」の意味に使われ、さらに「みだら・男女関係が不純である」意味に使われるようになった。(祇)

民

ミン
たみ

2022年6月23日

「諸橋大漢和」によれば、「片目を針でさした形」から生まれた漢字で、「奴隷・被支配民族など」を表すのがもともとの意味。漢字とは、「民主主義」の現代とはあまりにも異なる時代に生まれたものなのである。(卍)

賛

サン

2022年6月24日

「賛」は絵に書き加える詩文。ふつうは別の人が書くので、「自画自賛」は自分で自分をほめること。「間違いなく旨《うま》い」と自社商品を宣伝する会社もあるから、日本人の謙譲の美徳も過去のものになったようだ。(つ)

繍

シュウ

2022年6月25日

「諸橋大漢和」では「ぬいとり」「えぎぬ」と説明しているが、要するに「刺《し》繍《しゅう》」のこと。中国語ではアジサイを「繍球《シウチウ》」という。この植物を「紫陽花」と書き表すのは、日本語独自の用法である。(卍)

采

サイ

2022年6月26日

「風采が上がらない」は外見上の風格に乏しいことで、見た目や人品のぱっとしない人に対して使う。風も采も、姿や形の意。風体、風貌、風姿も意味が近いが、上がらないのは風采に限るようだ。(つ)

凰

オウ

鳳凰《ほうおう》は古く「鳳皇」と書いた。鳳がオス、皇がメスを指す。鳳は「凡」の中に「鳥」を入れた形で、中に「虫」を入れれば「風」となる。鳳皇ではバランスが悪いため、2字目にも「几」を被《かぶ》せて「凰」という新字を作り一体化した。（之）

2022年6月27日

情

ジョウ
ゼイ
なさ（け）

「情けは人のためならず」は、情けをかけると相手のためにならないではなく、自分にもよい報いがあるから情けをかけよということ。仏教語の「因果応報」は、悪い報いがあるの意で多く使う。（つ）

2022年6月28日

倭

ワ
やまと

古代に中国の東方を指し、日本の中国名となった。奈良時代には、柔順、背が低いという意味やイメージを嫌ったのか、日本で同音の「和」を当てた。「倭」と「和」を統一せず、使い続けてきた点も日本らしい。（之）

2022年6月29日

損

ソン
そこ（なう）
そこ（ねる）

損者三友は『論語』から出た語。便辟《べんぺき》（体裁は良いが正直でない人）、善柔《ぜんじゅう》（他人に媚び誠実さのない人）、便佞《べんねい》（口先ばかりで誠意に欠ける人）は、交際するとかえって損になるという。益者三友（直《ちょく》、諒《りょう》、多聞《たぶん》）の対。（つ）

2022年6月30日

論

ロン
あげつら（う）

「あげつら（う）」は、いろいろと論じること。この漢字にぴったりの訓読みで、平安時代の辞書にも載っている。当時は「あらそふ」「ことわる」「はかりごと」といったことばで意味を説明することもあった。（卍）

2022年7月1日

虐

ギャク
しいた（げる）

幼児や老人虐待のニュースには胸が締めつけられる。「虐」は「虍」（とらかんむり）の下に「爪」の変形を配した字で、虎がツメで動物を傷めつける意を表すが、虐待犯は動物以下の鬼畜だと思う。（祇）

2022年7月2日

規

キ

2022年7月3日

円を描くコンパスを日本語では「ぶんまわし」といい、漢字で「円規」と書く。「規」の左側はコンパスの象形で（「夫」はそれが変わった形）、「きれいに描かれた円」から「手本・決まり」の意を表す。（祇）

哲

テツ

2022年7月4日

意味を説明するのが難しい漢字。名前で「さとし」と読むことがあるように、頭の働きがいいこと。「明哲」「哲学」などから考えると、じっくり考えないと分からないことが分かるような頭の働きをいうのだろう。（卍）

余

ヨ
あま（る）
あま（す）

2022年7月5日

元々は、「余の辞書に不可能という文字はない」のように、昔の偉い人が自分を指した一人称。「あまる」の場合は「餘」と書くのが正式だったが、当用漢字の制定以後、簡単な「余」が公に使われるようになった。（卍）

峡

キョウ

2022年7月6日

李白「早発白帝城」の一節に「両岸の猿声《えんせい》啼《な》いて住《や》まざるに、軽舟《けいしゅう》すでに過ぐ万重の山」とある。激流を跳ぶように走る舟を描写したこの名句は、名勝「三峡」で上流にある「瞿塘峡《くとうきょう》」の光景とされる。（祇）

仰

ギョウ
コウ
あお（ぐ）
おお（せ）

2022年7月7日

「上を向く・見上げる」ことで、困難や面倒なことに出あい、空をあおいでため息をつくことを「仰天嘆息」というが、ここに「驚く」意味はなく、「びっくり仰天」というのは日本だけの使い方。（祇）

日

ニチ
ジツ
ひ
か

2022年7月8日

「日日」は意外と読みにくい熟語。音読みで「にちにち」、訓読みで「ひび」と読めるほか、「ひにち」と読むこともできる。1文字目を訓読みで、2文字目を音読みで読む、いわゆる「湯桶《ゆとう》読み」である。（卍）

黙

モク
だま(る)

旧字体では「默」と書き、「黒(黑)」と「犬」を組み合わせて、犬が鳴き声をあげないことを表す。そのため、部首は〈灬・れんが〉ではなく、「諸橋大漢和」をはじめ〈黒(黑)・くろ〉としている辞書が多い。（卍）

2022年7月9日

票

ヒョウ

「諸橋大漢和」で太字にしてある意味は、「火がとぶ」「ゆれ動くさま」「はやい」「軽くあがるさま」「ふだ」。選挙の「票」は、「ふだ」の一種。民意は揺れ動くものだが、火の粉が飛ぶような勢いを示すこともある。（卍）

2022年7月10日

舎

シャ
す(てる)

用舎行蔵(用行舎蔵)は、用いられれば世に出てできることを行い、見捨てられれば世間から隠れて生活するということ(『論語』)。舎は捨の意。老境に入ったら、出処進退を誤って晩節を汚すことは避けたい。（つ）

2022年7月11日

傑

ケツ

「人」と「桀」(大きい)を組み合わせて偉人を表し、ひいて「優れている」意に用いる。文学や絵画などの名品を「傑作」というが、日本ではそれを「けっさくな話」などと、「滑稽」の意味に使うこともある。（祇）

2022年7月12日

氾

ハン

「諸橋大漢和」では、「ひろがる」「はびこる」といった意味のほかに、「ひろい」「あまねし」などの意味も載せる。前者の例は、もちろん「氾濫」。後者の意味は、現在では「汎」で表される方がふつうである。（卍）

2022年7月13日

錘

スイ
つむ

常用漢字表の改定の時に、使用頻度が下がったとして削除された。確かに「つむ」という名詞はあまり使わず、「紡錘《ぼうすい》」という熟語も一般的ではない。法務省は、これまで使えたのだからとこの字を人名用漢字に残した。（之）

2022年7月14日

妻

サイ
つま

2022年7月15日

自分の妻を「うちの奥さん」と呼ぶ人がいるが、古い世代は違和感を覚える。細君《さいくん》、愚妻《ぐさい》、山妻《さんさい》、荊妻《けいさい》、寡妻《かさい》、拙妻《せっさい》などは、どれも妻を見下した言い方で現代的でないとすれば、家人はどうだろうか。（つ）

芸

ゲイ

2022年7月16日

もと「草を刈る」意だが、いまは「藝」の新字体として使われる。奈良時代に石上宅嗣《いそのかみのやかつぐ》が設けた日本最古の図書館「芸亭」は「うんてい」と読み、防虫のために床に香草を敷きつめたことからの命名。（祇）

薗

エン
その

2022年7月17日

「園」と同じ。祇園《ぎおん》精舎も『平家物語』の古い写本では「祇薗精舎」と書かれていた。鹿児島で名字に多用され、「〜ゾン」とも読まれる。多用される地域では中の「袁」を書かずに済ませ、さらに草冠に「○」と書かれる。（之）

盟

メイ

2022年7月18日

「諸橋大漢和」によれば、「犠牲を殺して血をすすり」約束に「いつはりなきを誓約する」という意味。現代の国際政治ではそんな仰々しいことはしないが、「同盟」を結んだ国々は結束して事に当たってほしいものだ。（卍）

近

キン
ちか（い）

2022年7月19日

時間や距離が離れていないことから、自分のまわりにある人や物を「身近」といい、身近なことを考えるのを「近思《きんし》」といった。江戸時代の武士たちには朱子学の入門書『近思録』が必読書とされていた。（祇）

南

ナン
ナ
みなみ

2022年7月20日

昔、中国の南方に住んでいた少数民族が使っていた鐘の絵から生まれた、とする説が有力。ほかにはあまりない独特の形をした漢字なので、漢和辞典では部首を便宜的に〈十・じゅう〉とするのがふつうである。（卍）

渦

カ
うず

2022年7月21日

ラーメン丼の上端に描かれる渦巻き模様は古代の装飾「雷文《らいもん》」に由来し、稲光が渦を巻いて回転する形を表している。「雷」の下にある「田」も同じで、雷の閃光で宇宙の気が回転するさまを表す。（祇）

笞

チ
むち
むち（うつ）

2022年7月22日

罰として人を打つ時に使う竹のむちのこと。昔はおしおきにも使った。中国・漢代の伯瑜《はくゆ》という人が、母に笞で打たれた時、以前より痛みが少なかったために、母が年老いたことを悟り泣いたという話が「説苑《ぜいえん》」にある。（つ）

用

ヨウ
もち（いる）

2022年7月23日

これ自身が部首。「諸橋大漢和」の巻7、部首〈用・よう〉のところには20の漢字が挙げられているが、その中で「用」以外で現在でもそれなりに使われているものは、名前で見かける「甫」くらいしかない。（卍）

崖

ガイ
がけ

2022年7月24日

京都清水寺の「舞台」（本堂）は崖にへばりつくように建てられているが、江戸時代の画家鈴木春信に「清水舞台より飛ぶ女」という浮世絵があり、その時代には舞台から飛び降りる人が実際にいたらしい。（祇）

怨

エン
オン

2022年7月26日

「うらめしく思う」ことから「はげしく憎む」意味を表す。『孟子』（梁恵王下）は年ごろになっても未結婚の男を「曠夫《こうふ》」（曠は「むなしい」）、女を「怨女」という。現代なら大問題になる言い方である。（祇）

坦

タン
たい（ら）

2022年7月27日

虚心坦懐《きょしんたんかい》は、心にわだかまりがなく、気持ちが広く平らなこと。ある大臣の「野党の話は、政府は何一つ聞かない」という参院選期間中の発言は、総理が売り物にする「聞く力」を全面的に否定するものだ。（つ）

溽

ジョク
むしあつ（い）

湿気が多いことや、味が濃いことを表す。「溽暑《じょくしょ》」という熟語で使われることが多いので、1文字で「むしあつ（い）」と訓読みして使うこともある。今年の夏は特に蒸し暑いので、くれぐれもご自愛を。（卍）

2022年7月28日

伝

デン
つた（わる）
つた（える）
つた（う）

駅で伝言板という黒板を見かけなくなったのは、いつ頃だろうか。携帯電話の普及により、用途を失ったようだ。暗号めいた言伝《ことづて》や、待ち人来たらずの恨み言を読んで、想像をたくましくしたものだ。（つ）

2022年7月29日

狐

コ
きつね

狐をキツネと読むのは和語なので訓読み。では音読みは？「狐狸《こり》」など熟語を思い浮かべれば「コ」だと分かる。「孤独」のコとも似ている。学生に尋ねたら「コン」、鳴き声だ。さらに「ゴン」、ごんぎつねからだった。（之）

2022年7月30日

詮

セン

説き明かす（詮釈）、選ぶ（詮考）の意。日本語では、効果（詮無い）、つきつめる（詮ずる所）などの意でも使う。「詮方《せんかた》無い（しかたがない、無益だ）」は「為《せ》ん方無い」の当て字。「詮考（銓考）」は「選考」に書き換える。（つ）

2022年7月31日

ノ

ヘツ

カタカナの「ノ」ではなく、れっきとした漢字で、右から左へ曲がることを表す。戦国時代の茶人にノ貫（へちかん、べちかん）がいた。逆に曲がる「乀」はフツ。「ノ乀（へつふつ）」で舟などが左右に揺れる様を表す。（之）

2022年8月1日

困

コン
こま（る）

中国からの留学生がぼんやりしているので、友人（日本人）がわけを尋ねたら、メモに「困」と書いた。何があったんだと心配したら、やがて彼は「ねむい」とつぶやいた。「困」は「睏」の簡体字で、「ねむい」ことをいう。（祇）

2022年8月2日

罰

バツ
バチ

2022年8月3日

「ばちが当たる」の「ばち」は、「罰」の音読みの一種。主に神や仏が人間をこらしめるために与える「罰」を指すことばとして使われる。とはいえ、「天罰」「仏罰」などの熟語では「ばつ」と読むので注意。（卍）

寸

スン

2022年8月4日

手首に親指をあて、脈拍をはかる意。また、長さの単位として一尺の十分の一。寸陰、寸暇、寸鉄、寸評の「寸」は、わずかな、短いの意。寸志は自分の贈り物を謙遜《けんそん》していう語。受け取った側は芳志《ほうし》と読み替える。（つ）

閲

エツ

2022年8月5日

宮殿の門に戦車や軍馬を勢揃《せいぞろ》いさせ、その数を数えることをいい、だから「門」がついている。整列した軍隊の前を元首や司令官が視察しながら通ることから「観察する」、また「通り過ぎる」意を表す。（祇）

陥

カン
おちい（る）
おとしい（れる）

2022年8月6日

古くは「陷」と書き、常用漢字の右側は省略形。「阝」（こざと、階段）と「臽」（人が穴に落ちる形）からなり、「高い所から落ちる」意から、ひいて「しずむ」、また「まちがう・あやまつ」ことをいう。（祇）

媛

エン

2022年8月7日

今は「愛媛県」や「才媛《さいえん》」（学問や詩歌などに優れた能力をもつ女性）くらいにしか使われないが、漱石の『草枕』に「暮れんとする春の色の嬋媛《せんえん》として」という用例があって「あでやかで美しい」ことをいう。（祇）

将

ショウ

2022年8月9日

「王侯将相《おうこうしょうしょう》、寧《いず》くんぞ種《しゅ》有《あ》らんや」は、中国・秦《しん》代の陳勝《ちんしょう》が秦討伐の兵を挙げた時の壮語。帝王や諸侯、将軍、宰相は家柄や血統によるのではなく、心がけと努力次第で誰でもなれるという言葉は、凡人に勇気を与える。（つ）

猛
モウ

2022年8月10日

勢いが激しいことを表す。「猛毒」「猛威」などでは、害悪を及ぼすイメージだが、「勇猛果敢」「猛虎打線」のように、勢いが持つプラスの面を捉え、使われることもある。「猛暑」にもいい面があればいいのだが。（卍）

勘
カン

2022年8月11日

中国では「勘案」など「調べる」意に使われ、「直感・ひらめき」の意味で使うのは日本だけの用法。ヤマ勘は山師（山中の鉱脈を探査する採掘業者）の直感のように「当たり外れが多い当てずっぽう」のこと。（祇）

帽
ボウ

2022年8月12日

昔は「冒」にも、頭にかぶるものという意味があった。布切れを表す部首〈巾・はばへん〉は、意味をはっきりさせるために付け加えられたもの。熱中症予防のためにも、帽子を忘れないようにしたい。（卍）

禴
ヤク
ヨウ

2022年8月13日

「諸橋大漢和」の「字訓索引」で、「なつのまつり」として挙がっている漢字。古代の中国で、先祖をまつる廟《びょう》で行われた祭りだという。だとすれば、日本のお盆と似たところがあるのかもしれない。（卍）

遊
ユウ
あそ（ぶ）

2022年8月14日

「諸橋大漢和」では、「あそぶ」という意味を、さらに10に分けて説明している。その中には「旅行する」「ひまでいる」「職に就かぬ」もあるが、「就学する」「仕官する」もある。意外と意味の広い漢字である。（卍）

域
イキ

2022年8月15日

右にある「或」は、「戈」（武器）と「口」（城壁）と「一」（境界）から「くに」を表し、「或」にさらに「囗」をつけると「國＝国」に、「土」（領土）をつけると「域」（国境）となる。（祇）

文

ブン
モン
ふみ

「文様《もんよう》」のように、図柄を指すのが本来の意味。転じて「文字」を表したり、「文化」「文明」のように広く学問や芸術を指したりして使われる。暴力に対抗する時には、最も大切にしなくてはいけない漢字である。（卍）

2022年8月16日

倉

ソウ
くら

倉頡《そうけつ》（蒼頡）は中国古代の黄帝軒轅《こうていけんえん》氏の史官で、鳥や動物の足跡を見て漢字を創案したという。後漢時代の画像石には、左右の目が二つずつある倉頡が描かれている。四つ目は倉頡の類いまれな観察眼の象徴だろう。（つ）

2022年8月17日

臆

オク

「当用漢字表」に「臆」が入らなかったので、戦後の公文書では「臆測」や「臆病」の書き換えとして「憶測」「憶病」と書かれたが、２０１０（平成22）年の改訂で「常用漢字表」に追加され、使えるようになった。（祇）

2022年8月18日

達

タツ

「下学上達《かがくじょうたつ》」は『論語』から出た語で、日常の手近なところから学び始めて、次第に高遠な真理に達すること。小学校の宿題は、漢字の書き取りや計算練習のような「下学」が多いが、これを怠ると「上達」は期待できない。（つ）

2022年8月19日

禁

キン

皇帝が暮らし、一般人は立入禁止《たちいりきんし》とされる区域を「禁苑」といい、門を「禁門」という。京都御所西側の「禁門」はいつもかたく閉じられていたが、火事の時だけ開いたことから、俗に「蛤御門《はまぐりごもん》」と呼ばれた。（祇）

2022年8月20日

殉

ジュン

殉死は主君の死後、臣下があとを追って自死すること。乃木希典《のぎまれすけ》・静子夫妻が明治天皇に殉じたのはその例。未亡人は「未《いま》だ亡くならざる人」の意で、夫とともに死ぬべきなのに、まだ生きている人という封建色の強い語。（つ）

2022年8月21日

轄

カツ

2022年8月22日

古代の車で、車輪が車軸から外れないように取りつける「くさび」のこと。「車輪をしっかりと固定する」ことから「まとめる」意に使われた。「統括」や「総括」はかつて「統轄」とか「総轄」と書かれた。（祇）

鵆

ちどり

2022年8月23日

平安時代から「鴴」を当てるのは、チョコチョコと足を交差させる歩き方が印象的だからであろう。中世頃には「鵆」としてより雰囲気を出した。雛《ひな》を守るためにふらつく様子から、酔っ払いの千鳥足というとも。（之）

葬

ソウ
ほうむ（る）

2022年8月24日

孔子《こうし》は愛弟子《まなでし》の顔回《がんかい》が亡くなった時、門人たちが立派な葬儀を執り行おうとするのを許さなかった。死者を送るのに大切なのは悼《いた》み悲しむ心であり、形式にとらわれた華美な葬儀は不要だと考えたのである。（つ）

舞

ブ
ま（う）
まい

2022年8月25日

部首は〈舛・ます〉で、つま先が外に向いた両足の足跡の絵から生まれた部首。両足が別々に動くことを表す。現代のダンスには両手両足を別々に動かす器用さが必要で、運動音痴の身ではついていけない。（卍）

鹼

ケン

2022年8月26日

この字は土に含まれる塩の意で、「あく」という訓読みもあった。いつも「石」と連合する「鹼」は字体が複雑なので、「石鹼」などと略され、また常用漢字表外字なので「石けん」という交ぜ書きや、ひらがな、カタカナが増えた。（之）

島

トウ
しま

2022年8月27日

鳥が休む水上の山なので「鳥」と「山」を組み合わせた、という説明は有名。組み合わせる位置を変えた「嶋」「嶌」は、人名で見かける。ほかにも、組み合わせる相手を変えた「隖」「㠀」など、異体字が多い。（卍）

遵

ジュン

2022年8月28日

法令遵守の「遵」は、守る、のっとるの意。「遵法」を「順法」と書き換えることがあるが、意味は変わらず、遵法精神の強弱を表したものでもない。ある国語辞典の「遵法は古い書き方」という説明には、疑問符を付けたい。（つ）

帆

ハン
ほ

2022年8月29日

「順風満帆」を「じゅんぷうまんぽ」と読むのは間違いだ、とされるのは、「ほ」は「帆」の訓読みだから。例外もあるが四字熟語は音読みするのが原則なので、由緒正しくは「じゅんぷうまんぱん」と読む。（卍）

圏

ケン

2022年8月30日

「家畜を飼う所」の意から、広く「領域・範囲」の意に使われる。かつて東アジア一帯に存在した、話し言葉は違っても漢字と漢文で文章を書けば意思疎通ができた文化共同体を「漢字文化圏」という。（祇）

憂

ユウ
うれ（える）

2022年8月31日

「諸橋大漢和」によれば、「憂」と読み方も意味も同じ。「心」の位置を真ん中に持ってくれば、たしかに「憂」とよく似た形になる。季節を進めて「愁」としても、やはり「うれ（える）」と読めるのもおもしろい。（卍）

以

イ

2022年9月1日

古くは「㠯」と書き、農具の「すき」をかたどった形。「耜」（すき）の原字。「以」は「㠯」が変わった形で、借りて「もって」とか「もってする」の意に使われる。「以」を含む「似」も、古くは「佀」と書かれた。（祇）

停

テイ

2022年9月2日

「停車」「停電」「停学」「停職」など、一時的にストップすることを表す。いずれ再開するという見通しを含むのが特徴。それでもいいから、とにかく「停戦」するわけにはいかないものだろうか。（卍）

較

カク

2022年9月3日

古くは「較」と書き、「較」はその変形。古代の馬車で、御者が座る席の左右から前に突き出た取っ手。立ちあがる時に手で持つ部分で、しっかりつかまることから「たしか・あきらか」の意を表す。（祇）

諧

カイ

2022年9月4日

中国共産党第4代総書記となった胡錦濤《こきんとう》氏は調和のとれた社会を目指す「和諧社会」というスローガンを唱えた。胡錦濤時代に開業した中国の高速鉄道では、今も「和諧号」という愛称の車両が運行されている。（祇）

黴

ビ

2022年9月5日

「諸橋大漢和」では、26もの意味を列挙している。よく知られた「かすか。ほのか」という意味は4番目。14番目には「物価を下げる」という意味もある。現在のわれわれにとても必要な漢字かもしれない。（卍）

飴

イ
あめ

2022年9月6日

中国でできた漢字なので音読みもあり、米や麦から作られた水あめのようなものを指した。日本で商品名によく見掛ける。食へんなので、常用漢字ではないが手書きでは「飯」のへんと同じ形で書いてよいことになっている。（之）

交

コウ
ま（ざる）
ま（じる）
まじ（わる）
か（う）、か（わす）

2022年9月7日

「餃子《ぎょうざ》」を「交子」と書いたメニューがSNSにアップされていた。「餃」は「交」と同音で、音読み「コウ」だが、日本人には「ギョウ」という音しか思いつかないから、おそらく中国人が書いたものだろう。（祇）

燻

クン
いぶ（す）

2022年9月8日

燻製《くんせい》を「薫製」と書くと、イメージが違うと言われる。古く、いぶす意で「熏《くん》」の字があり、すでに「火」が列火の形となって下に含まれていた。そこに改めて火へんを加えたのが「燻」、草冠を加えたのが「薫」であった。（之）

霜

ソウ
しも

2022年9月9日

秋霜烈日は、秋の冷たい霜と夏の強い日射し。権威や刑罰などが厳しいことをいい、日本の検察官記章はこれを意匠化したもの。ひまわりの弁護士記章とは対照的だ。秋霜烈日の精神は忖度や萎縮とは無縁と信じたい。（つ）

僧

ソウ

2022年9月10日

仏門に入り仏道修行する人の集団。梵語《ぼんご》のｓａｍｇｈａに漢字を当てた僧伽《そうぎゃ》を略したもので、現代でも僧伽を「さんが」と読むことがある。仏法僧は、仏と、仏の教えである法と、それを奉ずる僧。三宝ともいう。（つ）

左

サ
ひだり

2022年9月11日

左遷は左降ともいい、それまでよりも低い地位に落とすこと。中国の戦国時代には右を尊び、左を卑しんだことから出た語。六朝《りくちょう》時代以降は反転して左を尊んだが、右遷とはいわず、左遷の語はそのまま用いられた。（つ）

洋

ヨウ

2022年9月13日

大きく広がる海を表す。転じて、「洋風」「洋食」のように「西洋」の略ともなる。明治の文章では、「洋灯《ランプ》」「洋杖《ステッキ》」「洋盃《コップ》」「洋筆《ペン》」「洋机《テーブル》」など、さまざまな外来語に当て字として使われている。（卍）

潦

ロウ
リョウ
にわたずみ

2022年9月14日

「諸橋大漢和」では「あまみず」「おおみず」「ながあめ」などと説明している。「にわたずみ」とも説明しているが、これは、地面を流れたり、たまったりしている雨水をいう。古風で雰囲気のあることばである。（卍）

琢

タク
みが（く）

2022年9月15日

「玉琢《みが》かざれば器《き》を成さず」は『礼記《らいき》』から出た語。宝玉は原石のままでは役に立たないように、すぐれた素質を持った人も学問と修養が欠かせないということ。『詩経《しきょう》』の「切磋琢磨《せっさたくま》」も宝玉の加工を比喩《ひゆ》に使っている。（つ）

邸

テイ

2022年9月16日

「邸宅」のように、立派な住居を表す。「諸橋大漢和」によれば、「諸侯が都に朝《ちょう》した時に宿る家」。つまりは、江戸時代の各藩の江戸屋敷のイメージ。本来は、地元に本宅があってこそ使える漢字である。（卍）

倫

リン

2022年9月17日

「諸橋大漢和」では、「ともがら。なかま」「しな。ならび」「みち。人の道。守るべき秩序」などと説明している。名前で「とも」「みち」「のり」などと読むことがあるのは、これらの意味に由来している。（卍）

喜

キ
よろこ（ぶ）
よろこ（び）
よし

2022年9月18日

七十七歳を「喜寿」というのは「喜」の草書体が七・十・七に分解できることに由来するが、「還暦」や「古稀」などと違い、喜寿は日本だけの用法。ちなみに中国では「傘寿」や「米寿」も祝われない。（祇）

𠦃

ジュ
とし

2022年9月19日

明代の辞書に収められた「寿」（壽）の異体字。寿命が長くてめでたいということから、「九十百千」と増えていく数字を付け足していく構成に替えたのだろう。備中は岡田藩の最後の藩主伊東長𠦃《ながとし》の名に用いられた。（之）

葛

カツ
カチ
くず
つづら
かずら

2022年9月20日

山野に自生するマメ科の植物「クズ」。強いつるは籠を編むのに使われ、根からは薬やくず粉が作られる。クズやフジが木の枝などにからみつくように、物事が乱れて処置しがたい状態を「葛藤」という。（祇）

入

ニュウ
い（る）
い（れる）
はい（る）

2022年9月21日

「い（る）」は、現在では特定の形でしか使われない。「骨髄に入る」もその一つで、辞書では「はい（る）」とは読まないとされる。が、もし「骨髄に入らない」だったら「はい（らない）」と読むしかなかろう。（卍）

辱

ジョク
はずかし(める)

「寿《いのちなが》ければ則《すなわ》ち辱《はじ》多し」は『荘子』から出た言葉で、長生きすれば何かと恥をかく機会も多くなるということ。『徒然草』も「命長ければ辱多し」と引用している。主義・主張、節操を守って晩節を全《まっと》うするのは難しい。　(つ)

2022年9月22日

済

サイ
す(む)
す(ます)

済度《さいど》は仏教語で、衆生《しゅじょう》を救い、安楽の地である彼岸に導くこと。「済」も「度」も救うの意。度《ど》し難《がた》いは「済度し難い」(救いがたい、納得させようもない)を縮めた形。経世済民《けいせいさいみん》(経済)の「済」も、救う。　(つ)

2022年9月23日

畿

キ

天子の居住地を中心とする千里四方(古代中国の一里は約４００メートル)の土地のこと。天子の直轄地をいい、日本では京都を中心に、山城・大和・河内・和泉・摂津の「五畿内」を表した。　(祇)

2022年9月24日

机

キ
つくえ

「机」と「機」は同音なので、中国ではいま「機器」を「机器」と書く。よく間違わないものだと日本人は思いがちだが、戦後の日本で「肝腎」を「肝心」、「洗滌」を「洗浄」と書いたのとまったく同じ理屈である。　(祇)

2022年9月25日

粋

スイ
いき

米と卒(不純物がない)で、精米した米の意から、まじりけがない(純粋)、完全である、質がよい(精粋)の意。「いき」は日本語独自の意味で、野暮《やぼ》に対して、風流なこと、世相や人情に通じていることをいう。　(つ)

2022年9月26日

溞

ソウ
シュウ
シュ

「諸橋大漢和」によれば、「米をとぐ音」を表す。紀元前に中国で作られたと思われる辞書にも載っている。無洗米の登場でやや縁遠くなったが、確かにあの独特の音には、それを表す漢字があってもよさそうだ。　(卍)

2022年9月27日

客

キャク
カク

『奥の細道』冒頭の「月日は百代《はくたい》の過客《かかく》にして、行きかう年もまた旅人なり」は、李白《りはく》「春夜桃李の園に宴するの序」の「光陰は百代の過客なり」に基づき、時間が旅人のように過ぎさっていくことを嘆く。（祇）

2022年9月28日

止

シ
と（まる）
と（める）

足跡の象形「止」を部首にする漢字は、足の動作である「進む、止まる」の意を表す。たとえば「武」は、戈《ほこ》を持って戦いに行くの意で、武力で争いを止めるという意味ではない。「歩」や「歴（めぐる）」も同様だ。（つ）

2022年9月29日

餐

サン

「餐飯《さんぱん》を加える」は、食事をしっかりとり体を大切にするの意。『文選《もんぜん》』の一首では、旅先から戻らぬ夫を、妻が「私は捨てられても何も申すまい、どうぞお元気で」と気づかう。現代なら、この状況で妻は何と言うだろう。（つ）

2022年9月30日

醸

ジョウ
かも（す）

麹《こうじ》を発酵させ、酒や醤油《しょうゆ》などを造るの意。日本酒王国新潟とは縁が深い。県立吉川高校（閉校）には、全国でも珍しい醸造科があった。「物議を醸す」のように、状態や雰囲気を生み出す意にも使う。（つ）

2022年10月1日

碩

セキ

石と頁（頭）で、石のように大きく充実している頭の意。碩学《せきがく》・碩師《せきし》・碩儒《せきじゅ》は学識の深い人、大学者のこと。諸橋記念館主催の「漢字文化理解力検定」では、最高齢段位認定者に「碩学大儒《せきがくだいじゅ》」の称号が贈られる。（つ）

2022年10月2日

険

ケン
けわ（しい）

『易経《えききょう》』（坎《かん》）に「天険は升《のぼ》るべからず」とあり、天然の険阻な地をかつては「天険」と呼んだ。糸魚川市の親不知で断崖を開削した「天険親不知線」は、いま「親不知コミュニティロード」と呼ばれている。（祇）

2022年10月3日

舶

ハク

2022年10月4日

「諸橋大漢和」では、「大ぶね。海をわたる大船」のほか、「あきなひぶね。海をわたって商売する船」とも説明している。「舶来品」は後者の例か。昔は、海を渡る危険を冒す最大の目的は、商売だったのだろう。（卍）

秒

ビョウ

2022年10月5日

本来は、稲などの穂の先端にあるとがった部分「のぎ」を指す。とても小さいところから、とても短い時間の単位としても使われる。「諸橋大漢和」でも、「のぎ」に加えて「かすか。わづか」と説明している。（卍）

仗

ジョウ

2022年10月6日

刀や戟《ほこ》など武器の総称。武器を帯びて儀式に参列する兵士が儀仗《ぎじょう》兵。天子や高位の人などの護衛に当たった。現代の日本では、要人警護は警察官の役割。先日の国葬で、儀仗兵が守ったのは何だったのだろう。（つ）

隔

カク
へだ（たる）
へだ（てる）

2022年10月7日

中国・南宋時代の禅僧無門慧開《むもんえかい》が著した『無門関』という禅問答集の序に「棒を棹《ふる》って月を打ち、靴を隔てて痒《かゆ》きを掻《か》く」とある。「もどかしい思いがする」ことをいう「隔靴掻痒《かっかそうよう》」の出典はここにある。（祇）

喫

キツ

2022年10月8日

茶の木は一度植えると移植できないことから、結納の後は他の男から結納を受けないという意味で、昔の中国では婚約を「喫茶」といった。あの娘は17なのにまだお茶を飲んでない、というように使われた。（祇）

足

ソク
あし
た（りる）
た（る）
た（す）

2022年10月9日

「衣食足れば則《すなわ》ち栄辱を知る」は、人は衣食の心配がなくなって、初めて名誉と恥をわきまえるということ。２５００年以上前の中国・春秋時代、斉《せい》の管仲《かんちゅう》の言葉というが、物価高の現代にもそのまま当てはまるのは悲しい。（つ）

的

テキ　まと

2022年10月10日

現在、日本の弓道で使われる「まと」には、中心が黒いものと白いものの二種類がある。しかし、「的」の部首が〈白・しろ〉であるからには、古代中国の「まと」は中心が白いものだったに違いない。（卍）

臂

ヒ

2022年10月12日

腕の意。中国・唐の詩人白居易《はくきょい》に「新豊《しんぽう》の臂《うで》を折りし翁《おきな》」の詩がある。大きな石でわが腕をたたき折り、徴兵を逃れたという老人の独白は胸を打つ。ロシアでは最近、「腕を折る方法」のネット検索が増えていると聞く。（つ）

掟

ジョウ　おきて

2022年10月13日

中国で天のさだめを意味する字。日本では中世に御定書や連歌で使われた。手へんを言べんにした「諚」も、中国ではヘンと読む義未詳の字だが、日本では「御諚」などと用い、主人や貴人のおおせの意でジョウと読ませた。（之）

託

タク

2022年10月14日

「チッキ」は、列車に乗る時に乗車券を提示して託送する手荷物のこと。英語ｃｈｅｃｋの訛《なま》り。旅客機の受託手荷物に相当する。チッキは国鉄時代に廃止され、この語を知っている人は少なくなった。（つ）

⿱艹架

はさ　はざ

2022年10月15日

刈り取った稲を掛けて乾かすため竹や木を組んだ設備を北陸でハサ・ハザなどと呼ぶ。「架」「稲架」を当てるが、越中の宮永正運は著書で「⿱艹架」と造字を用いた。福井には同義かもしれない「杈」（はさ）を使った名字もある。（之）

雰

フン

2022年10月16日

「諸橋大漢和」によれば、「きり」「雪」「ちり」など、空気中を漂うものを広く表す。「雰囲気」は、元は大気を表すオランダ語の訳語。後に英語ａｔｍｏｓｐｈｅｒｅの影響で、現在のような意味で使われるようになった。（卍）

苔

タイ
こけ

県内にはキノコをコケと呼ぶ地域があり、『広辞苑《こうじえん》』もコケにキノコの意を載せている。どちらも湿った所に生えることから混同されるのだろう。「コケ汁が好物だ」と聞くと、知らない人は驚くだろう。（つ）

2022年10月17日

賄

ワイ
まかな（う）

「諸橋大漢和」によれば、「まかな（い）」と訓読みして「食事の世話」をいうのは、日本語独自の用法。「賄賂」のように用いるのが本来の使い方。「贈賄」「収賄」があとを絶たないのは、日中共通のようである。（卍）

2022年10月18日

萎

イ
な（える）

「しおれる」ことをかつて「萎縮」と書いたが、「萎」が当用漢字に入らなかったので、書き換えとして「委縮」と書かれた。平成22（２０１０）年の改定で「萎」が常用漢字となったので、今は「萎縮」と書かれる。（祇）

2022年10月19日

蘀

タク

「諸橋大漢和」によれば、「おちば。枯皮。枯れ落ちた皮や葉」を表す。めったに見かけないが由緒正しい漢字で、中国現存最古の詩集『詩経』では、10月になって木の葉が落ちることを、「隕蘀《いんたく》」と表現している。（卍）

2022年10月20日

熊

くま

「熊掌《ゆうしょう》」（クマの手）は中国では古くから超高級食材とされ、今も四川料理には熊掌のしょうゆ煮、雲南料理には熊掌ハムのスープなどがあるが、特に冬眠前のものに脂がのっていて柔らかいと珍重される。（祇）

2022年10月21日

霞

カ
かすみ

夕空がことさら美しい季節になったが、夕焼けを漢字一文字で表すとすれば、この字。「諸橋大漢和」にも「あさやけ。ゆふやけ」とある。いわゆる「かすみ」を指すのは、日本語独自の用法である。（卍）

2022年10月22日

電

デン

「諸橋大漢和」には「いなづま。いなびかり」とあり、英語のｅｌｅｃｔｒｉｃｉｔｙに当たる意味は載っていない。とはいえ、熟語としては「電気」「電信」「電話」などがきちんと並んでいる。10月23日は、電信電話記念日。（卍）

2022年10月23日

造

ゾウ
つく（る）

造次顛沛《ぞうじてんぱい》は、あわただしい場合や、危険が迫ってつまずき倒れそうな時の意。『論語』で孔子《こうし》は、「造次にも顛沛にも、必ず仁（深い人間愛）に基づいて行動せよ」と説く。その教えは事件や災害の多い現代にも通じよう。（つ）

2022年10月24日

剤

ザイ

斉（そろえる）とリ（刀）で、漢方薬の材料を切りそろえ、調合したもののこと。「天の配剤」は天が行う薬の調合の意。天は善行にはよい報いを、悪行には罰を与えるというが、歴史上の事例を見ると、真偽の程は疑わしい。（つ）

2022年10月25日

候

コウ
そうろう

「そうろう」（さうらふ）は「さぶらふ」からの変化で、もとは「身分の高い人の側に控える」こと。のち「ある・いる」の丁寧語となり、さらに後世には重々しく表現する時の補助動詞となった。（祇）

2022年10月26日

本

ホン
もと

「木」の下の方に横線の印を付けて、大地から生えてくる「もと」のところを表す。このように、印や記号のようなものを用いて抽象的なものごとを表す漢字の成り立ちを「指事《しじ》」というが、その例は少ない。（卍）

2022年10月27日

控

コウ
ひか（える）

「弓を引く」意から「遠くの物を引き寄せる」ことをいう。「待機する」とか「書き留める」などは日本だけの用法で、近年の中国では妻から買物などの用で遠隔操作される夫を「遥控（リモコン）亭主」という。（祇）

2022年10月28日

昼

チュウ
ひる

「小昼《こびる》」は正午に近い時刻。また、間食、おやつ。「こびり」はその訛《なま》り。新潟方言との説もあるが、古くは各地で使われていた。熊笹《くまざさ》の葉に酢飯を置き、そこに具材を盛りつける笹寿司《ささずし》は、上越地方の代表的なこびり。（つ）

2022年10月29日

オンス

江戸時代にオランダから、オンスという重さの単位が入ってきた。略号の「Oz」を崩したものだったので、蘭学者らはそれを楷書体に直して使い始めた。明治初期には、この字体に「氵」を加えることで液量オンスまで表した。（之）

2022年10月30日

枯

コ
か（れる）
か（らす）

協力者を無視して手柄を独り占めすることを「一将功《いっしょうこう》成りて万骨《ばんこつ》枯る」という。「枯」は樹木がひからびることで、そこから「衰える」意に使うが、日本では「枯れた境地」のように素晴らしさを表すこともある。（祇）

2022年10月31日

撰

サン
セン

詩文を作る、編集する、選ぶの意。中国・宋代の杜黙《ともく》の作る詩に韻律に合わないものが多かったことから、「杜撰《ずさん》」の語ができた。良寛さんも、押韻《おういん》や平仄《ひょうそく》を無視して、破格の詩ばかり作ったことが知られている。（つ）

2022年11月1日

狂

キョウ
くる（う）
くる（おしい）

書体の一つ「草書」で、字形を大胆かつ奔放にくずしたものを狂草《きょうそう》という。その名手だった唐の張旭《ちょうきょく》は、酒に酔っては王侯の前で冠をはずし、雲煙が湧きおこるような文字を書いたという（李白《りはく》「飲中八仙」）。（祇）

2022年11月2日

呉

ゴ
くれ

7世紀まで朝鮮半島南西部にあった百済《くだら》は中国の南朝と盛んに交流して仏教や高度な文化を受容した。王朝の都があった今の南京をかつては「呉」と呼んだので、百済からの渡来人が日本に伝えた漢字音を呉音という。（祇）

2022年11月3日

米

ベイ
マイ
こめ

長さの単位「メートル」を表すために使うことがあるのは、中国語で「メートル」に「米突」と当て字したところから。アメリカ合衆国を「米国」というのと併せて、意外と西洋と関係が深い漢字である。（卍）

2022年11月4日

𩇔

ホウ
ビョウ

この字について、宋代の韻書《いんしょ》つまり発音引きの辞典である『広韻《こういん》』には、「𩇔聲（声）」とある。ホウホウやビョウボウというような雷鳴を表す熟語の「𩇔𩇔」は、合わせて１０４画に達しており、最も画数の多い熟語といえる。（之）

2022年11月5日

砧

チン
きぬた

洗って硬くなった布を木鎚《きづち》でたたいて柔らかくし、艶《つや》を出すために用いる木または石の台。李白《りはく》の詩「子夜呉歌《しやごか》」に「長安一片の月、万戸《ばんこ》衣を擣《う》つ声」とあるように、中国でも日本でも、冬着の支度は秋の夜鍋《よなべ》仕事だった。（つ）

2022年11月6日

版

ハン

本来は、文字を記すのに使う木の板を表す漢字。部首〈片・かたへん〉は、文字を記すための木材を指すことが多い。「位牌《いはい》」の「牌」はその例。「最後通牒《つうちょう》」の「牒」も、元は命令などを書き記した木の札をいう。（卍）

2022年11月7日

愁

シュウ
うれ（える）
うれ（い）

思い悩む、悲しむの意。かの李白《りはく》は五十代半《なか》ばに、「白髪三千丈　愁いに縁《よ》りて箇《か》くのごとく長し」とうたった（「秋浦《しゅうほ》の歌」）。澄んだ鏡の中に、秋の霜のような白髪を見た作者の驚きと哀愁が伝わる。（つ）

2022年11月8日

坂

ハン
さか

日常的な漢字だが、音読みで使われることは少ない。「急坂《きゅうはん》」「登坂《とうはん》」ぐらいか。「諸橋大漢和」では「坂」から始まる13の熟語を挙げているが、ほとんどは「さか」と読む姓氏。音読みは「坂東《ばんどう》」だけである。（卍）

2022年11月9日

墓

ボ
はか

2022年11月10日

「莫」と「土」を組み合わせた漢字。「莫」の下側の「大」も、古代文字では〈艹・くさかんむり〉と同じ形で、「莫」は、草原の中に日が沈むことを表すという。死者を葬るには自然の中こそふさわしい。（卍）

柱

チュウ
はしら

2022年11月11日

「柱《ことじ》に膠《にかわ》して瑟《しつ》を鼓《こ》す」は、音調の高低を調節する琴柱《ことじ》を、接着剤の膠で固定したまま瑟を演奏すること。瑟は弦楽器の一種。その状態では音調を変えられないところから、小事にこだわり融通が利かないことのたとえ。（つ）

傾

ケイ
かたむ(く)
かたむ(ける)

2022年11月12日

君主の心を奪い、国の将来をあやうくさせるほどの美人を「傾城《けいせい》」と呼んだ。「一顧すれば人の城を傾け、再顧すれば人の国を傾く」という詩に基づくが、この場合の「城」は都市の意で、城郭ではない。（祇）

混

コン
こ(む)
ま(ざる)
ま(じる)
ま(ぜる)

2022年11月13日

練った小麦粉を薄くのばし、細かく切った肉や野菜などを包んで煮た「ワンタン」を、中国北方は「餛飩」、南方は「雲呑」と書く。「混沌《こんとん》」の変化で、いろんなものが混じり合っていることからの命名。（祇）

鴇

ホウ
とき
つき

2022年11月15日

県の鳥、トキを表すが、これは日本語独自の用法。「鴇」でトキを表すのも同様で、「諸橋大漢和」によれば、中国ではそれぞれ、ノガン、フナシウズラを指すという。11月15日は、上越新幹線開業40周年。（卍）

榀

しな
しなのき

2022年11月16日

糸魚川市内に「榀谷」と書いて「しなだに」と読む地名があり、榀谷川も流れる。「品の木」を分かりやすく木へんにした合字、形声風の国字である。「こまい」と読むと辞書にあるのは、「梠」から形が「榀」へと転訛《てんか》したもの。（之）

束
ソク
たば

2022年11月17日

不束《ふつつか》は、配慮が行き届かないこと。また、気が利かず、不調法なこと。主に自分や身内を低めて、「不束ながら」「不束な息子ですが、どうぞよろしく」のように使う。謙譲表現もコミュニケーションに欠かせない。（つ）

桁
けた

2022年11月18日

建物で柱の上に横にかけわたす「むなぎ」を表し、「橋桁《はしげた》」や「井桁《いげた》」もその意味。さらに日本では算盤《そろばん》の珠《たま》を通す縦棒を表し、そこから十・百・千などの数の位取り「けた」の意味にも使われる。（祇）

舌
ゼツ
した

2022年11月19日

口から出した棒状の「した」の形。小学校では五年生で習う。しかし、二年生で既に「話」を習っていて、学習の順序が逆に思える。活や括、刮などの「舌（かつ）」は、同じ形に見えるが、丸くくびれる意の別の漢字。（つ）

破
ハ
やぶ（る）
やぶ（れる）

2022年11月20日

「論破」は、論じて打ち破ることだと解釈できる。しかし、「読破」は、読んで破り捨てるわけではない。この「破」は、完全に何かを成し遂げるという意味。「走破」「踏破」「看破」などがその例である。（卍）

焦
ショウ
こ（げる）
こ（がす）
こ（がれる）
あせ（る）

2022年11月21日

隹（鳥）と灬（火）で、火の上で鳥をあぶるの意から、こげる、こがすの意を表す。焦眉の急は焼眉の急とも書き、眉毛に火がついたような差し迫った事態。地球温暖化問題は、その最たるものだろう。（つ）

糟
ソウ
かす

2022年11月22日

「糟糠《そうこう》の妻」は、酒かすや米ぬかのような粗末なものを食べ、苦労を共にした妻。中国・後漢の宋弘《そうこう》は「糟糠の妻は堂より下さず（表座敷から下に降ろさないよう大切にする）」と、再縁を断ったという。（つ）

鼓

コ
つづみ

2022年11月23日

漱石『三四郎』に、東京に出てきたばかりの頃街にいると「午砲《ドン》が鳴ったんで驚いて下宿へ帰った」という一節がある。さらに古くは太鼓や鐘を鳴らして人々に時間を告げ、そのために街の中心に鼓楼や鐘楼が建てられた。（祇）

網

モウ
あみ

2022年11月24日

もともと、「あみ」を表す漢字は「网」。「罔」は、その変形に、音読みを示す「亡《もう》」を組み合わせたもの。さらに、それに素材を示す「糸」が付け加えられて「網」となった。意外と手の込んだ漢字である。（卍）

蛭

シツ
テツ
ひる

2022年11月25日

血を吸う動物を表すが、県内各地に蛭子神社がある。「えびす」と読み、古来の「ひるこ」信仰と恵比寿信仰とが習合したものとされる。「えびす」には「夷」「狄」「戎」や「恵比寿」など各種の漢字を当てた地名も見られる。（之）

杖

ジョウ
つえ

2022年11月26日

杖家《じょうか》は50歳の異称。家で杖をつくのを許される年齢の意で、中国の古典『礼記《らいき》』から出た語。杖郷《じょうきょう》（60歳、郷は村里）、杖国（70歳、国は諸侯の領地）、杖朝（80歳、朝は朝廷）と杖の使用の許容範囲が広がる。（つ）

表

ヒョウ
おもて
あらわ（す）
あらわ（れる）

2022年11月27日

成り立ちからいえば、「衣」の「亠」の下に「毛」を割り込ませた形が変化した字。毛皮の上着から転じて、「おもて」を意味するようになった。「諸橋大漢和」でも、14番目の意味として「うはぎ」を載せている。（卍）

劇

ゲキ

2022年11月28日

中国の古典演劇として知られる「京劇」。劇団がしばしば日本で公演するが、「京劇」は「北京の芝居」の意で、国土の広い中国には数百に及ぶ地方劇があって、各地の方言と音楽で上演され、特に中高年に人気がある。（祇）

穀

コク

2022年11月29日

中国の漢字簡略化政策では、難しい漢字を簡単に書けるようにするために、画数が少ない同音の漢字に置き換える方法があり、「穀」は14画もあるので、同じ発音で7画しかない「谷」に置き換え、「穀物」を「谷物」と書く。（祇）

臓

ゾウ

2022年11月30日

ネット記事で誤変換が多いのが、内臓と内蔵。「ハードディスク内臓テレビ」は不気味だ。内臓は体内の諸器官の総称。五臓は漢方で心臓、肝臓、腎臓、肺臓、脾臓《ひぞう》。寒い夜の熱燗《あつかん》は、五臓六腑《ろっぷ》にしみわたる。（つ）

港

コウ
みなと

2022年12月1日

緊急時を除き、飛行機の機体左側のドアから出入りするのは、かつて船が左舷から接岸したことの名残。飛行機には船になぞらえた用語がたくさんあって、Ａｉｒｐｏｒｔ＝「空港」もその一例。（祇）

諾

ダク

2022年12月2日

諾《だく》は「よし、よかろう」というゆっくりした返事。「はい」とすぐさま答えるのは唯《い》。唯々諾々は、事の是非にかかわらず、「はいはい」と他人の言いなりになること。上司などに無批判に追従する人はイエスマンと呼ばれる。（つ）

燭

ショク
ソク

2022年12月3日

「蠟燭《ろうそく》」「燭台《しょくだい》」「華燭《かしょく》の典」など、照明器具を表す。「諸橋大漢和」には照らすという意味も載っているように、灯《あか》りが照らし出す明るい空間をイメージさせる。年末のイルミネーションにぴったりの漢字である。（卍）

弗

フツ
ず
ドル

2022年12月4日

漢文で否定を表す「弗」は、江戸時代にフリュオアという元素の音訳に用いられ、「弗素」と名付けられた。明治になる前、福沢諭吉の友人か誰かがアメリカの貨幣単位「＄」に似ているとドルに当てた。いずれも今はカタカナ。（之）

桑

ソウ
くわ

「桑田《そうでん》変じて海と成る」は、桑畑がいつしか碧《あお》い海に変わってしまうことで、世の移り変わりの激しいことのたとえ。近年、東京の渋谷は再開発によって新しいビルの建設が進み、「桑田碧海《へきかい》」の様相を見せている。（つ）

2022年12月5日

迭

テツ

「諸橋大漢和」では、「たがひに。かはるがはる」と説明する。あるものが別のものと入れ替わることをいう。「更迭」とは、ある者を辞めさせて、別の者をその職務に当たらせること。別の者が適任であればいいのだが。（卍）

2022年12月6日

蓑

サ
サイ
みの

草や棕櫚《しゅろ》で作った雨具の「みの」を指す字で、奈良時代から「衰」とも書かれた。「蓑笠《さりゅう》」からか「簑」とも書かれた。草冠と竹冠は形も似るため「苫《とま》」も別の字で「笘」、「薮《やぶ》」も「籔」と書かれた。（之）

2022年12月7日

職

ショク

職人は、身につけた技術を生かし、手工業に携わる人の総称。また、「バントの職人」のように確実な仕事をする人のたとえ。県内には村上の木彫堆朱《きぼりついしゅ》、加茂の桐簞笥《きりだんす》、小千谷縮《おぢやちぢみ》など、職人が支える伝統工芸品が多い。（つ）

2022年12月8日

過

カ
す(ぎる)
す(ごす)
あやま(ち)
あやま(つ)

法令違反のペナルティーに「過料」と「科料」があり、過料は行政機関による行政罰、科料は裁判所が言い渡す刑事罰だが、読み方を区別するため、過料を「あやまちりょう」、科料を「とがりょう」と呼ぶことがある。（祇）

2022年12月9日

煮

シャ
に(る)
に(える)
に(やす)

「煮詰まる」は、議論や検討が十分になされて結論が出せる状態になること。しかし、「議論が行き詰まり結論が出せなくなる」の意味で使う人も増えてきた。餡《あん》や佃煮《つくだに》など、煮詰める調理が縁遠くなったことが原因か。（つ）

2022年12月10日

暗

アン
くら（い）

2022年12月11日

人は誰かが見ている所では正しい行動をとるが、真の君子は誰も見ていない所でも間違ったことをしない。そのことを儒教の経典『礼記《らいき》』は「暗室を侮《あなど》らず」（暗い部屋でも悪いことをしない）という。（祇）

営

エイ
いとな（む）

2022年12月13日

オートキャンプがブームだが、キャンプのことを漢字では「野営」と書く。「営」の旧字体「營」は「宮」（建物）と発音を表す「熒《けい》」の省略形からなり、「建物」から「住居・ねぐら」の意に使われた。（祇）

[illegible]

かたな

2022年12月14日

慶長のころの刀剣鑑定の本によく書かれている。「カ田ナ」を組み合わせてカタナと読ませる暗号のような字。「刀」と書く方が楽だが、他見されても良いように仲間内で用いられた。そのまま「カタナ」を合わせた字もある。（之）

忘

ボウ
わす（れる）

2022年12月15日

「諸橋大漢和」によれば、「忘年」の意味は「年の老いたのをわすれる」「年齢のちがひを心におかぬ」「其《そ》の年の苦労を忘れる」の三つ。「忘年会」は最後の例だが、最初の意味にも捨てがたい味わいがある。（卍）

胆

タン

2022年12月16日

嘗胆《しょうたん》は春秋時代、越王《えつおう》の句践《こうせん》が動物のきもをなめ、敵国呉《ご》に対する復讐《ふくしゅう》心を忘れなかったという故事。胆は肝臓ではなく、胆嚢《たんのう》。胆汁を含んだままの熊の胆《い》という薬があるが、確かにあれは苦い。（つ）

江

コウ
え

2022年12月17日

チベット高原から東シナ海へ注ぐ、全長6300キロにも及ぶ長江が、下流にある揚州付近を流れる部分を土地の人々は「揚子江」と呼んでいた。本来は一部分の名称だったのが、日本では「長江」全体を指して使われた。（祇）

2022年12月18日

謫

タク

責める、流罪にするの意。謫仙（謫仙人）は、天上の仙人界を追われ、人間界に流された仙人。転じて、俗気がなく非凡な才能を持った人をほめていう語。詩人では特に「酒飲みの中の仙人」と自称した李白《りはく》を指す。（つ）

2022年12月19日

致

チ
いた（す）

「致知（知を致す）」は中国の古典『大学』の八条目のうち、「格物」に続く第二段階。知見の拡充、あるいは良知の発揮などと解釈される。いずれにしても、「致知」が理想的な政治に至る一段階とされている点は見逃せない。（つ）

2022年12月20日

記

キ
しる（す）

他者の質問を予想し、あらかじめ答えを記憶しておくことを「記問の学」という。学んだ知識の理解が浅いこととされ、儒学の経典『礼記《らいき》』に「記問の学は人の師たるに足らず」と批判されている。（祇）

2022年12月21日

特

トク

部首は〈牛・うしへん〉。「諸橋大漢和」でも、1番目に「畜類のオス」という意味を掲げ、その中に「をうし」とある。私たちがよく知っている「とくに。ことに」という意味が出てくるのは、8番目である。（卍）

2022年12月22日

徒

ト
あだ
いたずら（に）
かち

「いたずら（に）」と訓読みすることがあるのは、「徒労」のように「むだに」という意味があるから。「悪ふざけ」を表す「いたずら」は、漢字で書けば「悪戯」で、「徒」は使わない方がベターである。（卍）

2022年12月23日

液

エキ

漢方医学では「五臓」と密接に関係する「五液」があり、肝は涙、心は汗、脾は涎《よだれ》、肺は涕《はなみず》、腎は唾《つばき》が対応する。人体に異常が起こると分泌物に影響が現れ、量が不足するなど異常分泌が見られるという。（祇）

老

ロウ
お（いる）
ふ（ける）

現在の字形からは想像しにくいが、元は、髪が長く腰の曲がった人の絵から生まれた漢字。髪が長いのは、年齢を重ね経験を積んだことの象徴だった。確かに、短髪のサンタクロースなど、想像もできない。（卍）

2022年12月24日

突

トツ
つ（く）

「諸橋大漢和」が10番目の意味として「けむだし」を載せるように、一文字で「煙突」を指すこともある。なるほど、煙突が屋根から突き出していなくては、サンタクロースも出入り口を見つけにくくて困るだろう。（卍）

2022年12月25日

鍛

タン
きた（える）

鍛冶《たんや》は、金属を加熱して打ちきたえ、さまざまな器物を作ること。また、それを職とする人。「かじ」は、かなうち（金打）→かぬち→かぢと変化した語で、「鍛冶」は当て字。「じ」に引かれて「鍛治」と書くのは誤り。（つ）

2022年12月26日

揮

キ

書家や財界人などが依頼に応じて書を書くことを「揮毫《きごう》」という。杜甫が8人の酒豪を詠んだ「飲中八仙歌」に、草書の名人だった張旭《ちょうきょく》が3杯の酒を飲み「毫《ふで》を揮《ふる》って紙に落とせば雲煙の如し」とある。（祇）

2022年12月27日

彗

スイ

大掃除に必携の道具、ほうきを表す。二つ並んだ「丰」は節ごとに小枝が横に伸びる竹の枝で、それを束ねた竹ぼうきを「ヨ」のような形の手で持っていると考えると、分かりやすいか。「彗星《すいせい》」とはほうき星をいう。（卍）

2022年12月28日

慰

イ
なぐさ（む）
なぐさ（める）

他者の心を安らかにさせること。中国最古の詩集『詩経』にある「凱風《かいふう》」は、母親に対する親孝行ができていないと嘆く7人の子どもの気持ちを表現して「子七人有り、母の心を慰むるなし」と詠《うた》う。（祇）

2022年12月29日

索

サク

2022年12月30日

索引・引得《いんとく》は、書物中の語句や事項、人名などを抜き出し、一定の順序に配列した一覧表。漢和辞典の部首索引・総画索引・音訓索引は、適宜使い分けると検索の能率が上がる。引得は英語indexの音訳。（つ）

歴

レキ

2022年12月31日

「経歴」「歴訪」「歴然」など、さまざまな意味を持つ。「諸橋大漢和」ではなんと27に分けて意味を説明しており、7番目には「こよみ」とある。思えば、壮大な「歴史」も1年ごとのカレンダーの積み重ねである。（卍）

卯

ボウ
う

2023年1月1日

十二支の4番目、いわゆる「うさぎ」を指すが、動物のウサギそのものを意味するわけではない。昔は午前6時ごろを「卯の刻」といい、「卯酒《ぼうしゅ》」とは朝酒のこと。卯年の正月の朝にはふさわしいかも？（卍）

吉

キチ
キツ

2023年1月3日

台湾の道教《どうきょう》寺院には長い竹の棒が入った容器があり、棒の先に書かれた番号によって「神籤《しんせん》」（おみくじ）をもらう。「大吉」や「凶」はなく、運勢の判断は上上・上下・中中・中下・下下に分かれている。（祇）

拍

ハク
ヒョウ

2023年1月4日

たたいて音を鳴らすのが基本の意味。そこから、「拍手」「拍子木《ひょうしぎ》」といった熟語が生まれている。神社のお参りで「二拍手」する際も、高らかに音を鳴らした方が御利益がありそうな気がする。（卍）

榊

さかき

2023年1月5日

平安時代の漢和辞典『和名抄』によれば『漢語抄』という辞書にこの国字が収められていた。奈良時代の現存する文献には「賢木」や万葉仮名などの表記しかない。平安時代になって「榊」とともに現れた可能性が高い。（之）

戎

ジュウ
えびす

2023年1月6日

中国の西方に住んでいた異民族を指す。東方に住んでいた異民族は「夷」。この二つに共通する訓読み「えびす」は、辺境の異民族を指す日本語。また、異国からやってくる福の神、いわゆる「えびす様」をもいう。（卍）

早

ソウ
サッ
はや（い）
はや（まる）
はや（める）

2023年1月7日

早朝は朝早い時刻。また、天子が朝早く政務を執ること。白居易《はくきょい》の長編詩「長恨歌《ちょうごんか》」は「此《これ》より君王《くんおう》早朝せず」と、楊貴妃《ようきひ》への愛に溺れた玄宗《げんそう》皇帝が、日が高くなってから起きるようになり、政務を怠り始めたことを記す。（つ）

祈

キ
いの（る）

2023年1月8日

「祈禱《きとう》」というときの「祈」は個人的な幸福や栄達をいのること、「禱」は加護や援助が与えられるのを願うこと。孔子《こうし》が病気になった時に、弟子の子路《しろ》が「禱」をしたいと申し出ている（『論語』述而《じゅつじ》）。（祇）

袴

コ
はかま

2023年1月9日

中国ではズボンや股《また》を意味する漢字で、古く糸へんで書かれ、今では「褲」となっている。日本では、平安時代には和服の「はかま」に当てられており、「着袴《ちゃっこ》」など国訓でありながら音読みされるに至った。（之）

陛

ヘイ

2023年1月10日

宮殿の君主のいる場所へと登る階段を指す。「陛下」とは、本来、その下に控える従者のこと。臣下が君主に面会する際に用件を取り次いだところから、王や皇帝を遠回しに指す敬称として使われるようになった。（卍）

験

ケン
ゲン

2023年1月11日

ジンクスを気にすることをいう「験《げん》をかつぐ」は「縁起をかつぐ」が変化したもの。江戸時代に流行した「逆さ言葉」で「縁起」を「ぎえん」といったのが「げん」に変化し、それに「霊験」など「効き目」の意を表す「験」を当てた。（祇）

役

ヤク
エキ

2023年1月12日

「役割」「取締役」など、受け持ちの仕事や、その仕事をする人を指す場合には「ヤク」と読む。一方、強制された仕事や戦争を指す場合には、「労役」「懲役」「西南の役」のように「エキ」と読む。（卍）

架

カ
か（かる）
か（ける）

2023年1月13日

「木」と音符「加」からなり、「枷」とも書かれた。ハンガーの意に使われ、古代の礼法では男女は同じハンガーを使わないとされた。のち「架」は物を載せる棚、「枷」は刑具の首かせ、と使い分けされた。（祇）

頻

ヒン

2023年1月14日

何度も繰り返すという意味を表す。「頻繁《ひんぱん》」は、近年の大学入試では出題されることが非常に多く、まさに出題「頻度」の高い、「頻出」漢字。受験生諸君は、きちんと書けるようにしておくのがおすすめ。（卍）

濯

タク
すす（ぐ）

2023年1月15日

濯纓濯足《たくえいたくそく》は、川の水が澄んだら冠《かんむり》のひもを洗い、濁ったら泥足を洗うこと（『孟子』）。社会の状況によって進退を決めることのたとえ。現代の日本では、川の水が澄むのを待っていると、世に出る機会を失いかねない。（つ）

黄

オウ
コウ
き
こ

2023年1月16日

古代中国では方角にシンボルカラーが決められており、東は青、南は赤、西は白、北は黒、そして中央は黄で表された。黄色は世界の中心を表す神聖な色で、黄色の衣服や屋根瓦は皇帝しか使えない色だった。（祇）

律

リツ
リチ

2023年1月17日

「律義《りちぎ》」は、元は仏教の用語で、よい行いをするように定められたきまり。それを守るところから、実直なことを意味するようになった。「リチ」は、このことば以外ではめったに使われない音読み。（卍）

漢

バク

2023年1月18日

部首〈氵・さんずい〉は水を表し、「莫《ばく》」には存在しないという意味がある。合わせて、水がない「砂漠」を指すのが、基本となる意味。「諸橋大漢和」でも、「水も草もない広大な砂原」だと説明している。（卍）

久

キュウ
ク
ひさ(しい)

2023年1月19日

江戸時代の職人久助《きゅうすけ》が作った葛粉《くずこ》が世間で評判になったことから、和菓子業界では本葛粉を久助と呼んだ。その「葛」が「屑《くず》」と同音なので、製造時に割れたり欠けたりした訳あり商品を「久助」という。（祇）

念

ネン

2023年1月20日

「念願」「記念」「雑念」のように使われるが、古い石碑に記された日付などでは、まれに20という意味で用いられていることがある。昔の中国語で「廿」と読み方が似ていたから生まれた用法である。（卍）

総

ソウ

2023年1月21日

総領の甚六《じんろく》は、長子は大事に育てられるので、弟妹に比べておっとりしているということ。長男をけなしていうことが多い。「弟のほうが才知に富むものだ」という英語の諺《ことわざ》もあり、事情は洋の東西を問わないようだ。（つ）

奇

キ

2023年1月22日

「変わっている・普通でない」意を表すが、漢文では肯定的評価に使い、群を抜いてすぐれた人物を「奇士」という。日本語の「奇人」から感じられる「へんてこ」というニュアンスは含まれていない。（祇）

妹

マイ
いもうと

2023年1月23日

右半分は「未」。年下だからといって「末」を書くと、漢字テストでは間違いとなる。「妺《ばつ》」は、中国で「妺喜《ばっき》」という女性の名前に使われる漢字。伝説の夏《か》王朝の王妃で、王朝が滅びる一因をなしたという。（卍）

鏥

シュウ
さび

2023年1月24日

金属が酸化して生じる「さび」は「錆」が国訓字で中国では「銹」。後者の異体字の一つに「鏥」があり、新潟市西蒲区では赤鏥という地名となっている。江戸の滝沢馬琴はこの地名の字について私信で和字と述べていた。（之）

格

カク
コウ

2023年1月25日

物理学を意味するｐｈｙｓｉｃｓを、日本では幕末には「格物学」と訳した。朱子学では「格物」を「物に格《いた》る」と読み、事物の道理を徹底的に究明することとされ、そこから「物理学」という名称が生まれた。（祇）

壮

ソウ

2023年1月26日

江戸後期の儒学者、佐藤一斎《いっさい》は語録『言《げん》志《し》晩《ばん》録《ろく》』に「壮にして学べば則《すなわ》ち老いて衰えず」と記した。さらに「老いて学べば則ち死して朽ちず」と、生涯学び続ける意義を説く。多くの高齢者に勇気と目標を与える言葉だ。（つ）

犠

ギ

2023年1月27日

古代中国で神や先祖を祭る時には、動物を生きたまま犠牲《いけにえ》として祭壇に供えた。通常の祭りでは犬や羊が使われたが、重要な祭りでは貴重な家畜である牛が使われ、多い時に３００頭が犠牲になったという。（祇）

岃

なた

2023年1月28日

ナタは漢字（国訓）で「鉈」、熟字訓で「山刀」とも書く。後者は簡単な字で表される一つの語なので、合体しやすく、しばしば文書で「岃」となった。東北各地で地名に残っており、県内でも長岡市に「岃打谷川《なたうちたにがわ》」が流れている。（之）

点

テン

2023年1月29日

「諸橋大漢和」が掲げる1番目の意味は「くろぼし」。墨などで黒く付けた小さな印をいう。その証拠に、旧字体では「點」で、左半分の「黑」は「黒」の旧字体。「赤点」はちょっと妙なことばかもしれない。（卍）

懲

チョウ
こ(りる)
こ(らす)
こ(らしめる)

勧善懲悪(勧懲)は、善を勧め悪を懲らしめること。江戸時代後期の滝沢馬琴の読本《よみほん》『南総里見八犬伝』は、この思想に貫かれた代表的な作品。昨今のSNSが低レベルな勧懲の場と化していることは、大いに気になる。(つ)

2023年1月30日

乏

ボウ
とぼ(しい)

古代文字では、「正」を左右逆にして書いた形。「諸橋大漢和」でも、その成り立ちを「正道に反するのは匱乏《きぼう》を招く道であるからいふ」と説明している。「匱」も、「とぼ(しい)」と訓読みする漢字。(卍)

2023年1月31日

弐

ニ

現在ではもっぱら小切手などで額面の改変を防ぐため、「二」の代わりに使う漢字だが、他の使い方もある。例えば「弐心《にしん》」とは、二人の主君に同時に仕える心というところから、謀反しようとする心をいう。(卍)

2023年2月1日

冫

ヒョウ

単独の漢字として使われることはないが、氷を意味する部首〈冫・にすい〉として知られる。「冷」「凍」などがその例。「寒」も、旧字体では下の二つの点が「冫」の形で、部首も〈冫〉だとされていた。(卍)

2023年2月2日

骸

ガイ

古代の歴史書などでは「辞職を願い出る」ことを「骸骨を乞う」と表現した。仕官した時に主君に献上した自分の身体を返していただくという意味で、辞職を認められることは「骸骨を賜《たま》う」といった。(祇)

2023年2月3日

際

サイ
きわ

山際は山に近いあたり、山裾のこと。また、山の稜線《りょうせん》(山の端《は》)に接するあたりの空の意もあり、示す位置がまったく異なる。『枕草子』の「やうやう白くなりゆく、山際すこしあかりて」は、後者の用例。(つ)

2023年2月4日

鱸

ロ
すずき

2023年2月5日

中国の呉松江の名物であるカジカ科の淡水魚のほか、古く海魚のスズキも指したようだ。後者の字義は日本に残り、近代に中国に遡《さかのぼ》るように伝播《でんぱ》した。「盧」は古くから「戸」と略し、新潟市西蒲区では「鲈」と地名に使われる。（之）

鉢

ハチ
ハツ

2023年2月6日

元々は「托鉢《たくはつ》」のように、僧が食べ物を入れるのに使う容器を指す。梵語《ぼんご》「パートラ」に対する当て字「鉢多羅」に由来する。子どものころ、冬、祖母が「火鉢」で干し芋を焼いてくれた記憶がなつかしい。（卍）

番

バン

2023年2月7日

意味が説明しにくい漢字。「諸橋大漢和」では一つ目に「代りあって事に当る」、二つ目に「数」を挙げ、三つ目を「順序の数」「回数」「箇数」などに分ける。さて、今年の春一番はいったいいつごろ吹くのだろうか。（卍）

該

ガイ

2023年2月8日

もとは「軍隊における規律」を意味し、ひいて「完備している」意を表す。さまざまな事柄や条件が備わっていることを「該当」といい、知識や学問などが広く備わっていることを「該博」という。（祇）

勉

ベン

2023年2月9日

無理をしてがんばることを表す。「勉強」も、本来は、力を振り絞って取り組むという意味。かつては「猛勉」「ガリ勉」ということばもあった。受験シーズン、無理のしすぎにだけは気をつけてほしいものだ。（卍）

娚

ジョウ
ダン

2023年2月10日

中国では「嬲」の異体字として「なぶる」という意味などを表した。韓国では女性の男兄弟を意味する形声文字として使われた。日本では金沢に「娚杉」などの地名がある。男女が合わさって「めおと」と読む。（之）

寄

キ
よ（せる）
よ（る）

落語や講談などを演じて人を集める場所を、「人を寄せる席」から「寄席」という。日本でもっとも古い寄席は、初代三笑亭可楽《からく》という噺家《はなしか》が1798年に江戸の下谷《したや》稲荷神社で開いたものとされる。（祇）

2023年2月11日

略

リャク

「侵略」「略奪」のようにも使われるが、「諸橋大漢和」によれば、本来は、ある境界線の内側をきちんと治めることを表す、平和的な漢字だったらしい。内政に行き詰まると、対外的な勝利を求めたくなるのだろう。（卍）

2023年2月12日

援

エン

戦争や災害で被害を受けた地域に送る資金をかつては「義捐《えん》金」と書いた。「捐」は「捨てる」意だが、戦後の「当用漢字表」に入らなかったので、同音の漢字を使って「義援金」と書き換えた。（祇）

2023年2月14日

篤

トク

伝統的には部首を〈馬・うま〉とする。本来の意味は、「諸橋大漢和」によれば「馬がゆつくりあゆむ」。落ち着いて進んで行く様子から、「篤志」「篤学」のようにひたむきさを意味するようになったのだろう。（卍）

2023年2月15日

焙

ホウ
ハイ
バイ
ホイ
あぶ（る）

弱火にかざし、乾かし温めることを表す字。焙煎《ばいせん》ではバイと呉音で読む。焙《ほう》じ茶ではホウと慣用音で読む。茶などを乾燥させる道具の焙炉はホイロと唐音で読む。これだけ音読みが用いられるのに、漢音ハイには出番がない。（之）

2023年2月16日

鋏

キョウ
はさみ

「諸橋大漢和」は、かなばし、かたな、つるぎのみ、つかなどの意を載せる。はさみの意は、漢籍では『管子』とその注しか引かず、「鉸」のほうが普通だった。「挟む」「狭間」など声符「夾《きょう》」と訓読み「はさ」が符合する。（之）

2023年2月17日

敵

テキ
かたき

2023年2月18日

「諸橋大漢和」が最初に掲げる意味は「あだ。かたき」。その次は「たぐひ。なかま」。つまり、両方を含むのがこの漢字の本来のあり方。ライバルは仲間でもある。攻撃し合うばかりではないように願いたい。（卍）

博

ハク
バク

2023年2月19日

「博学」「博覧」では、広い範囲に行き渡るという意味。「好評を博する」では、広い範囲から集めること。ただ、「賭博」の場合は、賭け金を広い範囲から集めるが、もうけが広い範囲に行き渡ることはない。（卍）

岬

コウ
みさき

2023年2月20日

「諸橋大漢和」によれば、「山のよこ」「やまあい」という意味。「みさき」と訓読みして用いるのは、日本語独自の用法だという。そのためもあって、音読み「コウ」は、現代の日本語ではまず用いられない。（卍）

厄

ヤク

2023年2月21日

「厄払い」のように災いを指すが、昔は外来語の当て字に使われることもあった。「諸橋大漢和」によれば、「厄爾巴《エルバ》」はナポレオンが流された島。「厄瓜多爾《エクワドル》」は南米の国。「厄克斯《エックス》射線」とは、いわゆるX線をいう。（卍）

睦

ボク

2023年2月22日

「親睦」のように、仲が良いことを表す。部首〈目・めへん〉が付いているのは、仲の良さはお互いを見る目つきに現れるからだろう。「諸橋大漢和」でも、2番目の意味として「目つきのすなほなこと」を挙げている。（卍）

響

キョウ
ひび（く）

2023年2月23日

「郷」と「音」からなり、「郷」は食物を盛った容器をはさんで人が坐《すわ》る形から、「向かい合って食事する」こと。そのように向かい合った人が奏でる歌や音楽が合わさり、共鳴することを「響」という。（祇）

並

ヘイ
なみ
なら(べる)
なら(ぶ)
なら(びに)

2023年2月24日

旧字体にすると成り立ちが分かりやすくなる漢字の一つ。旧字体では「竝」で、二人の人が隣り合って立っていることを表す。訓読み「なみ」も本来はその意味で、「並みいる強豪」のように使われる。（卍）

甬

ヨウ

2023年2月25日

昔、「使用」の「用」、「舞踊」の「踊」、「凡庸《ぼんよう》」の「庸」、「湧水」の「湧」などと同じ意味で用いられた。ただ、「諸橋大漢和」が最初に掲げる意味は「花開くさま」。南からやってくる花の便りが待ち遠しい。（卍）

末

マツ
バツ
すえ

2023年2月26日

「枝葉末節」という熟語があるように、本来は、根元から遠く離れた枝先を指す。「木」の上端に横棒で印を付けて、その意味を表している。このように、印を使うなど記号的に漢字を作る方法を「指事《しじ》」と呼ぶ。（卍）

辰

シン
たつ

2023年2月27日

十二支の5番目。方角では東南東、時刻では午前8時、またその前後の2時間、動物では竜に当てる。辰巳《たつみ》は辰と巳（南南東）の中間で東南の方角。「辰己」という看板を見ると、巳の3画目を長く書き足したくなる。（つ）

臨

リン
のぞ(む)

2023年2月28日

「諸橋大漢和」では、「上から下を視《み》る」「尊いものが卑《いや》しいもののところにゆく」などと説明する。「臨海」とは、海が見下ろせるほど近いこと。「臨席」も、えらい人がその場にやってくる場合に用いることばである。（卍）

窓

ソウ
まど

2023年3月1日

「蛍窓《けいそう》」は、晋《しん》の車胤《しゃいん》が貧乏で灯油が買えず、蛍の光で読書したという故事。同時代の孫康《そんこう》が雪明かりで読書したという「雪案」（案は机）の故事とともに、苦学のたとえ。学校の卒業式では、今でも「蛍の光」を歌うのだろうか。（つ）

夥

カ
おびただ（しい）

「夥しい」と書いて「おびただしい」と読み、「非常に多い」ことを意味する。「果」は声符で、篆書《てんしょ》では右側にあった。反対に、「少ない」やその程度の強い「極めて少ない」ことを表す漢字には「尠《せん》」がある。（之）

2023年3月2日

醴

レイ
あまざけ

「小人の交わりは甘きこと醴《あまざけ》のごとし」とは、『荘子』のことば。低俗な飲み物のようだが、『荘子』の別の部分では、ある霊鳥は「醴泉《れいせん》」の水でなければ飲まないともいう。甘酒もピンキリだということか。（卍）

2023年3月3日

茁

サツ
キツ
チュツ

現在では使われることはまずないが、見た目から意味を想像するのはたやすい。「諸橋大漢和」では「めばえ」「草の初めて生ずるさま」と説明している。人類の愚かな営みをよそに、草の芽は今年も大地の上へと顔を出す。（卍）

2023年3月4日

某

ボウ

「某年」「某所」のように、不特定のものを指す。しかし、「諸橋大漢和」によれば、本来の意味は、果樹のウメ。昔の中国語で不特定のものを指すことばと発音が似ていたことから、当て字的に転用されたらしい。（卍）

2023年3月5日

哀

アイ
あわ（れ）
あわ（れむ）

「衣」と「口」からなり、死者を埋葬する時に、服の襟元で追悼の言葉を口にすることから、悲しみを表す。貴人の功績をたたえ、死を悼んだ文章を漢文で「誄《るい》」といい、「しのびごと」と訓じる。（祇）

2023年3月6日

領

リョウ

頭部を表す部首〈頁・おおがい〉が付いているように、本来は首すじを指す。「領袖《りょうしゅう》」とは、衣服では首すじや袖《そで》が最も目立つところから、集団の中で最も目立つ人をいうことば。現在では、集団のトップをいう。（卍）

2023年3月7日

憾

カン

2023年3月8日

自分の行為や境遇などについて「残念に思う」こと。「うらむ」と読み、同訓字に「恨」と「怨」があるが、「怨」や「恨」が他者の行為に由来する感情であることと明確な使い分けがある。（祇）

唯

ユイ
イ

2023年3月9日

「唯一」のように、ただそれだけであることを表すのが、代表的な意味。ほかに、承諾の返事を表すことばとしても使われる。「唯々諾々」とは、相手の言うことを「はい、はい」と受け入れて従う様子をいう。（卍）

橋

キョウ
はし

2023年3月10日

北京南西部を流れる永定河《えいていが》に架かる盧溝橋《ろこうきょう》は、マルコ・ポーロが『東方見聞録』で「世界のどこにもない見事さ」と称《たた》えた美しい橋だが、１９３７年にそこで起きた発砲事件が日中戦争の発端となった。（祇）

昧

マイ

2023年3月11日

「未」は、まだ…ではないという意味。それに部首〈日・ひへん〉を組み合わせて、まだ日が出ていない夜明けを表す。気がつくと夜が明けるのもずいぶん早くなってきた。春が近づいていることが実感される。（卍）

配

ハイ
くば（る）

2023年3月12日

主に酒を意味する部首〈酉・とりへん〉が付いているからには、元は宴会で酒を行き渡らせることを意味していたのだろうか。「諸橋大漢和」では一番目の意味として「酒の色」を掲げているのも、おもしろい。（卍）

瀁

ヨウ
ただよ（う）
ふけ

2023年3月14日

水面が揺れ動くことや、水が深く広い様子を表す漢字。フケは、沼田や沼地、湿地を指す地形語で、かつて中頸城郡に大瀁《おおぶけ》村があったように瀁は上越市で小地名に散見される。大瀁《おおぶけ》小学校という校名はそれを受け継ぐ。（之）

録

ロク

2023年3月15日

部首〈金・かねへん〉が付いているように、本来は、後まで残すために金属に文字を刻み付けること。ハードディスクやメモリーにも金属が使われている。人類の「記録」の仕方はある意味では変わっていないともいえる。（卍）

裏

リ
うら

2023年3月16日

表に対する「うら」を表すほか、外に対する「うち」を表すこともある。「脳裏」「胸裏」「暗黙裏」などが、その例。この意味の場合、区別するために「裡」を用いることもある。ただし、「裡」は常用漢字ではない。（卍）

揚

ヨウ
あ（げる）
あ（がる）

2023年3月17日

空気や水の力で浮き上がることや、上から力を加えて引き上げることを表す。そのもの自体が持つ力で上がるわけではないのが、特徴。そう考えると、「政権の浮揚を図る」とは、よく言ったものである。（卍）

狸

リ
たぬき

2023年3月18日

中国では「狸奴《りど》」の語のように、この一字でヤマネコやネコを表した。「海狸」はビーバー。タヌキは「貉」だったが、日本で平安時代から「狸」を当て、さらに似た動物にマミ、ムジナなどもおり、各地で地名の読みとなった。（之）

踏

トウ
ふ（む）
ふ（まえる）

2023年3月19日

足で押さえ付ける場合にも使うが、ある場所に実際に出掛けるという意味でも用いる。「踏査」がその例。「踏青《とうせい》」とは、文字通りには青草を踏むこと。野山に出掛けて早春の自然を楽しむことをいう。（卍）

徳

トク

2023年3月20日

〈彳・ぎょうにんべん〉は、移動や行動に関する部首。それに加えて「心」をも含む「徳」は、気持ちと行動の両方に関わる意味を持つ。「諸橋大漢和」では、「心に養ひ身に得たるもの」と説明している。（卍）

⿱雨春

セイ

2023年3月21日

「諸橋大漢和」では、「霽に同じ」と説明する。「霽」は、雨が上がることを表す。その「齊」の部分が「春」になっている理由はよく分からないが、春の雨は古来、万物の生育をうながす恵みの雨だとされている。（卍）

盗

トウ
ぬす（む）

2023年3月22日

旧字体では、上半分は「次」ではなく「次」。〈氵・さんずい〉は液体を表す部首で、「次」は「よだれを流す」という意味。「盜」は、「皿」に入っているものをよだれを流して欲しがるところから生まれた漢字だという。（卍）

魵

フン

2023年3月23日

魵は魚名のほかエビを指す。福島などの名字「魵沢《えびさわ》」のほか、西蒲原郡弥彦村の大字に「魵穴《えびあな》」があり、そこには字として「魵穴山《えびあなやま》」もある。魚から分かれた生物だからこの字をエビと読ませた、との話は後付けで形声文字。（之）

妨

ボウ
さまた（げる）

2023年3月24日

何かの邪魔をすることを表す。ただ、「諸橋大漢和」にも「防に通ず」とあるように、部首を変えるだけで、邪魔されないように「ふせぐ」という意味になる。攻めと守りは表裏一体。その間に境界線を引くのは難しい。（卍）

処

ショ
ところ

2023年3月25日

孟浩然《もうこうねん》の詩「春暁《しゅんぎょう》」の「処処啼鳥《しょしょていちょう》を聞く」は、春眠の心地よさに、夜明けに気づかずにいると、あちらこちらから小鳥のさえずりが聞こえてくるという情景。アラームをセットせず、春眠を貪《むさぼ》るのは何よりの贅沢《ぜいたく》だ。（つ）

面

メン
おも
おもて
つら

2023年3月26日

最近では中華料理店などで、麺を指して使っているのをたまに見かける。これは、現代の中国で「麺」の略字として用いているのに影響されたもの。そのうち、日本でもこの用法が広がるかもしれない。（卍）

毛

モウ
け

2023年3月27日

タンポポの綿毛のような、左右にいくつも枝分かれした毛の絵から生まれた漢字。現在の字形からもそのことがうかがえる。人間の髪の毛を指して使われるようになったのは、後から生じた用法なのだろう。（卍）

影

エイ
かげ

2023年3月28日

太陽や月、灯火などから発する光をいい、転じて光が当たってできる「かげ」を表す。形には必ず影が、音には必ず響きがあることから、ある物が他の物に密接な対応を与えることを「影響」という。（祇）

耕

コウ
たがや（す）

2023年3月29日

「耕運機」はもと「耕耘機」と書き、「耘《うん》」は雑草を刈り取ること。「耘」が「当用漢字表」に入らなかったので、同音の「運」で書き換えたが、しかし「耕運機」は物を運ぶ機械ではない。（祇）

別

ベツ
わか（れる）

2023年3月30日

「区別」「選別」「別件」「別居」などなど、音読みではさまざまに使われるが、訓読みは、人と人が「別れる」場合にしか用いないのが一般的。三月は別れの季節。ご愛読いただいた皆さまとのお別れも近い。（卍）

終

シュウ
お（える）
お（わる）

2023年3月31日

古くは「冬」と書かれ、糸の端に作る「玉結び」の形から、物の末端を表した。ひいて一年最後の季節「ふゆ」の意に使われ、その意味が中心になったので、本来の「糸の端」を表すために糸へんをつけた。（祇）

おわりに—連載「行不由徑」を終えて

意識した新潟らしさ

長く続いた連載も大団円を迎えます。4年前の4月1日、名誉の第1回を拙稿「雪」が飾ったことは、今でも記憶に鮮明です。執筆者中、本県生まれはただ一人とあって、私は地の利を活《い》かし、新潟らしさを盛り込むことを心がけました。「枝」の稿では、作付面積全国トップクラスの枝豆を、「作」では、上越地方の郷土食かんずり（寒作里）を取り上げました。

「神」では、明治時代に人口が国内最多だった関係で、現在でも県内の神社の数が全国一であることを、「椿《つばき》」では、雪椿が雪に負けずたくましく育つところから、県民性の象徴として県の木に指定されていることを紹介しました。本稿の執筆は、原稿を書きつつ不確かな知識を補正し、新たな情報も得られる有意義な時間でした。

思い込みという点では、新潟方言とされる「尽無《ずくな》し（役立たず、怠け者）」や「とぶ（走る）」が、古くは広く使われた語だったことを知ったのも収穫です。執筆分担の制約により、旧国名の「越《こし》」や、秋の風物詩「稲架木《はさき》」に筆が及ばなかったのは心残りです。

最後に新潟の県民性を表す語「しょうしがり（恥ずかしがり）」に触れ、筆を擱《お》きます。

小

ショウ
ちい（さい）
こ
お

特別編

新潟の方言「しょうしがり」の語源は「笑止」というが、「小心」を当てると腑《ふ》に落ちる。世の中、用心深さや慎み深さだけでは損をすることも多い。時には遠慮を捨て、大胆で型破りな行動も求められる。（つ）

新潟日報2023年3月30日掲載

塚田勝郎

諸橋轍次の歩み

西暦（和暦）年	年齢	出来事
1883（明治16）年	0	6月4日　新潟県南蒲原郡四ッ沢村大字庭月（現在の三条市庭月）に、父安平と母シヅの次男として、教育者の家に生まれる。
1887（明治20）年	5	父から『三字経』の素読を習う。
1896（明治29）年	14	四ッ沢村立尋常小学校補習科卒業後、奥畑米峰の私塾「静修義塾」で3年間、通学・寄宿生活をおくりながら漢学等を研鑽する。
1904（明治37）年	22	新潟県新潟師範学校卒業後、上京。東京高等師範学校国語漢文科に進学。ここに漢学を生涯の道と決め、学問と教育に生きる人生を歩み出す。
1908（明治41）年	26	東京高等師範学校卒業後、群馬県師範学校の教壇に立つ。
1909（明治42）年	27	東京高等師範学校漢文研究科入学。
1910（明治43）年	28	東京高等師範学校漢文研究科卒業、同校助教諭となる。
1912（明治45）年	30	最初の論文『詩経研究』刊行。
1918（大正7）年	36	初めて中国へ出張する。

1919（大正8）年	37	「支那哲学及び支那文学研究」のため、文部省より2年間の中国留学を命じられる。この留学中、完成度の高い辞典の必要性を痛感する。
1921（大正10）年	39	中国より帰国後、男爵・岩崎小彌太より静嘉堂文庫長を委嘱される。東京高等師範学校教授兼教諭・國學院大學講師（嘱託）となる。
1925（大正14）年	43	大修館書店店主鈴木一平から、漢和辞典編纂の依頼を受ける。
1926（大正15）年	44	東京高等師範学校漢文科学科主任、大東文化学院教授となる。
1928（昭和3）年	46	文部省より中国へ出張を命じられる。
		大修館書店との間に『大漢和辞典』編纂の約定が成る。
1929（昭和4）年	47	論文「儒学の目的と宋儒の活動」により、東京帝国大学から文学博士の学位を受ける。
1930（昭和5）年	48	東京文理科大学教授兼東京高等師範学校教授となる。
1932（昭和7）年	50	東京文理科大学附属図書館長となる。
1933（昭和8）年	51	國學院大學学部教授兼附属高等師範部教授を委嘱される。
1934（昭和9）年	52	文部省より中国出張を命じられる（～1942年にかけて、数回中国へ渡航）。
1937（昭和12）年	55	宮中の講書始の儀に漢籍進講を仰せつけられる。
1943（昭和18）年	61	『大漢和辞典』第1巻刊行。同年度の朝日文化賞を受賞。

1945（昭和20）年	63	空襲により『大漢和辞典』全13巻の組版と資料を焼失。東宮職御用掛を拝命。東京文理科大学教授、同附属図書館長、東京高等師範学校教授を辞任。正三位に叙せられる。
1946（昭和21）年	64	東京文理科大学名誉教授となる。『大漢和辞典』編纂に再び取り組む。6年間、皇太子明仁親王殿下に漢学を進講する。
1955（昭和30）年	73	右眼を失明、左眼も視力が衰える。35年にわたり勤めた静嘉堂文庫長を辞任する。順天堂病院にて左眼の開眼手術を受ける。『大漢和辞典』原稿完成により紫綬褒章を受章する。再起の『大漢和辞典』第1巻刊行。
1960（昭和35）年	78	都留文科大学が創設され、学長に就任する。浩宮徳仁親王御誕生に際し、御名号・御称号を勘申する。『大漢和辞典』全13巻完結。中華民国政府より学術奨章を受章する。
1962（昭和37）年	80	郷里下田村の名誉村民となる。
1965（昭和40）年	83	文化勲章を受章する。文化功労者として顕彰される。第二皇子礼宮文仁親王御誕生に際し、御名号・御称号を勘申する。

1967（昭和42）年	85	青山学院大学講師を退職、一切の公職から退く。
1969（昭和44）年	87	皇女紀宮清子内親王御誕生に際し、御名号・御称号を勘申する。
1972（昭和47）年	90	『中国古典名言事典』刊行。
1976（昭和51）年	94	勲一等瑞宝章を受章する。
1977（昭和52）年	95	『諸橋轍次著作集』全10巻完結。
1982（昭和57）年	100	『孔子・老子・釈迦「三聖会談」』刊行。 12月8日　永眠。銀盃一組を下賜される。
1983（昭和58）年		郷里下田村において名誉村民葬が挙行される（3月13日）。
1986（昭和61）年		『大漢和辞典』修訂版（全13巻）刊行。
1990（平成2）年		『大漢和辞典語彙索引』刊行。これを加えた修訂第二版（全14巻）刊行。
1992（平成4）年		郷里下田村に「漢学の里 諸橋轍次記念館」が開館。『諸橋轍次博士の生涯』（諸橋轍次記念館編）刊行。
2000（平成12）年		『大漢和辞典補巻』刊行。これを加えた『大漢和辞典』修訂第二版（全15巻）刊行。
2005（平成17）年		合併により三条市名誉市民となる。
2018（平成30）年		「大漢和辞典 デジタル版」が発売される。

刊行に寄せて

「令和」の時代に切り替わろうとする平成31年4月1日から、新潟日報朝刊題字脇に「行不由徑」と題する漢字コラムの連載が始まりました。常用漢字を主体とした漢字一字を掲載し、4年にわたり日々読者へ漢字にまつわる事柄をお伝えして参りました。この間、多くの読者から好評をいただいたこと、感謝申し上げます。本書は掲載した１４００字余りの漢字コラムを1冊にまとめたものでございます。

コラムは漢学者・諸橋轍次博士を顕彰する漢学の里 諸橋轍次記念館が主管する「諸橋轍次記念漢字文化理解力検定」の委員の先生方から執筆いただきました。私たちが日常生活で目にし、使用している漢字についてさまざまな角度から解説いただきましたが、これを限られた字数で読者の皆様にお伝えすることは、至難の業であったと思います。先生方のご苦労が偲ばれます。

この書籍化にご協力をいただいた阿辻哲次先生、塚田勝郎先生、笹原宏之先生、円満字二郎先生をはじめ、（株）新潟日報社、編集・発行にご尽力いただいた（株）新潟日報メディアネットの関係者各位に深甚の謝意を申し上げます。

諸橋轍次記念館長　嘉代　隆一

漢学の里　諸橋轍次記念館

施設案内

■開館時間：午前9時～午後5時（入館は午後4時30分まで）

■休 館 日：毎週月曜日(祝日の場合は翌日)、12月29日～翌年1月3日

■利用料金

○諸橋轍次記念館：入館無料

ただし､次の施設をご利用の場合には利用料金が必要です。

常設展示室　入館料（観覧料金）		
（入館時間：午前9時～午後4時30分まで）		
区分	一般	学生
個人	500円	無料
団体（20名以上）	400円	

貸室利用料（使用料金）		
（利用時間：午前9時～午後5時まで）		
研修室	1,400円	1時間当たり
和室	300円	
多目的ホール	700円	

注）エントランスホールの展示は無料で観覧できます。

○諸橋博士生家・遠人村舎：
入館・観覧　無料
（入館時間：午前9時～午後4時30分まで）

■MAP

◇北陸自動車道
三条燕インターから一車で50分

◇上越新幹線
燕三条駅から———車で50分

◇ＪＲ信越線・弥彦線
東三条駅から———車で35分

◇越後交通バス
東三条駅前から40分
（八木ケ鼻温泉行き、諸橋轍次記念館前下車）

【お問い合わせ】
〒955-0131　新潟県三条市庭月434番地1　TEL/FAX：0256-47-2208
【HP】http://www.kangaku-morohashi.com/
【e-mail】kangaku@city.sanjo.niigata.jp

著者紹介

阿辻哲次（祇）
漢字ミュージアム館長

1951年大阪府生まれ。京都大学文学部卒。京都大学名誉教授。人間が何を使って、どのような素材の上に、どのような内容の文章を書いてきたか、その歩みを中国と日本を舞台に考察する。著書に『新字源』（角川書店）、『漢字再入門』（中央公論新書）、『漢字のはなし』（岩波ジュニア新書）、『戦後日本漢字史』（新潮選書）など。

『行不由徑』の執筆を終えて

京都・祇園の漢字ミュージアムには、『大漢和辞典』に収録される５万字すべてをランダムに配置した「大漢和タワー」があります。高さ５メートルのパネル４面で構成されるタワーを多くの見学者が取り囲み、階段を上下に移動しては自分の名前の漢字を探し、すぐ近くに展示される『大漢和辞典』をあこがれのまなざしで眺めています。そんな漢字学習者にとっての聖地にまつわる仕事をさせていただけたことは、生涯わすれがたい思い出になりました。

塚田勝郎（つ）
一般社団法人漢字文化振興協会理事
元全国漢文教育学会副会長

1952年新潟県上越市（高田）生まれ。新潟県立高田高等学校、東京教育大学卒業。漢文教師として、埼玉県立熊谷高等学校、筑波大学附属高等学校、東海大学、文教大学などで47年間教壇に立つ。高等学校用国語教科書の編集に長く携わる。著書に『新人教師のための漢文指導入門講座』、『同高校２・３年生編』（大修館書店）、共著に『漢文名作選［第２集］１ 古代の思想』（大修館書店）、共編に『現代漢語例解辞典』（小学館）などがある。

『行不由徑』の執筆を終えて

連載は新元号発表の日に始まりました。令和への改元、消費税引き上げ、新型コロナウイルス感染症の世界的流行、緊急事態宣言の発出、安倍晋三首相の辞任、菅義偉内閣の発足、東京オリンピック・パラリンピックの１年遅れの開催、東京オリ・パラ関連汚職の発覚、岸田文雄内閣の発足、北朝鮮による飛翔体の相次ぐ発射、ロシアのウクライナ侵攻、成人年齢の引き下げ、安倍元首相の横死と国葬。連載を読み返すと、激動の４年間だったことを改めて実感します。

笹原宏之（之）
早稲田大学社会科学総合学術院教授

東京都出身。博士（文学）。日本漢字学会理事、日本語学会評議員。著書に『国字の位相と展開』（三省堂　金田一賞、白川賞）『日本の漢字』（岩波書店）『漢字ハカセ、研究者になる』（同）『謎の漢字』（中央公論新社）『画数が夥しい漢字』（大修館書店）『方言漢字事典』（研究社）等。行政事務標準文字、人名用漢字、常用漢字、NHK 用語、日本医学会用字、漢検奨励賞、『新明解国語辞典』『中学国語』『小学新漢字辞典』『日本語学』等の委員。

『行不由徑』の執筆を終えて

常用漢字の表外字を中心に担当したため、掲載された字数は少なめでしたが、新潟にゆかりの深い字、日本らしさの感じられる字、初見でも様々なことを考えさせてくれる字を載せるように心掛けました。読者や記者の方からリクエストを頂いて書いた回もあります。連載は好評だったそうで、ときどき「読んでいるよ」と声を掛けていただくと励みになったものです。今後も漢字に対して観察をお続けになり、気付かれたことを教えていただければ幸いです。

円満字二郎（卍）
フリーライター、編集者

1967 年、兵庫県西宮市生まれ。大学卒業後、出版社で国語教科書や漢和辞典などの担当編集者として働いた後、2008 年にフリーに。著書に、『漢字ときあかし辞典』『漢字の使い分けときあかし辞典』（以上、研究社）、『漢字の植物苑 花の名前をたずねてみれば』『漢字の動物苑 鳥・虫・けものと季節のうつろい』（以上、岩波書店）、『漢字が日本語になるまで 音読み・訓読みはなぜ生まれたのか？』（ちくまQブックス）などがある。

『行不由徑』の執筆を終えて

「行不由徑」に書かせていただくにあたっては、適宜、「諸橋大漢和」から形が珍しい漢字や、興味深い意味の説明などをご紹介するように留意しました。形が珍しい漢字を探すには、索引の巻の総画索引を、興味深い意味を持つ漢字を探すには、同じく索引の巻の字訓索引を見るのが便利です。ぜひみなさんも、図書館に出かけて「諸橋大漢和」の世界に触れてみてください。4 年間にわたってご愛読いただき、まことにありがとうございました。

行不由徑《ゆくにこみちによらず》

2023（令和5）年12月8日　初版第1刷発行

編　　者　諸橋轍次記念館

制作・発売　新潟日報メディアネット
【出版グループ】
〒950-1125
新潟市西区流通3丁目1番1号
TEL 025-383-8020　FAX 025-383-8028
https://www.niigata-mn.co.jp

印刷・製本　株式会社　小田

定価はカバーに表示してあります。
落丁・乱丁本は送料小社負担にてお取り替えいたします。
ISBN978-4-86132-844-2